LA PRINCESSE
DE GLACE

JUDE DEVERAUX

LA PRINCESSE
DE GLACE

PRESSES DE LA CITE
PARIS

Titre original :
TWIN OF ICE
Publié par Pocket Books, Inc New York

Traduction française de François Charlonnai

© 1985 by Deveraux Inc.

© Presses de la Cité 1986 pour la traduction française.

ISBN 2-258-01844-7

PROLOGUE

La grosse femme âgée, aux dents noircies et aux cheveux gris, se hissa sur le siège de son chariot avec une remarquable agilité. Derrière elle s'entassait tout un stock de légumes recouvert d'une toile humide.

— Sadie...

La vieille femme regarda le Révérend Thomas, dont le front se barrait d'un pli soucieux.

— Vous serez prudente, n'est-ce pas ? N'allez pas commettre une folie et attirer l'attention sur vous.

— C'est promis, répondit-elle d'une voix jeune et douce. Je serai très vite de retour.

Sur ces mots, Sadie fit claquer son fouet et le lourd chariot s'ébranla en cahotant.

La route qui reliait la ville de Chandler aux mines de charbon était longue et mal carrossée. Sadie dut bientôt s'arrêter pour laisser passer un train. Chacun des dix-sept camps de mineurs avait une voie ferrée qui permettait de transporter le charbon jusqu'à la gare de triage.

Une fois engagée dans l'embranchement qui conduisait aux mines Fenton, Sadie croisa un attelage semblable au sien, conduit également par une vieille femme. Les deux véhicules s'arrêtèrent.

— Aucun problème ? demanda Sadie.

— Aucun, mais les syndicats font de plus en plus parler d'eux. Et toi, des nouvelles ?

— Il y a eu un éboulement dans le puits numéro 6 la semaine dernière et les hommes sont plus occupés à déblayer qu'à discuter.

— Sois prudente, Sadie. Le camp de Little Pamela est un des plus dangereux et Rafe Taggert me fait peur.

— Il fait peur à beaucoup de gens, répondit Sadie. Mais voici un autre chariot, nous ferions bien de libérer le passage. A la semaine prochaine, Addie !

Sadie fit claquer son fouet et reprit sa route. Elle finit par arriver devant les grilles qui fermaient le camp de Little Pamela et, malgré elle, sa gorge se noua tandis qu'elle se retrouvait face aux gardes armés.

— Bonjour, Sadie. Vous avez des navets ?

— Des navets superbes, rétorqua-t-elle, son sourire révélant ses dents cariées.

— Mettez-m'en un sac de côté, enchaîna le garde, tout en ouvrant les lourdes grilles de fer.

Il n'était pas question qu'il la dédommage : laisser pénétrer une étrangère dans l'enceinte du camp méritait tous les paiements du monde.

Les gardes étaient postés là pour s'assurer qu'aucun syndicaliste ne rentrerait dans la mine et ne tenterait de soulever les mineurs. Au moindre soupçon, ces hommes armés avaient la réputation de tirer d'abord et de poser des questions ensuite... En cas de bavure, il suffisait aux miliciens de prétendre qu'ils avaient abattu un syndicaliste pour qu'aussitôt les juges s'empressent d'étouffer l'affaire.

Sadie dut faire bien attention pour pénétrer avec son pesant chariot tiré par quatre chevaux dans les ruelles étroites souillées de suie noirâtre. Les maisons des mineurs n'étaient autres que des cabanes de bois où ils s'entassaient avec leurs nombreuses familles. Un lopin de terre à l'arrière abritait les commodités les plus rudimentaires et une petite réserve de charbon pour qu'ils puissent se chauffer. Aucune de ces habitations n'avait l'eau courante ; chacun venait puiser au puits commun, pollué par les poussières de charbon.

Sadie passa devant le magasin général et salua froidement son propriétaire : ils étaient des ennemis quasi héréditaires.

Les mineurs touchaient des bons d'alimentation uniquement compensables au magasin de la mine et d'aucuns allaient jusqu'à prétendre que les propriétaires des gisements tiraient plus de profit de ce commerce que de l'exploitation de la mine elle-même.

Sadie vira à droite dans l'*Allée du Soleil*, nom d'une ironie féroce pour désigner cette rangée de masures peintes en jaune, coincées entre le flanc de la montagne et les rails de chemin de fer.

Enfin, elle arrêta son chariot.

— Sadie ! s'exclama une jolie jeune femme, en essuyant ses mains humides à son ample tablier bleu. Je croyais que tu ne viendrais pas !

— Tu sais comment je suis, rétorqua la conductrice sur un ton bourru, descendant péniblement de son siège. J'aime bien faire la grasse matinée. Comment vas-tu, Jane ?

Jane Taggert décocha à Sadie un sourire complice, soulagée de voir que les gardes encore une fois n'avaient pas fouillé son chariot à l'entrée.

— Qu'as-tu apporté ? souffla-t-elle.

— Du sirop pour la toux, du liniment, un peu de morphine pour Mme Carson et une douzaine de paires de chaussures. Tu sais, on ne peut pas dissimuler tout ce qu'on veut à l'intérieur d'un chou. J'ai aussi des rideaux de dentelle pour la jeune épouse d'Ezra.

— Des rideaux de dentelle ! s'écria Jane. Après tout, tu as sans doute raison. C'est ce qui lui fera le plus plaisir. Bon, au travail.

Jane et Sadie ne mirent pas loin de trois heures à distribuer les marchandises. Les ménagères payaient Sadie avec des reconnaissances de dette que la vieille femme détruirait sitôt sortie du camp.

Quand le chariot fut vide, Sadie raccompagna Jane chez elle.

— Comment va Rafe ? demanda la vieille femme.

— Il travaille trop, tout comme son père, d'ailleurs. Mais il faut que tu t'en ailles, maintenant. Je ne voudrais pas que tu aies des ennuis.

— Ne t'en fais pas pour moi, sourit Sadie en lui serrant la main. Depuis le temps, j'ai l'habitude.

Sadie remonta sur son chariot, donna un coup de fouet et s'en retourna vers les grilles. Une heure plus tard, elle s'arrêtait derrière le presbytère de Chandler. La porte arrière n'était pas fermée et elle pénétra sans difficulté dans le bâtiment. Elle traversa un long couloir et se précipita dans la salle de bains où des vêtements propres l'attendaient.

D'un geste, elle ôta sa perruque grisonnante, lava à grande eau son visage pour le débarrasser de tout maquillage et se brossa longuement les dents.

Les vêtements grossiers, savamment rembourrés pour la grossir, ne tardèrent pas à tomber sur le sol, pour être remplacés par des dessous de fine dentelle et une jolie robe de velours vert mousse.

Comme elle achevait d'en nouer la ceinture, on frappa à la porte.

— Entrez !

Le Révérend Thomas parut et s'immobilisa un instant sur le seuil pour admirer la jeune femme.

Avec ses cheveux sombres aux reflets cuivrés, ses grands yeux turquoise pailletés d'or, son nez fin et aristocratique et sa bouche finement ourlée, Aryane Chandler était une jeune fille ravissante.

— Si je comprends bien, fit le pasteur, Sadie est morte et ne ressuscitera que la semaine prochaine ? Bien, Aryane, il faut que tu t'en ailles maintenant, ton père va...

— Mon beau-père, corigea-t-elle.

— Père ou beau-père, sa colère sera la même...

— Anne et Tia sont-elles bien rentrées ? coupa Aryane.

— Depuis longtemps. Allez, va-t'en.

— D'accord. A mercredi prochain.

Aryane sortit du presbytère par la porte principale et rentra chez elle à grands pas.

CHAPITRE PREMIER

Mai 1892

Aryane parcourut quelques centaines de mètres et s'arrêta devant une imposante demeure de brique rouge que tout le monde en ville appelait le manoir Chandler. Elle grimpa vivement les degrés du perron et pénétra dans le vestibule.

Comme elle déposait son ombrelle dans le porte-parapluies de porcelaine, la voix de son beau-père lui parvint du salon. Une fois de plus, il sermonnait la sœur de la jeune fille.

— Je ne tolérerai pas un tel langage sous mon toit ! criait Duncan Gates. Le fait que vous prétendiez être docteur ne vous autorise aucunement à confondre ma maison avec une salle de garde !

Doriane Chandler, la sœur jumelle d'Aryane, lança un regard meurtrier à son beau-père.

— Depuis quand êtes-vous ici chez vous ? lança-t-elle. Mon père...

L'arrivée d'Aryane l'interrompit.

— N'est-ce pas l'heure du dîner ? dit-elle, s'interposant entre Doriane et Duncan Gates. Si nous passions à table ?

Aryane jeta un regard suppliant à sa sœur mais cette dernière tourna le dos, sans dissimuler sa colère.

— Au moins, j'ai une fille bien élevée, dit Duncan, glissant son bras sous celui d'Aryane et l'entraînant vers la salle à manger.

Aryane se crispa en entendant ce qui était devenu au fil des années un véritable leitmotiv. Elle détestait être comparée à Doriane, et par-dessus tout être le vainqueur de la compétition.

A peine avaient-ils pris place à la grande table d'acajou, Duncan à un bout, faisant face à Opal Gates, et les deux sœurs de chaque côté, que Duncan Gates revint à la charge :

— Au moins vous pourriez faire un effort pour faire plaisir à votre mère, Doriane. Compte-t-elle si peu à vos yeux ?

La mâchoire crispée, Doriane fixa sa mère, qui n'était plus que la pâle copie de ses deux ravissantes filles.

— Maman, fit-elle, souhaites-tu vraiment me voir abandonner mes études de médecine et revenir m'installer ici pour épouser un banquier imbécile qui me fera une douzaine de gamins braillards ?

Opal Gates prit un peu du rôti que lui présentait la domestique et sourit à sa fille.

— Je veux avant tout que tu sois heureuse, Doriane, répondit-elle. Et je trouve aussi très noble de ta part de vouloir venir en aide à ceux qui souffrent.

Doriane tourna vers son beau-père un visage triomphant.

— Aryane a déjà renoncé à sa vie pour vous satisfaire, dit-elle. Cela ne vous suffit-il pas ? Voulez-vous également briser la mienne ?

— Aryane ! explosa Duncan, les doigts crispés sur le couteau de service. Allez-vous laisser votre sœur distiller de telles insanités ?

Aryane regarda tour à tour les deux duellistes. Elle n'avait aucune intention de prendre parti, d'autant qu'après le mariage Doriane retournerait tranquillement en Pennsylvanie alors qu'elle, Aryane, continuerait à vivre dans la même ville que son beau-père.

Aryane entendit avec soulagement la porte s'ouvrir et un domestique annoncer le Dr Leander Westfield.

— Susan, dit Aryane à la servante, vous rajouterez un couvert.

Un grand jeune homme brun, extrêmement séduisant, parut. Il salua M. et Mme Gates, puis fit le tour de la table pour venir déposer un baiser sur la joue d'Aryane.

— Veux-tu dîner avec nous, Leander ? proposa la jeune fille, désignant d'un geste l'assiette que l'on venait d'installer à côté de la sienne.

— Non merci, c'est déjà fait, répondit Leander en s'installant quand même. Je prendrai seulement le café. Bonjour, Doriane.

Doriane se contenta de lui lancer un regard peu amène.

— Vous pourriez avoir la politesse de répondre quand on vous adresse la parole, Doriane, jeta Duncan Gates.

— Ce n'est rien, monsieur Gates, dit Leander, souriant. Tu es ravissante, ce soir, Doriane. Aussi fraîche et rose qu'une jeune mariée !

Comme sa sœur menaçait de s'étrangler, Aryane s'empressa de faire diversion :

— Leander, ne devions-nous pas discuter du mariage ? Si nous nous retirions ?

— Excellente idée. Allons-y maintenant, si tu as fini.

Leander escorta Aryane jusqu'à la rue et la fit monter dans sa calèche. Ils ne tardèrent pas à s'arrêter dans une petite rue que la nuit tombante rendait sombre.

— Maintenant, fit-il, dis-moi ce qui se passe. Tu m'as l'air presque aussi contrariée que Doriane.

Aryane lutta contre ses larmes. Comme c'était bon de se trouver enfin seule avec Leander ! Sa présence était si rassurante, si familière... Il lui semblait son seul secours en ce bas monde.

— C'est à cause de M. Gates, expliqua Aryane. Il passe son temps à la réprimander, lui répétant que déjà toute petite elle ne faisait rien de bon. Il voudrait qu'elle abandonne la médecine et reste à Chandler. Et le pire de tout, c'est qu'il lui dit sans cesse que je suis mieux qu'elle.

— Mais, mon amour, c'est vrai que tu es parfaite, sourit Leander en la prenant dans ses bras. Tu es douce et bonne, et si conciliante...

— Conciliante ! s'écria-t-elle en se dégageant. Tu veux dire que je n'ai aucune personnalité !

— Mais non, tu es formidable et je t'admire de t'inquiéter pour ta sœur. Mais Doriane aurait bien dû se douter qu'en étudiant la médecine elle s'attirerait des reproches.

— Tu n'estimes tout de même pas toi aussi qu'elle devrait renoncer à ses études ?

— Je n'ai aucune opinion sur le sujet. Doriane n'est en rien sous ma responsabilité. Mais à quoi bon parler d'elle ? reprit-il en l'enlaçant à nouveau. N'avons-nous pas la vie devant nous, Aryane ?

Leander s'était encore rapproché et avait enfoui son visage dans le cou de la jeune fille. Aryane détestait ces moments. Autant elle appréciait la compagnie de Leander, autant elle avait envie de le repousser lorsqu'il se faisait entreprenant.

Ils se connaissaient depuis l'enfance. Elle avait alors six ans, Leander douze, et déjà chacun pensait qu'ils se marieraient un jour. Toute sa vie, Aryane avait grandi dans cette idée et toute son éducation avait été conçue dans cette optique.

Mais quelques mois plus tôt, alors qu'il revenait d'Europe où il avait achevé ses études de médecine, Leander avait commencé à embrasser la jeune fille, à l'entraîner dans sa calèche pour mieux la caresser, et elle détestait cela. Invariablement, le jeune homme finissait par se mettre en colère, lui reprochait de rester de glace et la ramenait sans un mot chez elle.

Aryane se culpabilisait énormément. Elle n'était pas une oie blanche et savait comment une jeune fille aurait dû réagir. Mais elle n'y pouvait rien : les baisers, les caresses de Leander la laissaient indifférente.

Encore une fois, Leander recula et posa sur la jeune fille un regard plein de reproches.

— C'est dans moins de trois semaines, dit-elle. Nous serons mariés et alors...

— Alors quoi ? La princesse de glace se mettra soudain à fondre ?

— Je le souhaite. Nul ne le souhaite autant que moi.

— Es-tu prête pour aller à la réception de demain soir chez le gouverneur ? demanda Leander après un silence.

Il sortit un mince cigare de sa poche et l'alluma.

— Fin prête. Ma plus belle robe n'attend plus que moi.

— Le gouverneur va être vert de jalousie, sourit Leander. Dire que bientôt j'aurai pour femme la plus jolie fille de l'Etat !... Je vais en ville, demain, veux-tu venir avec moi ?

— Avec plaisir. Tiens, ça me fait penser que Doriane veut passer à la poste. Elle attend sans doute une de ces revues médicales qu'elle commande régulièrement.

Comme la calèche repartait, Aryane se cala sur la banquette, se demandant comment Leander réagirait s'il apprenait que, chaque semaine, la parfaite princesse de glace se commettait dans la pire illégalité !

14

— Je ne vois vraiment pas pourquoi Leander doit nous accompagner, dit Doriane, achevant de se préparer. Nous sommes assez grandes pour sortir en ville toutes seules. Et puis, il y a si longtemps que nous n'avons pas été seules que la présence d'une tierce personne me semble vraiment superflue.

Aryane sourit du fond de son fauteuil.

— Leander s'est gentiment offert de venir, c'est tout. Par moments, j'ai réellement l'impression que tu le détestes. Je ne vois pas pourquoi. Il est gentil, bien élevé, et il a une honorable position sociale dans notre ville.

— Et il est ton seigneur et maître ! explosa Doriane. Ne vois-tu pas que tu cours à la catastrophe ? Tu ne peux savoir combien j'ai vu de femmes finir par se suicider tellement elles étouffaient auprès de maris comme Leander. On meurt de soumission, Aryane, crois-moi, c'est la vérité.

— Mais pourquoi irais-je me suicider ? Je ne comprends pas un traître mot à ce que tu racontes. Je suis très heureuse comme je suis, Doriane.

— Faux !

— Vrai.

— Mais regarde-toi ! Tu as changé du tout au tout. On te dirait éteinte. Dans le temps, tu riais, tu aimais t'amuser. Aujourd'hui tu ne songes plus qu'à faire ce qui se fait, à être la parfaite lady. Mais où est ta vie dans tout ça ? Je me rends bien compte que tu as dû faire des efforts dans ce sens pour que M. Gates te laisse tranquille, mais quand même ! Tu te rends compte que tu vas bientôt épouser un homme qui lui ressemble ?

— Leander n'est pas comme M. Gates, rétorqua calmement Aryane. Il est même très différent et... je l'aime, Doriane. Je l'aime depuis des années et j'ai toujours rêvé de me marier et d'avoir des enfants. Je ne suis pas comme toi. Ne peux-tu l'admettre ?

— J'aimerais te croire mais je n'y arrive pas. Et puis, je n'aime pas la façon dont Leander te traite. On dirait que tu lui appartiens ; que tu es sa chose. Quand on vous voit ensemble, on a l'impression que vous êtes mariés depuis déjà au moins vingt ans.

— C'est parce qu'on se connaît depuis toujours ! Que puis-je rêver de mieux qu'un mari avec lequel je m'entends bien ?

— Je ne sais pas. Pour moi, un bon couple, ce sont deux personnes qui s'étonnent mutuellement. Leander et toi, vous vous ressemblez trop. S'il était femme, il serait comme toi une lady irréprochable.

— Je ne suis pas aussi irréprochable que ça. Je fais parfois des choses qui...

— Comme Sadie ?

— Comment sais-tu ?

— C'est Meredith qui me l'a dit. Maintenant, que crois-tu que ton cher Leander dira quand il apprendra que tu risques ta vie tous les mercredis ? Et comment un respectable médecin tel que lui s'accommodera-t-il d'une épouse qui enfreint les lois ?

— A t'entendre, je suis une criminelle, protesta Aryane. Au contraire, je défends une cause juste. Pour ce qui est de Leander, je ne sais pas comment il réagira. Le mieux serait qu'il ne le sache jamais.

— Il le saura. Et tel que je le connais, ce petit-bourgeois borné et bourré de principes t'interdira de continuer. Evidemment, en bonne épouse soumise, tu obéiras.

— Peut-être vaudrait-il mieux que Sadie disparaisse avec mon mariage, soupira Aryane.

Doriane s'agenouilla alors devant sa sœur et lui prit les mains.

— Je m'inquiète vraiment pour toi, Aryane. Tu n'es plus la sœur que j'ai connue. Gates et Westfield sont en train de te détruire. Où est passée la petite fille qui jetait des boules de neige, qui riait, courait, grimpait aux arbres ? Aujourd'hui, on dirait que le monde te fait peur. Même quand tu te montres audacieuse et que tu deviens Sadie, tu dois le faire en cachette. Aryane, je...

Des coups frappés à la porte l'interrompirent.

— Mademoiselle Aryane, le Dr Leander est là.

— Très bien, Susan, dites-lui que je descends tout de suite. Désolée de te déplaire, Doriane, poursuivit-elle d'un ton froid. Mais je sais ce que je veux et ce qui me convient. Je tiens à épouser Leander, parce que je l'aime.

Sur ces mots, la jeune fille tourna les talons et quitta la pièce.

Malgré tous ses efforts, Aryane avait du mal à oublier les paroles de Doriane. En tant que jumelles, elles étaient encore plus proches que ne le sont habituellement deux sœurs et Aryane ne doutait pas de la sincérité de Doriane.

Mais comment imaginer de ne pas épouser Leander ? Leurs vies avaient toujours suivi des cours parallèles et, tandis que Leander étudiait la médecine, la jeune fille s'était soigneusement préparée à être femme de docteur.

Tandis que Doriane entrait à l'Université pour étudier la médecine, Aryane s'enfermait dans un institut de jeunes filles, au grand scandale de sa sœur.

— Comment peux-tu renoncer à faire des études, s'était-elle indignée, pour apprendre à mettre la table et marcher avec une traîne de dix mètres de long sans te retrouver les quatre fers en l'air ?

Leander la prenant par le coude pour l'aider à monter en calèche la tira de ses pensées. Déjà, Doriane était installée sur la banquette après avoir refusé les services du beau médecin.

— Leander, souffla Aryane, me trouves-tu intéressante ?

— Aryane, répondit-il en posant sur elle un regard insistant, je te trouve fascinante.

— Ce n'est pas ce que je voulais dire. Crois-tu que nous ayons assez de choses à nous dire ?

— Je m'étonne parfois d'arriver encore à parler lorsque tu es près de moi...

Sur ces mots qui se voulaient galants, Leander prit les rênes et la calèche s'élança.

CHAPITRE II

Chandler, dans le Colorado, ne comptait que huit mille habitants, mais le charbon, les élevages de bovins et de moutons ainsi que les brasseries qui appartenaient à M. Gates en faisaient une petite ville fort prospère. Déjà il y avait l'électricité et le téléphone ; quant aux trois lignes de chemin de fer qui s'y croisaient, elles permettaient de rejoindre facilement des cités plus importantes, telles que Colorado Springs ou Denver.

Grâce aux carrières locales, les maisons étaient construites en une pierre de taille d'un gris clair légèrement bleuté qui contrastait agréablement avec le rose safrané des tuiles.

Disséminées sur les hauteurs alentour, des demeures résidentielles faisaient l'orgueil de leurs propriétaires. Parmi celles-ci, un grand manoir de brique rouge appartenant à la famille Fenton avait été longtemps la plus somptueuse.

Mais à l'ouest, toujours sur une hauteur, Kane Taggert avait fait ériger une maison si grande que le manoir des Fenton aurait pratiquement pu tenir dans une de ses caves.

— Est-ce que tout le monde rêve toujours de pénétrer à l'intérieur ? demanda Doriane comme au détour de la rue, ils pouvaient apercevoir la fameuse bâtisse à travers son rideau d'arbres.

— Tout le monde, confirma Aryane. Mais M. Taggert a refusé toutes les invitations qu'on a pu lui faire et pour sa part n'a convié personne à venir chez lui. Du coup, les plus terribles rumeurs courent sur lui.

— Je ne suis pas certain que ce ne soient que des rumeurs, intervint Leander. Jacob Fenton dit que...

— Fenton ! coupa Doriane. Cet escroc ! Des gens comme lui devraient...

Aryane n'écouta pas la suite, préférant s'absorber dans ses pensées tandis que Doriane et Leander discutaient âprement.

Aryane ignorait si ce qu'on disait sur Kane Taggert était vrai ou non. Une chose était sûre : sa demeure était bien la plus belle qu'elle eût jamais vue.

On ignorait aussi qui était exactement Kane Taggert. Cinq ans plus tôt, une centaine d'ouvriers avaient débarqué à Chandler. Un train de marchandises surchargé de matériaux de construction avait suivi et, très vite, l'immense demeure était sortie de terre.

Les potins avaient commencé à aller bon train ; on racontait que pas un seul des ouvriers n'avait jamais payé le moindre repas, tant les femmes de Chandler étaient prêtes à les nourrir gratuitement, dans l'espoir de leur soutirer quelque information. Chacun mourait d'envie de connaître l'identité de cet original qui avait décidé de se faire construire un véritable palais au fin fond du Colorado...

Les travaux durèrent deux ans mais le résultat avait de quoi couper le souffle. Le corps de bâtiment principal, haut de deux étages, était flanqué de deux ailes latérales, formant une cour d'honneur d'où montait un escalier de marbre à double volée. L'architecte avait su donner à l'ensemble une impression de légèreté malgré le caractère imposant de la construction.

Un an avait encore passé, puis un train entier avait débarqué un nombre incalculable de caisses en provenance des quatre coins d'Europe : France, Angleterre, Espagne, Portugal, Autriche. Toutes ces caisses, contenant sans doute le mobilier, avaient été soigneusement transportées dans la maison. On ignorait toujours qui était le propriétaire.

Puis, un jour, deux hommes étaient descendus du train. Tous deux grands et larges d'épaules. L'un blond et sympathique, l'autre brun, barbu, hirsute, le regard farouche. Tous deux vêtus de grossiers pantalons retenus par d'épaisses bretelles, de chemises de flanelle à carreaux et de lourds godillots.

Quand ils avaient remonté à pied la rue principale, les femmes s'étaient écartées sur leur passage.

Le brun s'était rendu chez Jacob Fenton. Chacun pensa qu'il allait lui demander de travailler dans l'une de ses mines. Mais, au lieu de cela, il avait dit calmement :

— Alors, Fenton, tu vois, je suis de retour. Que penses-tu de ma maison ?

Ce ne fut que lorsque l'inconnu eut gravi la colline, monté les degrés de marbre et sorti une clef de sa poche que l'on comprit de quelle maison il avait voulu parler !

Les mois qui suivirent, au dire de Duncan Gates, virent se livrer une véritable bataille. Toutes les femmes qui s'étaient à l'origine détournées du géant barbu n'eurent de cesse de lui jeter leurs filles à marier dans les bras.

Les couturiers de Denver, appelés en hâte pour réaliser les toilettes les plus belles, firent des affaires d'or. On ne comptait plus les jouvencelles qui s'évanouissaient fort opportunément sur le passage de Kane Taggert — on connaissait désormais son nom — et il y eut même une femme pour aller accoucher devant chez lui dans l'espoir de le voir lui venir en aide. Son enfant ne dut la vie qu'à une lavandière qui passait par là. Le maître de maison, lui, était alors absent pour quelques jours...

Au bout de ces six mois de vains efforts, la curiosité céda la place à l'amertume dans les cœurs féminins de la tranquille petite bourgade de Chandler. Qui, au fond, aurait voulu d'un homme qui ne savait pas s'habiller correctement et s'exprimait comme un charretier ? D'abord, qui était-il ? Qu'avait-il voulu dire en déclarant à Jacob Fenton : « Je suis de retour » ?

Une enquête minutieuse fut menée et on découvrit un vieux serviteur des Fenton qui se souvenait qu'un certain Kane Taggert avait été dans le temps garçon d'écurie chez ses maîtres. Le jeune homme s'était mis à courtiser Pamela Fenton, la fille de Jacob, et le père outragé s'était empressé de jeter l'impertinent à la porte comme un malotru qu'il était.

Cette histoire fit les délices de la ville. Pour qui donc se prenait ce vulgaire palefrenier, suborneur de surcroît ? De quel droit venait-il troubler le calme de la petite communauté en se faisant bâtir cette pâtisserie vraiment digne du dernier des parvenus ? Cherchait-il à se venger de ce bon et généreux — et ô combien respectable — Jacob Fenton ?

De nouveau, ces dames se détournèrent sur son passage.

Taggert parut toujours indifférent à toutes ces histoires. La plupart du temps, il restait chez lui et ne paraissait en ville qu'une fois par semaine pour remplir son vieux chariot de provisions. Parfois, des inconnus débarquaient d'un train et demandaient à un passant le chemin de sa maison. Ils repartaient souvent le jour même par le dernier train.

Hormis ces visiteurs occasionnels, seuls Taggert lui-même et Edan, l'homme blond venu avec lui le premier jour, entraient dans la vaste demeure.

— Cette maison fait rêver Aryane, dit Leander, son altercation avec Doriane enfin achevée. Je crois que si elle ne m'avait pas eu, elle aurait rejoint la file de toutes ces femmes qui ont tenté de se pendre aux basques de ce rustre.

— C'est vrai que j'aimerais en connaître l'intérieur, avoua Aryane. Tu peux me laisser devant chez Wilson, Leander ? Je te retrouverai dans une heure chez Farrell.

Aryane fut contente de se retrouver seule. Les perpétuelles disputes de Doriane et de Leander la fatiguaient.

Le bazar de M. Wilson n'était plus depuis longtemps le magasin le plus moderne de Chandler, mais Aryane le préférait aux autres. Peut-être parce qu'elle se souvenait y être venue enfant avec son père, qui était un ami de longue date du patron.

Elle poussa la porte de sa main gantée et le carillon tintinnabula gaiement, sa musique éveillant de vieux souvenirs.

La jeune fille fut tout de suite surprise devant le silence qui régnait dans la boutique aux rayonnages d'acajou et aux comptoirs recouverts de marbre gris veiné de brun.

Derrière l'un d'eux se tenait Davey, le fils de M. Wilson. Le stylographe qu'il serrait entre ses doigts ne lui servait nullement à écrire dans l'épais registre ouvert devant lui. Immobile, silencieux, il paraissait attendre quelque événement déroutant. De même, les quelques clients semblaient figés.

Aryane ne tarda pas à comprendre ce qui se passait : Kane Taggert était là, le dos tourné aux autres.

Aryane gagna un présentoir et se plongea dans la contemplation de parfums bon marché qu'elle n'avait aucune intention d'acquérir.

— Maman, tu n'y penses pas ! fit soudain la voix haut perchée d'Alice Pendergast. Pour rien au monde, je ne porterais une telle robe. J'aurais l'air de ces filles de cuisine qui sortent avec des mineurs au cou rouge et aux ongles crasseux. Pire, avec ces palefreniers malodorants !

Aryane serra les poings sans même s'en rendre compte. Nul doute que ces deux pimbêches cherchaient à provoquer Taggert. Depuis que ce dernier avait décliné les avances de toutes ces femmes avides d'argent, elles ne décoléraient plus.

La jeune fille coula un regard dans la direction de l'homme et aperçut son visage dans le reflet d'un miroir mural. Ses cheveux hirsutes et sa barbe en broussaille dissimulaient ses traits mais elle put voir ses yeux. De toute évidence, il avait entendu et, à en juger par le pli qui marquait ses sourcils, il n'appréciait pas.

— Alice, intervint Aryane, comment vas-tu ? Je te trouve un peu pâle aujourd'hui.

21

— Tiens, bonjour, *Daryane*, répliqua Alice, utilisant le vocable adopté depuis toujours par les habitants de Chandler pour s'adresser aux jumelles qu'ils ne parvenaient jamais à distinguer. Non, je vais très bien.

— J'avais peur que tu ne t'évanouisses, reprit Aryane, faisant délibérément allusion aux deux pâmoisons dont Alice avait été victime quand Kane Taggert avait tout d'abord débarqué à Chandler.

— Daryane ! Comment peux-tu...

— Viens, ma chérie, intervint sa mère. Ne restons pas ici.

Quand les deux femmes furent sorties, Aryane se prit à regretter ses paroles. Tant pis, il était trop tard. Elle n'aurait qu'à présenter des excuses la prochaine fois qu'elle les rencontrerait.

La jeune fille allait quitter à son tour le magasin quand elle croisa le regard de Kane Taggert dans le miroir. L'homme se retourna.

— Vous êtes Aryane Chandler, n'est-ce pas ?

— C'est exact, répondit-elle froidement.

Elle n'avait pas l'intention de faire la conversation à cet inconnu et n'arrivait même plus à comprendre pourquoi elle avait pris sa défense face à quelqu'un qu'elle connaissait pourtant depuis toujours.

— Pourquoi cette fille vous a-t-elle appelée Doriane ? N'est-ce pas plutôt le prénom de votre sœur ?

— Vous avez mal entendu, monsieur. Alice m'a appelée Daryane. C'est le nom que les gens emploient quand ils ne savent pas exactement à laquelle de nous deux ils ont affaire. Nous sommes jumelles, voyez-vous. Maintenant, si vous voulez bien m'excuser...

— Vous ne ressemblez pourtant pas à votre sœur. Vous êtes beaucoup plus jolie qu'elle.

Aryane demeura quelques instants bouche bée. Jusqu'à ce jour, personne n'avait été capable de faire la différence entre Doriane et elle. Enfin, elle se ressaisit et gagna résolument la porte.

Elle venait de poser la main sur la poignée quand Taggert l'arrêta par le bras.

Plus d'une femme à Chandler ne se séparait jamais de son ombrelle pour pouvoir en assener un bon coup à tout opportun. Aryane n'avait pas recours à cet ustensile : ses yeux lui suffisaient amplement. Ses prunelles turquoise pouvaient virer en un éclair au bleu de glace et clouer quiconque sur place.

Kane Taggert en fit l'expérience. Certes, il ne recula pas, mais sa main abandonna aussitôt le bras qu'elle venait de saisir.

— Attendez, dit-il, je voudrais vous poser une question... Si vous me le permettez, ajouta-t-il, son ton se faisant moqueur.

— Je vous écoute.

— Voilà, si vous, qui êtes une lady, aviez à choisir des rideaux pour votre maison — la mienne est la grande blanche, là-haut sur la colline — quel est celui de ces tissus que vous prendriez ?

— Si j'avais votre maison, je ferais tisser directement mes rideaux à Lyon, en France. Au revoir, monsieur.

Aryane sortit le plus vite qu'elle put dans la rue et s'éloigna rapidement, ses talons claquant sur le trottoir de bois.

La jeune fille s'amusait de la tête que feraient ses amies lorsqu'elle leur raconterait sa rencontre avec Kane Taggert. Nul doute que la plupart d'entre elles eussent sauté sur l'occasion et proposé de venir mesurer ses fenêtres afin de connaître enfin l'intérieur de sa maison.

Aryane se souriait à elle-même quand une main la saisit et l'entraîna dans une ruelle, juste avant d'arriver au théâtre municipal. Elle n'eut pas le temps de crier, une autre main la bâillonnait et elle se retrouvait dos au mur. Elle leva un regard terrorisé sur Kane Taggert.

— Je ne vais pas vous faire de mal. Je veux juste vous parler et je sais que ce n'était pas possible devant les autres. Vous n'allez pas crier ?

Aryane secoua la tête et Kane ôta sa main.

— Vous êtes encore plus belle de près, reprit-il. Et vous avez vraiment tout d'une lady, ajouta-t-il, détaillant d'un air approbateur sa toilette.

— Monsieur Taggert, dit Aryane le plus calmement possible, sachez que je n'apprécie guère d'être ainsi traitée. Maintenant, si vous avez quelque chose à me dire, dites-le et vite !

Taggert s'appuya tranquillement d'une main au mur et regarda Aryane. La jeune fille nota malgré elle les petites rides qui plissaient ses yeux, son nez fin, sa lèvre inférieure pleine que seule révélait l'épaisse barbe.

— Comment se fait-il que vous ayez pris mon parti dans ce magasin ? Pourquoi avez-vous rappelé à cette péronnelle ses évanouissements passés ?

— Je..., hésita Aryane. Je suppose que je n'aime pas les gens qui cherchent à blesser les autres.

— Tous ces évanouissements nous ont beaucoup fait rire, Edan et moi.

— Un vrai gentleman ne se moque pas d'une lady ! cingla Aryane.

— Toutes ces femmes tombaient autour de moi comme des mouches parce qu'elles me savaient riche. A mes yeux, elles n'agissaient pas comme des ladies, mais plutôt comme des prostituées.

Aryane sursauta. Jamais un homme ne s'était encore permis d'employer un tel mot devant elle.

— Pourquoi n'avez-vous jamais cherché à attirer mon attention ? Mon argent ne vous intéresse donc pas ?

— Non, monsieur ! Maintenant, si vous voulez bien m'excuser, j'ai diverses choses à faire. Je vous prierais de ne plus jamais m'importuner.

Aryane quitta la ruelle dans un grand bruissement de robe et gagna la rue.

Elle était tellement en colère en traversant qu'elle manqua se faire renverser par un lourd chariot. L'idée que Taggert puisse penser qu'elle avait pris sa défense au magasin uniquement dans le but d'attirer son attention lui était détestable.

Elle retrouva Leander à l'endroit convenu et dut lui faire répéter ce qu'il disait, tant elle était absorbée dans ses pensées.

— J'ai dit qu'il était temps que tu rentres chez toi et que tu te prépares pour la réception de ce soir chez le gouverneur.

Aryane monta dans la calèche en acquiesçant.

La jeune fille fut presque heureuse quand Leander et Doriane recommencèrent à se disputer. Cela lui permettait de réfléchir tranquillement à sa rencontre avec Kane Taggert.

Comment Kane avait-il pu la reconnaître ? Jamais encore quelqu'un n'avait réussi à percer du premier coup d'œil la différence entre les deux jumelles. Cesser d'être Daryane était vraiment très troublant...

Soudain, leur calèche fut doublée par le vieux chariot de Kane, que conduisait Edan. Arrivé à leur hauteur, Kane Taggert souleva son chapeau et salua les deux sœurs tour à tour.

— Qu'est-ce que ça signifie ? demanda Leander. J'ignorais que vous connaissiez Taggert.

— C'est lui, l'homme mystérieux qui a construit cette maison ? enchaîna Doriane. Je commence à comprendre pourquoi il n'y invite jamais personne. Il sait trop bien que tout le monde refuserait. Au fait, comment a-t-il fait pour nous différencier ?

— Grâce à nos vêtements, répondit vivement Aryane. Je l'ai vu ce matin au bazar.

Doriane et Leander recommencèrent à se chamailler et Aryane se perdit encore une fois dans ses pensées.

CHAPITRE III

La grande maison des Chandler dissimulait à l'arrière un vaste jardin qui était la fierté d'Opal. Elle avait elle-même planté les ormes qui, désormais grands, ombrageaient la vaste pelouse où serpentaient des allées de fin gravier bordées de parterres multicolores et de petits bosquets odorants. Ici c'était une statue disparaissant sous le lierre, là une vasque de marbre où les oiseaux du voisinage venaient se rafraîchir. Un enclos de thuyas dissimulait les plantations de fleurs dont Opal remplissait chaque jour les vases de la maison.

— Je veux savoir ce qui se passe, annonça Doriane à sa sœur, penchée sur un buisson de roses-thé.

— Je ne vois pas de quoi tu veux parler.

— De Kane Taggert.

Aryane se tut, respirant le délicat parfum des fleurs.

— Il n'y a rien à expliquer, fit-elle enfin. Je l'ai tout d'abord croisé chez Wilson, puis il nous a saluées, comme tu as pu le constater.

— Je suis sûre que tu ne me dis pas tout.

— Je n'aurais sans doute pas dû m'en mêler, mais j'ai dû intervenir car il risquait de se mettre en colère.

Aryane raconta alors à Doriane l'incident dont Alice avait fait les frais.

— Je n'aime pas te voir fréquenter cet homme.

— Doriane, je t'en prie, j'ai l'impression d'entendre Leander !

— Pour une fois, il a raison.

— Cette phrase restera dans les annales de la famille ! s'exclama Aryane, éclatant de rire. Ecoute, Doriane, je te promets qu'après ce soir je ne prononcerai plus jamais le nom de Kane Taggert.

— Ce soir ? Pourquoi ce soir ?

Aryane sortit un billet de sa manche.

— Lis ça, fit-elle. Un messager vient de me l'apporter. Kane Taggert m'invite à dîner chez lui.

— Vraiment ? Mais tu n'es pas libre. Tu sors avec Leander.

— Doriane, tu ne te rends pas compte de l'émotion que cette maison a créée à Chandler. Tout le monde, absolument tout le monde, a tenté d'y entrer. Des gens sont venus des quatre coins de l'Etat pour la voir. Nul n'a jamais été invité à y pénétrer. Il y a même eu une fois un duc anglais. On a essayé de faire comprendre à Taggert qu'il serait bon de le convier à entrer, il n'a rien voulu entendre. Et aujourd'hui, moi je suis invitée !

— Mais tu dois aller ailleurs. Le gouverneur sera là et il est plus important que Kane Taggert.

— Tu ne te rends vraiment pas compte, Doriane ! Tout Chandler, pendant près de cinq ans, a vu cette maison se construire. Ce fut une noria incessante de caisses. Les dernières étaient immenses et venaient des quatre coins d'Europe. Sûrement des meubles. Des tapisseries aussi, car certaines provenaient d'Aubusson. Tu réalises ? Des tapisseries d'Aubusson !

— Mais, Aryane, tu ne peux être à deux endroits en même temps.

La jeune fille se tut, jouant avec une rose.

— Quand nous étions enfants, nous étions souvent à deux endroits en même temps, murmura-t-elle.

— Tu veux que nous échangions nos places ? Tu veux

que moi, je passe la soirée avec Leander ? Que je prétende l'aimer pendant que tu iras chez ce satyre ?

— Qui te dit que Kane est un satyre ?

— Kane ? Tiens donc ? Je croyais que tu le connaissais à peine.

— Ne change pas de sujet, Doriane. Tout ce que je te demande, c'est de prendre ma place un soir. Une telle occasion ne se représentera plus, je le sens. Allez, laisse-moi faire une dernière petite folie avant mon mariage.

— Tu parles du mariage comme si tu entrais au couvent. Et puis, de toute façon, Leander se rendra tout de suite compte que je ne suis pas toi.

— Pas si tu joues bien le jeu. Tu sais parfaitement que nous sommes toutes les deux douées pour la comédie. Regarde comme je me fais passer pour une vieille femme tous les mercredis. Tout ce que tu auras à faire, ce sera de rester calme et de ne pas discuter sans cesse ce que Leander te dira. Oublie la médecine, tiens-toi droite et marche lentement comme une lady au lieu de courir sans cesse comme tu le fais. Avec toi, on dirait toujours qu'il y a le feu.

Doriane ne dit rien, mais Aryane se rendait compte qu'elle commençait à fléchir.

— Doriane, je t'en supplie, pour une fois que je te demande quelque chose...

— Tu oublies que tu m'as déjà demandé de venir passer plusieurs mois ici, chez Gates que je n'aime pas, et de supporter la présence de Leander que je déteste carrément.

— Doriane, j'ai tellement envie de voir cette maison !

— C'est seulement la maison qui t'intéresse, pas Taggert ? En es-tu bien sûre ?

— Doriane, je t'en prie ! Je suis déjà allée à des centaines de dîners sans pour autant tomber dans les bras du maître de maison ! Et puis, je ne serai pas seule, ajouta Aryane, espérant qu'elle disait là la vérité.

Doriane demeura encore quelques instants silencieuse, puis son visage s'éclaira d'un sourire.

— Quand tu seras mariée, tu accepteras que je révèle à Leander qu'il a passé une soirée avec moi sans le savoir ? Je rêve de voir la tête qu'il fera à ce moment-là.

— Pourquoi pas ? D'ailleurs, Leander a un excellent

sens de l'humour et je suis certaine qu'il sera le premier à en rire.

— Je n'en suis pas si sûre. En tout cas, moi, je rirai bien.

— Allons nous préparer, fit Aryane en se jetant au cou de sa sœur. Je veux quelque chose qui convienne à cette somptueuse demeure. Toi, tu mettras ma robe de satin bleu.

— Pour que la substitution soit parfaite, tu devrais plutôt porter mes knikerbockers, rétorqua Doriane, une lueur espiègle dans le regard. Mais je suppose que c'est trop te demander...

Les heures qui suivirent furent placées sous le signe de l'indécision la plus totale, Aryane passant en revue toute sa garde-robe.

Elle se décida finalement pour une longue robe de soie mauve rehaussée de broderies argent, au décolleté carré, bordé d'hermine, et dont les manches transparentes flottaient délicatement autour de ses bras déliés. Elle mit sa toilette dans une de ces sacoches de cuir dont Doriane ne se séparait jamais, y transportant toujours des instruments chirurgicaux et des manuels de médecine. La jeune fille se changerait chez son amie Tia avant de gagner la résidence de Kane Taggert.

Elle fit porter un mot à Tia pour la prévenir, n'osant le faire par téléphone, de peur que quelqu'un n'entendît sa conversation. Au cas où l'on chercherait Doriane, elle serait officiellement chez Tia Mankin.

Doriane — la vraie — ne cessa de se lamenter. Le corset qu'elle devait passer était trop petit et l'étouffait. Les chaussures la faisaient souffrir, la jupe était trop longue et entravait ses pas. Mais lorsqu'elle fut prête et qu'elle se regarda dans la psyché, Aryane vit bien que sa sœur se trouvait belle.

Aryane s'amusa beaucoup pendant les quelques minutes qu'elles passèrent au salon en compagnie de leur mère et de M. Gates. Très à l'aise dans les vêtements confortables de Doriane, elle prit un malin plaisir à contredire systématiquement son beau-père.

Quand Leander parut, elle s'amusa également à l'agresser. La froideur du jeune homme à son égard et les petits airs supérieurs qu'il prenait dès qu'elle disait quelque chose finirent par la mettre réellement en colère et elle fut bien contente de partir chez Tia, laissant Leander et Doriane suivre leur route.

— Mais, Doriane, dit Tia, j'ignorais totalement que tu connaissais M. Taggert. J'aimerais bien pouvoir venir avec toi. Je suis sûre qu'Aryane aimerait venir aussi.

— Bon, j'y vais, dit Aryane. Souhaite-moi bonne chance.

— Bonne chance, Doriane. Tu me raconteras tout demain. Je veux une description de cette maison dans ses moindres détails.

— Promis, lança Aryane en s'engageant dans l'avenue qui grimpait jusque chez Kane Taggert.

La jeune fille franchit les grilles et pénétra dans la cour d'honneur. Elle gravit le perron par la volée de droite et se retrouva devant l'imposante porte de chêne.

Là, elle marqua un temps d'arrêt, remettant de l'ordre dans les plis de sa robe en attendant en vain que son cœur cessât de battre à tout rompre. Enfin, elle sonna.

Au bout de quelques minutes, un pas lourd résonna sur des dalles et le battant s'ouvrit. Kane Taggert parut, plus hirsute que jamais, portant les mêmes vêtements grossiers que le matin.

— J'espère ne pas être trop en avance, dit Aryane, s'appliquant à le regarder droit dans les yeux, malgré l'irrésistible envie qu'elle avait d'observer par-dessus son épaule.

— Non, vous êtes juste à l'heure. Le dîner est prêt.

Kane Taggert s'effaça pour la laisser entrer et Aryane eut sa première vision de la demeure.

Un escalier partait de chaque côté de l'immense vestibule pour rejoindre un palier commun, formant galerie. Celle-ci était soutenue par une rangée de piliers de marbre blanc veiné de sanguine. Le plafond à caissons de chêne venait apporter un peu de chaleur à l'ensemble.

— Cela vous plaît ?

Aryane dut faire un effort pour ne pas demeurer bouche bée.

— Je n'ai jamais rien vu de plus beau, avoua-t-elle.

— Voulez-vous visiter ou dîner tout de suite ? demanda Kane, redressant le torse.

— Visiter.

— Dans ce cas, suivez-moi.

— Cette petite pièce est mon bureau, annonça Kane

en ouvrant une porte pour découvrir un espace qui aurait pu contenir tout le rez-de-chaussée du manoir Chandler.

Trois murs étaient lambrissés de noyer aux reflets fauves tandis qu'une cheminée de marbre blanc occupait tout le quatrième. Etrangement, le mobilier se limitait à une vieille table de bois blanc et à deux chaises de cuisine qui paraissaient perdues au milieu de la pièce. La table croulait sous les papiers, bon nombre d'entre eux jonchaient également le plancher nu.

— Voici maintenant la bibliothèque.

Aryane découvrit une immense salle aux rayonnages d'acajou. Pas le moindre livre ! Vides aussi, trois espaces de mur blanc.

— Il doit y avoir là des tapisseries, expliqua Kane. Mais je ne les ai pas encore accrochées.

On passa ensuite au grand salon, puis au petit, puis à la salle à manger et au fumoir. Chaque pièce était aussi magnifique que déserte. Pas le moindre meuble, pas un seul tapis, rien !

— Et voici la cuisine, conclut Kane Taggert. Asseyez-vous.

Aryane prit place à la longue table, sœur aînée de celle du bureau, mais s'abstint de s'y accouder à cause des taches de graisse.

Kane gagna les fourneaux et remplit un bol qu'il vint déposer devant la jeune fille.

— Mangez avant que ça refroidisse.

Aryane fixa les morceaux de viande qui nageaient dans une substance brune et graisseuse.

— Dites-moi, monsieur Taggert, qui a dessiné votre maison ?

— Un architecte de la côte Est, répondit-il. Pourquoi ? Elle ne vous plaît pas ?

— Si, beaucoup. Simplement, je voudrais bien savoir...

— Savoir quoi ? s'enquit-il, la bouche pleine.

— Tout est si nu ! Où sont passés les meubles ? On a vu tant de caisses venir ici, une fois la maison achevée ! Chacun pensait qu'il s'agissait du mobilier.

— J'ai effectivement acheté plein de meubles, de statues et de tapis, expliqua-t-il. Tout est dans les greniers.

— Dans les greniers ! Mais pourquoi donc ? Vous avez une demeure superbe et pourtant vous y vivez seul avec un unique serviteur et même pas un fauteuil confortable pour vous asseoir.

— Ma p'tite dame, c'est pour ça que je vous ai demandé de venir. Vous ne mangez pas ça ? ajouta-t-il en désignant le bol d'Aryane et, comme elle faisait signe que non, il s'empressa de le prendre pour lui.

— Vous voulez bien m'expliquer ?

— Je suppose que vous savez que je suis riche. Même très, très riche. Mais, si je suis doué pour faire de l'argent, je n'ai aucune idée de la façon de le dépenser.

— Je ne comprends pas ce que je...

— Voyez-vous, coupa-t-il, pour dépenser mon argent, je dois toujours faire appel à des intermédiaires. C'est le cas pour cette maison. La femme d'un ami m'a donné le nom de l'architecte, je l'ai convoqué et il s'est occupé de tout. Pour les meubles, c'est pareil, c'est lui qui a trouvé quelqu'un pour les réunir. Je ne les ai même jamais vus.

— Pourquoi ne pas lui avoir également demandé de les installer ?

— Parce que rien ne prouve que ma femme aimera cette disposition. Elle voudra peut-être tout changer et je ne vois pas l'utilité de faire ce travail deux fois.

— J'ignorais que vous étiez marié, dit Aryane.

— Je ne le suis pas, mais j'ai trouvé celle qu'il me fallait.

— Toutes mes félicitations.

Kane sourit dans sa barbe.

— Je ne peux pas avoir n'importe quelle femme dans cette maison. Il faut que ce soit une véritable dame, une lady. On m'a expliqué un jour qu'une vraie lady était une battante ; une femme capable de se battre pour une cause en gardant toujours son chapeau bien droit sur sa tête. C'est aussi quelqu'un en mesure de figer un homme sur place d'un seul regard. C'est exactement ce que vous m'avez fait aujourd'hui.

— Je vous demande pardon ?

Kane repoussa devant lui son deuxième bol vide et s'accouda à la table.

— Quand je suis arrivé dans cette ville, les femmes se sont ruées sur moi comme de vraies idiotes. Quand elles ont vu que ça ne marchait pas, elles se sont mises à me mépriser. Aucune n'a jamais été gentille avec moi, à part vous.

— Je suis sûre, monsieur Taggert, qu'il y a d'autres femmes qui...

— Aucune d'elles n'a osé prendre ma défense comme vous l'avez fait ce matin. Et lorsque je vous ai touchée, votre regard m'a glacé sur place.

Aryane se mit à avoir peur. Que faisait-elle en tête à tête avec cet homme mal dégrossi ? Personne ne savait qu'elle était là !

— Je crois qu'il faut que je m'en aille, dit-elle en se levant.

— Impossible. J'ai encore des choses à vous dire.

— Je dois vraiment partir. Vous n'avez qu'à m'écrire une lettre.

— Venez au moins faire un tour dehors. J'y ai plein de plantes.

« Plein de plantes » ? Sans doute Kane Taggert parlait-il d'un jardin. Aryane ne put résister à la tentation d'aller voir.

C'était bien un jardin, empli des essences les plus rares, d'une beauté à couper le souffle.

— Il est aussi beau que votre maison, reconnut la jeune fille. Que vouliez-vous encore me dire, monsieur Taggert ? Il faut vraiment que je rentre.

— Je vous ai connue petite fille, répondit-il. Vous veniez jouer avec Marc Fenton. Bien sûr, vous n'avez jamais fait attention à moi. Je n'étais qu'un garçon d'écurie. Je me suis toujours demandé ce que vous deviendriez, vous, la petite Chandler qui s'amusait avec le jeune Fenton. Vous êtes une réussite.

— Merci.

— Voyez-vous, j'ai maintenant trente-quatre ans. Je suis riche à milliards, j'ai une grande maison et des greniers pleins de meubles. J'aimerais que quelqu'un les en sorte. Que ce quelqu'un engage aussi une cuisinière pour qu'Edan et moi n'ayons plus à faire nous-mêmes notre cuisine. Ce qu'il me faut, mademoiselle Aryane Chandler, c'est une femme, et j'ai décidé que cette femme, ce serait vous.

— Moi ? s'étrangla la jeune fille.

— Oui, vous. Je trouve logique que ce soit une Chandler qui vive dans la plus grande maison de Chandler. Je me suis renseigné sur vous. Vous êtes allée dans les meilleures écoles et diriger une maison n'a aucun secret pour vous. Vous saurez organiser les plus belles réceptions. Si vous voulez, je vous achèterai de la vaisselle en or.

Remise de sa surprise, Aryane fit la seule chose qu'elle devait faire : elle tourna les talons et s'éloigna.

— Attendez, fit Kane, lui emboîtant le pas. A quand fixons-nous la date du mariage ?

Aryane se retourna et le regarda droit dans les yeux.

— Je vais être aussi claire que possible, monsieur Taggert ! Primo, je suis déjà fiancée. Secundo, même si je ne l'étais pas, je ne vous connais pas. Ma réponse est non ! Je ne vous épouserai pas, même si vous faisiez une demande en bonne et due forme au lieu de poser un diktat !

— C'est ça que vous voulez ? Que je vous fasse la cour ? Je vais vous envoyer des roses tous les jours jusqu'à ce que nous nous mariions.

— Je ne veux pas que vous me fassiez la cour. Je ne suis même pas certaine d'avoir envie de vous revoir. Je suis venue ici pour voir votre maison et je vous remercie de la visite. Maintenant, au revoir, monsieur Taggert. Si vous souhaitez vraiment une femme, vous devriez plutôt chercher du côté de celles qui sont libres à Chandler. Je suis sûre que vous finirez pas trouver ce que vous appelez si galamment une « vraie lady ».

Sur ce, Aryane tourna définitivement les talons, et si elle ne courut pas jusqu'à la porte, ce fut tout juste.

Une fois seul, Kane laissa échapper un juron et monta à l'étage. Edan l'attendait sur le palier.

— Alors ? demanda-t-il.

— Elle a dit non, fit Kane, dégoûté. Elle préfère ce minable de Westfield. Et ne viens pas me répondre que tu m'avais prévenu ! Je n'ai pas dit mon dernier mot. Quand je lâcherai le morceau, lady Chandler sera ma femme. Maintenant, viens, allons manger quelque chose.

CHAPITRE IV

Aryane rentra chez elle sur la pointe des pieds, prenant grand soin de ne pas faire craquer les marches de l'escalier. Il avait de toute façon fort peu de chances de trouver M. Gates aux aguets, celui-ci faisant une confiance totale à Leander lorsqu'il sortait avec sa belle-fille.

Comme elle atteignait sa chambre, elle aperçut sa mère qui la regardait par l'entrebâillement de sa porte. Aryane sourit à Opal et rentra chez elle. Elle réalisa soudain que sa mère avait froncé le sourcil. Nul doute qu'Opal n'ait compris, en voyant celle qui était vêtue comme Doriane pénétrer chez Aryane, que les deux jumelles avaient échangé leurs rôles pour un soir...

La jeune fille haussa les épaules. Opal aimait trop ses filles pour être réellement fâchée et ne poserait sûrement pas de questions.

Tout en se déshabillant, Aryane repensa à sa soirée. Une maison si belle et si vide ! Une maison que son propriétaire n'avait pas hésité à lui offrir. Certes, l'homme faisait partie du lot, mais y avait-il des cadeaux sans papier ni ficelle ?

Uniquement vêtue de son caraco et de son jupon, la jeune fille s'installa devant sa table de toilette et se nettoya soigneusement le visage avec un coton imbibé d'eau de rose.

Jamais aucun homme ne l'avait traitée comme Kane Taggert. Quelle surprise ce serait pour tous les habitants de Chandler si elle décidait d'accepter l'offre qu'il lui avait faite ! Et que porterait-il le jour du mariage ? Un habit rouge avec des brandebourgs, peut-être !

Aryane fut prise de fou rire. Elle acheva d'ôter ses vêtements et enfila sa chemise de nuit.

Malgré l'absurdité de la situation, la jeune fille n'avait pas trouvé si désagréable de se voir demander sa main par un autre que Leander. Leander était tellement sans surprise ! Elle connaissait absolument tout de lui : ce qu'il prenait au petit déjeuner, la façon dont il aimait qu'on repasse ses chemises...

La seule inconnue demeurait leur nuit de noces... Peut-être qu'après celle-ci il n'exigerait pas de recommencer tout de suite. Les hommes ne laissaient pas Aryane indifférente, mais avoir une relation physique avec Leander lui faisait presque l'effet d'un inceste.

Elle aimait Leander ; elle savait qu'elle n'aurait aucune difficulté à vivre avec lui. Mais dormir à ses côtés...

Aryane se coucha et remonta les couvertures sur elle. Que s'était-il passé ce soir entre Doriane et Leander ? Sûrement ils avaient dû finir par se disputer et demain le jeune homme lui ferait des reproches.

La jeune fille poussa un profond soupir et ferma les paupières. Enfin, après les émotions de la soirée, demain, tout rentrerait définitivement dans l'ordre.

Aryane dut repousser les avances de Leander lorsqu'il l'aida à prendre place dans la calèche.

Décidément, il semblait qu'aujourd'hui chacun se fût donné le mot pour se conduire bizarrement ! Déjà, toute la matinée, Doriane avait eu l'air de la fuir. Elle se débrouillait pour quitter la pièce sitôt que sa sœur paraissait et elle semblait avoir pleuré. Aryane espérait qu'elle ne s'était pas trop violemment disputée avec Leander la veille.

Quand à onze heures Leander était arrivé pour l'emmener pique-niquer, Aryane avait entendu sa sœur crier quelque chose. Et, quand elle s'était trouvée face à face avec le jeune homme, il s'était montré si entreprenant qu'elle avait failli le gifler.

Déroutée, Aryane observait Leander menant les chevaux. Il ne disait rien, mais il souriait. Ce sourire la rassura. Si Doriane et lui s'étaient gravement disputés la veille, il n'aurait pas été de si bonne humeur.

Leander les conduisit très loin de la ville, dans une petite clairière entourée de hauts rochers. Il fit descendre la jeune fille avec précipitation et, sitôt qu'elle fut à terre, il la prit passionnément dans ses bras.

— Je n'ai pas cessé de penser à toi depuis hier, dit-il. Je sentais le parfum enivrant de tes cheveux, la douceur de tes lèvres sur les miennes, ton...

— Comment ! s'écria Aryane, parvenant à échapper à son étreinte.

— Aryane, dit-il en la reprenant dans ses bras, tu ne vas pas recommencer à faire l'effarouchée ! Pas après hier soir. Inutile de redevenir la princesse de glace. Je connais le feu qui brûle en toi. Allez, embrasse-moi comme tu m'embrassais hier.

Une fois de plus, Aryane se libéra, les joues en feu.

— Veux-tu dire qu'hier j'étais différente ? Que j'étais mieux ?

— Tu le sais très bien. Tu étais comme je ne t'avais encore jamais vue. Je ne savais même pas que tu pouvais être comme ça. Je vais te faire rire, mais j'en arrivais parfois à penser que tu étais incapable d'une passion réelle...

Leander conclut sa déclaration d'un long baiser. Lorsque la jeune fille parvint à lui échapper, la colère s'empara de lui.

— Tu pousses ce jeu un peu trop loin, accusa-t-il. Tu ne peux être passionnée un jour et complètement froide le lendemain. Qui es-tu ? Fais-tu du dédoublement de personnalité ?

Aryane posait sur lui un regard horrifié. Elle avait envie de lui crier qu'il se trompait, qu'elle n'était pas la jeune fille passionnée qu'il appréciait tant, mais l'autre, l'insensible.

Leander parut avoir lu dans ses pensées et son visage s'assombrit.

— Aryane, c'est impossible. Dis-moi que je me trompe.

La jeune fille sut que ce qui avait commencé comme une farce basculait soudain dans la tragédie. Leander s'éloigna et se laissa tomber sur un rocher.

— Vous avez échangé vos places hier soir, c'est ça ? J'ai passé la soirée avec Doriane, pas avec toi ?

— Oui, souffla-t-elle.

— J'aurais dû m'en douter, pourtant. Elle paraissait ne pas reconnaître cette maison que j'ai achetée pour nous. Et lorsqu'on m'a appelé pour ce suicide, elle a insisté pour venir avec moi. J'étais si heureux de la voir réagir ainsi que j'ai refusé de me poser des questions. Et quand nous nous sommes embrassés... Soyez toutes les deux maudites ! Vous vous êtes bien moquées de moi !

— Leander, murmura Aryane, posant une main sur son épaule, mais ne trouvant rien à ajouter.

— Tais-toi ! J'ignore pourquoi vous avez décidé de me jouer ce tour, mais je peux te garantir que je ne suis pas près de te le pardonner. Maintenant, il faut que je réflé-

36

chisse sur ce qui s'est passé hier soir et que j'en tire les conclusions qui s'imposent.

Leander ramena Aryane chez elle sans un mot et la jeta presque au bas de la calèche, pour repartir aussitôt.

Doriane attendait sur le perron.

— Nous avons à parler, fit Aryane.

En silence, Doriane suivit sa sœur jusqu'à la roseraie.

— Comment as-tu pu me faire ça ? N'as-tu donc aucune moralité pour te jeter au cou d'un homme avec lequel tu sors pour la première fois ? Tu as couché avec lui, n'est-ce pas ? Je ne me trompe pas ?

Doriane hocha silencieusement la tête.

— Le premier soir !

— Mais j'étais toi ! J'étais censée être sa fiancée et, d'après la façon dont il m'a embrassée, j'en ai conclu que lui et toi...

— Quoi ! s'étrangla Aryane. Tu as cru que j'étais sa maîtresse ? Tu crois vraiment que je t'aurais demandé de me remplacer si tel avait été le cas ?

— Je n'en sais rien. Je n'arrivais plus à penser. Après la soirée chez le gouverneur, il m'a emmenée chez lui et...

— Chez nous, tu veux dire ! C'est notre maison ! J'ai passé des semaines à l'arranger, à la préparer pour quand nous serions mariés.

— Un souper froid nous attendait. Caviar, champagne, saumon. La table était dressée, les bougies allumées. Leander m'a embrassée, nous avons bu du champagne, trop de champagne... Aryane, je suis désolée. Je vais quitter Chandler. Leander finira par nous pardonner... Ecoute, Aryane, je vais aller le trouver. Je lui dirai que l'idée était de moi, que c'est moi qui t'ai demandé de prendre ta place. Il ne pourra pas te reprocher une chose où tu n'es pour rien. Il comprendra ce qui s'est passé.

— Tu crois ? Comment lui expliqueras-tu que je voulais passer la soirée avec un autre homme ? Et tu lui expliqueras sans doute aussi qu'il a suffi qu'il te touche pour que tu perdes la tête ? En tout cas, ça fait un contraste avec Aryane Chandler, la frigide.

— Mais, Aryane, tu n'es pas frigide !

— Aujourd'hui, Leander ne pouvait parler de rien d'autre que de toi. Combien tu avais été formidable, extraordinaire, hier soir. Après ça, il ne se contentera plus de quelqu'un d'aussi inexpérimenté que moi.

— Je n'avais jamais fait l'amour auparavant, dit Doriane en ôtant ses mains de son visage. Leander est le premier.

Aryane n'en revenait pas. Sa nuit de noces l'avait toujours terrifiée et elle était sûre que tout le champagne du monde n'y aurait rien changé.

— Tu me détestes, n'est-ce pas ? murmura Doriane.

Aryane réfléchit. C'était bizarre : elle n'était même pas jalouse ! Elle se disait simplement que désormais Leander attendrait d'elle ce que Doriane lui avait donné et qu'elle se sentait incapable de lui apporter. Doriane avait dû apprendre à la Faculté des choses qu'elle ignorait. Si tout ce qui se faisait dans une maison n'avait plus aucun secret pour Aryane, ses connaissances s'arrêtaient au seuil de la chambre à coucher.

— Pourquoi me regardes-tu ainsi ? demanda Doriane.

Aryane fut sur le point de demander des détails à sa sœur.

— Rassure-toi, je ne suis pas fâchée. J'ai seulement besoin de réfléchir. Es-tu amoureuse de Leander ?

— Mon Dieu, non ! Quelle horreur !

— Bon, n'en parlons plus. Que tout cela reste entre nous et ne vienne pas entamer notre amitié. J'expliquerai les choses à Leander quand il sera remis de sa colère.

— Oh, merci, Aryane ! Personne n'a une sœur aussi bonne que toi.

Doriane semblait rassurée, mais Aryane ne l'était pas.

Elle aimait Leander et Leander l'aimait. Ils avaient toujours su qu'ils se marieraient un jour. Se pouvait-il qu'une seule soirée vienne balayer des années de complicité ?

— Bien sûr que non, dit-elle à haute voix, et elle retourna vers la maison.

CHAPITRE V

A quatre heures, Mme Gates et ses filles étaient au salon. Doriane lisait un livre de médecine tandis qu'Aryane et sa mère brodaient.

Elles entendirent soudain la porte d'entrée s'ouvrir pour être aussitôt claquée avec une telle violence que le lustre tinta.

— Où est-elle ? hurla Duncan Gates. Où est cette créature, cette fille perdue ?

Rouge de colère, l'homme entra dans le salon et se jeta sur Doriane qu'il tira de son fauteuil.

— Duncan ! s'exclama Opal. Mais enfin, que se passe-t-il ?

— Cette... cette traînée a passé la nuit avec Leander ! Et, bien qu'elle soit désormais souillée, il veut lui donner son nom !

— Quoi ? firent en chœur les trois femmes.

— J'ai dit que Leander voulait épouser cette catin, répéta Gates, et sans attendre, il traîna Doriane hors de la maison.

Aryane se laissa retomber sur son fauteuil, incapable de comprendre ce qui se passait.

— Aryane, fit Opal, vous vous êtes fait passer l'une pour l'autre la nuit dernière, n'est-ce pas ?

Aryane hocha affirmativement la tête et reprit son ouvrage sans rien dire.

Le jour baissant, une servante vint allumer les lampes, mais les deux femmes continuèrent à broder sans échanger le moindre mot.

Une petite phrase revenait sans cesse harceler Aryane, toujours la même : « Fini, c'est fini. »

A minuit, Duncan Gates revint et poussa Doriane devant lui dans le salon.

— Tout est arrangé, annonça-t-il. Doriane et Leander se marient dans quinze jours. L'annonce sera faite en chaire dès dimanche.

Il se tourna ensuite vers Aryane, sincèrement affecté.

— Ma fille, dit-il, je suis profondément navré.

Aryane sortit très droite de la pièce et gagna les escaliers.

— Aryane, supplia Doriane dans son dos, Aryane, je t'en prie...

La jeune fille était incapable de prêter la moindre attention à sa sœur et, quand cette dernière éclata enfin en sanglots, elle ne se retourna pas.

Elle demeura un long moment immobile au milieu de sa chambre, puis ses yeux se posèrent sur son diplôme de fin d'études soigneusement encadré et accroché au mur. Sous l'impulsion du moment, elle se précipita, le décrocha et le jeta à toute volée à l'autre bout de sa chambre. Le bruit du verre qui se brisait ne lui apporta aucun soulagement.

D'une main tremblante, elle se déshabilla et passa sa chemise de nuit, puis se retrouva de nouveau statufiée au centre de la pièce. Elle n'entendit même pas sa mère entrer.

— Aryane, murmura-t-elle en la prenant par les épaules.

— Va la voir. Doriane a besoin de toi. Si elle reste ici et épouse Leander, elle devra renoncer à beaucoup de choses.

— Toi aussi, ma chérie, tu as perdu beaucoup de choses ce soir.

— Ce que j'ai perdu aujourd'hui, je l'avais perdu depuis longtemps. Allez, va trouver Doriane. Je n'ai besoin de rien.

— Mets-toi au moins au lit, que je te borde.

— Tu vois, j'ai obéi, reprit Aryane, une fois couchée. J'ai toujours obéi. A mes parents, à Leander. J'ai toujours été une bonne petite fille bien sage. Et qu'y ai-je gagné ?

— Aryane, tu te fais du mal.

— Va-t'en ! hurla brusquement la jeune fille. Va-t'en !

Le dimanche matin, un soleil radieux illumina la petite ville de Chandler, mais ses rayons resplendissants ne parvinrent pas à réchauffer le cœur des deux jumelles.

M. Gates les emmena à l'église, chacune d'elles à un bras, Opal ayant dû soudain garder la chambre à la suite d'une indisposition. Elle n'assisterait pas à la honte publique de sa fille Aryane.

Leander les attendait à leur banc, dans la nef. Comme

40

Aryane arrivait à sa hauteur, il voulut lui prendre la main mais elle l'évita et alla s'asseoir en bout de banc. M. Gates la suivit, puis Doriane, puis enfin Leander.

Le service sembla passer à toute allure et arrivèrent enfin les annonces paroissiales. Ce n'était pas le Révérend Thomas qui, hélas, officiait ce jour-là, mais son remplaçant, le pasteur Smithson, qui ne sut pas montrer le même tact.

— Je dois vous annoncer, fit-il, que Leander Westfield a changé d'avis. Il n'épousera pas Aryane mais Doriane Chandler. Toutes mes félicitations quand même, Leander.

Un moment de stupeur parcourut l'assistance, puis on entendit quelques rires étouffés et les chuchotements allèrent bon train comme chacun gagnait la sortie.

— Aryane, il faut que tu m'écoutes, murmura Leander en la prenant par le bras. Je veux t'expliquer.

— Tu m'as donné plus d'explications qu'il n'était nécessaire le lendemain de ta soirée avec Doriane. Au revoir.

— Bonjour, Aryane, à moins que ce ne soit Doriane, fit quelqu'un.

— Toutes mes félicitations, Leander, dit un homme en assenant une lourde claque sur l'épaule du médecin.

— Aryane, je t'en prie, allons ailleurs.

— Pourquoi ne vas-tu pas retrouver ta... fiancée ? le défia-t-elle.

— Aryane, je t'en supplie...

— Leander, si tu n'ôtes pas immédiatement ta main de mon bras, je te jure que je hurle ! Je trouve que tu m'as suffisamment mise dans l'embarras comme ça.

— Leander, intervint Duncan Gates, Doriane vous attend.

Le jeune homme s'éloigna d'Aryane à regret, prit Doriane par le bras et l'entraîna vers sa calèche.

Sitôt qu'elle fut seule, les commères tombèrent sur Aryane telle une volée de moineaux.

— Aryane, que s'est-il passé ? Leander et vous sembliez si heureux !

— Quand cette décision a-t-elle été prise ?

— Y a-t-il quelqu'un d'autre ?

— Vous avez tout à fait raison, mesdames, fit brusquement une voix de stentor.

Tout le monde sursauta en découvrant Kane Taggert,

qui n'avait guère habitué la petite communauté à de telles apparitions.

On s'écarta sur le chemin du colosse mal vêtu, à la barbe plus en broussaille que jamais. Chacun demeurait bouche bée, Aryane étant loin d'être la moins surprise.

— Désolé d'avoir manqué le service, j'aurais pu être à vos côtés, dit Taggert. Allons chérie, n'ayez pas l'air si étonnée. Je sais que j'avais promis de garder le secret mais maintenant que ce vieux Leander a cassé le morceau...

— Un secret ? Quel secret ? interrogea une femme.

Kane passa un bras autour des épaules d'Aryane. Ils formaient à eux deux un couple étrange, incongru.

— Mesdames, Aryane a rompu ses fiançailles parce qu'elle est tombée follement amoureuse de moi.

— Quand cela s'est-il passé ? fit une voix.

— Tout a commencé quand M. Taggert et moi-même avons dîné ensemble, articula Aryane, qui reprenait ses esprits.

— Mais Leander ?

— L'amour de Doriane l'a vite consolé, enchaîna Kane. Maintenant, mesdames, si vous voulez bien nous excuser. J'espère que vous viendrez toutes à notre mariage, dans quinze jours. Normal que des jumelles se marient en même temps, non ?

Kane prit Aryane par la taille et l'emmena jusqu'à son vieux chariot.

Tout le long du chemin, Aryane demeura très droite sur le siège et ne desserra pas les dents. Kane finit par s'arrêter devant sa propriété. En haut de la colline, on apercevait sa fière demeure.

— Si nous parlions ? fit-il. Je serais bien venu avec vous à l'église mais j'avais du travail. Enfin, il était temps que j'arrive. Une minute de plus et toutes ces pies vous dévoraient.

— Je vous demande pardon ? dit Aryane, semblant sortir d'un rêve, ou plutôt d'un cauchemar.

— Vous m'écoutez, oui ou non ? Que vous arrive-t-il ?

— Mais rien, voyons. J'ai simplement été humiliée en public, tout va bien ! Je vous prie de m'excuser, monsieur Taggert, reprit la jeune fille après un court silence. Je ne voulais pas vous ennuyer avec mes problèmes.

— Vous n'avez rien entendu, n'est-ce pas ? Vous n'avez

pas réalisé que je leur ai dit que nous allions nous marier et qu'ils étaient tous invités à la cérémonie ?

— Si, si, j'ai tout entendu et je vous en remercie. C'était très aimable à vous de venir ainsi à mon secours. Vous étiez très bien dans le rôle du chevalier. Bien, maintenant, il vaudrait mieux que je rentre chez moi.

— Vous finirez par me rendre fou ! Si vous ne voulez toujours pas m'épouser, que diable comptez-vous faire ? Vous croyez vraiment que tous ces hommes de votre soi-disant bonne société voudront bien de vous ? Vous espé-rez peut-être épouser Marc Fenton ?

— Marc Fenton ? répéta Aryane, sidérée. Pourquoi Marc souhaiterait-il m'épouser ?

— Une idée, comme ça. Allez, mariez-vous avec moi, poursuivit-il en se rapprochant sur le siège du chariot. Je suis riche, j'ai une belle maison, on vient de vous lais-ser tomber et vous n'avez rien d'autre à faire.

Aryane l'observa. Il était fort, puissant, la dominait de toute sa taille, mais elle n'avait plus du tout peur de lui. Bizarrement, Doriane et Leander n'étaient plus qu'un lointain souvenir.

— Parce que je ne vous aime pas, monsieur Taggert. J'ignore également tout de vous. Qu'est-ce qui me prouve que vous n'avez pas été déjà marié une bonne douzaine de fois ? Vous avez tout de Barbe-Bleue. Vous seriez très bien dans le rôle.

Ce fut au tour de Kane de regarder la jeune fille, sidéré.

— C'est vraiment ce que vous pensez ? dit-il enfin. Comprenez-moi bien. Je n'ai jamais été marié, parce que je n'en ai pas eu le temps. Depuis l'âge de dix-huit ans, quand Fenton m'a jeté dehors, je n'ai eu qu'une activité : gagner de l'argent. Pendant trois ans, je n'ai même pra-tiquement pas dormi. Et vous venez me raconter des histoires de mariages à répétition !

— J'ai peut-être fait fausse route, sourit-elle quand il eut terminé.

— Vous savez que vous êtes la plus jolie femme que j'aie jamais vue.

Aryane n'eut pas le temps de répondre. Un bras s'était enroulé autour de sa taille, une main s'était enfouie dans ses cheveux et les lèvres de Kane Taggert s'étaient empa-rées des siennes.

Ce baiser violent, profond, balaya tous ceux que Leander avait pu donner à Aryane. Elle en sortit essoufflée, perdue.

— Si vous êtes capable de m'embrasser ainsi en en aimant un autre, dit Kane, je me passerai de votre amour ! Allez, je vous ramène chez vous et vous allez pouvoir vous occuper tout de suite de notre mariage. Achetez tout ce que vous jugerez nécessaire ; je déposerai de l'argent à votre banque dès demain. Je veux qu'il y ait des fleurs partout. Faites-les venir de Californie si vous ne trouvez pas ce qu'il faut dans mes serres. On se mariera chez moi. Il y a toutes les chaises qu'il faut au grenier. Je veux que tous les gens de Chandler viennent.

— Mais attendez ! Je n'ai pas dit oui. Laissez-moi au moins un peu de temps pour réfléchir.

Taggert prit la main d'Aryane et elle crut qu'il allait y poser les lèvres.

— Il faut que je vous achète une bague, dit-il à la place. Que voulez-vous ? Des diamants ? Des émeraudes ? Comment s'appellent les pierres bleues ?

— Des saphirs, répondit-elle sans réfléchir. Mais je vous en prie, ne m'achetez pas de bague. Le mariage est une chose sérieuse. On ne s'engage pas ainsi à la légère...

— Vous avez tout votre temps pour réfléchir. Ce n'est que dans quinze jours.

— Monsieur Taggert, s'énerva Aryane, vous arrive-t-il d'écouter ce qu'on vous dit ?

— Non, jamais, rit-il. C'est comme ça que je suis devenu riche. Chaque fois que quelque chose m'a plu, je l'ai pris sans hésiter.

— Et je suis la dernière chose de votre liste ?

— Pas la dernière, la première. Avec un appartement à New York. Maintenant, je vais vous raccompagner chez vous pour que vous puissiez leur expliquer que j'ai remplacé Westfield. Il va le regretter. Il a peut-être décroché une Chandler, mais moi, j'ai celle qui est une vraie lady !

Kane fit claquer son fouet et l'attelage démarra si brusquement que la jeune fille fut projetée sur le dossier.

Arrivé devant chez Aryane, il la poussa littéralement hors du chariot.

— Faut que je rentre. Parlez de moi à vos parents et je vous enverrai une bague demain. Si vous avez besoin de quoi que ce soit, prévenez-moi ou dites-le à Edan. J'essaierai de venir demain.

Debout devant chez elle, Aryane regarda le vieux chariot s'éloigner dans un grand nuage de poussière. Elle avait l'impression d'avoir été victime d'un ouragan.

Opal et Duncan Gates l'attendaient au salon. Opal, effondrée dans un fauteuil, Gates bras croisés sur la poitrine, arpentant nerveusement la pièce.

— Où étiez-vous ? s'écria Duncan, sitôt sa belle-fille entrée.

— Aryane, sanglota Opal, tu n'as pas besoin d'épouser cet homme. Tu trouveras quelqu'un d'autre. Ce n'est pas parce que Leander a fait une bêtise que tu dois en commettre une aussi.

— Aryane, reprit M. Gates, vous avez toujours été la plus raisonnable des deux. Déjà toute petite, quand Doriane accumulait les âneries — et Dieu sait si elle nous en a fait voir ! — vous faisiez preuve d'une remarquable sagesse. Vous deviez épouser Leander...

— Et Leander ne m'épouse plus, coupa la jeune fille.

— Mais Kane Taggert ! gémit Opal, enfouissant son mince visage dans un mouchoir de dentelle.

— Mais enfin, qu'a-t-il fait pour susciter une telle hostilité ? s'enflamma soudain Aryane. Je n'ai pas encore accepté sa proposition, mais je ne vois pas non plus pourquoi je la refuserais.

Opal quitta son siège et se précipita sur sa fille.

— Mais c'est un monstre ! Regarde-le. Tu te vois vivre avec cet ours mal léché ? Tous tes amis te tourneraient aussitôt le dos. Il y a des histoires terribles qui courent sur lui.

— Opal ! Je t'en prie ! s'exclama M. Gates.

Opal, soumise, se tut et alla reprendre sa place.

— Aryane, poursuivit Gates, je vais vous parler comme à un homme. Je me moque que Taggert ait des allures de bûcheron. C'est vrai qu'un bain lui ferait sans doute du bien, mais ce n'est pas l'essentiel. Il y a de sales rumeurs qui circulent sur son compte. Il aurait au moins deux morts sur la conscience.

— Deux morts ! Qui vous a dit ça ?

— Peu importent mes sources...

— Au contraire, c'est très important ! Ne voyez-vous pas que, vexées, toutes les femmes de cette ville se sont ingéniées à faire courir sur lui tous les bruits possibles et imaginables ? Sans parler des hommes ! Leander m'a raconté que plus d'un avait cherché à l'escroquer en tentant de lui vendre de fausses mines d'or. Qui vous dit que l'un d'eux ne cherche pas à se venger ?

— Ce que je sais, je l'ai appris de source sûre.

— Jacob Fenton, murmura Aryane, après un silence, et à l'expression de son beau-père, elle vit qu'elle avait visé juste. D'après ce que j'ai entendu dire, poursuivit la jeune fille, Kane Taggert aurait courtisé la fille chérie de Jacob Fenton, Pamela. Pour ma part, je me souviens très bien que Pamela était une enfant gâtée et je ne trouve rien d'étonnant que Fenton en veuille à son ancien palefrenier d'avoir songé à épouser sa fille.

— Etes-vous en train d'insinuer que Fenton est un menteur ? s'indigna Duncan Gates. Préférez-vous prendre le parti d'un inconnu au détriment d'une famille respectable ?

— Si j'épouse Kane Taggert — j'ai bien dit si —, oui, monsieur Gates, je prendrai le parti de mon mari. Maintenant, si vous voulez bien m'excuser, je vais aller m'allonger un peu, je me sens épuisée.

Aryane sortit du salon avec une infinie dignité, gagna sa chambre et se laissa tomber sur son lit.

Epouser Kane Taggert ? Epouser un homme qui se tenait plus mal que le dernier des cochers ? Un goujat qui la trimbalait dans son vieux chariot comme un sac de pommes de terre ? Un homme qui l'avait embrassée comme la dernière des filles de cuisine ?

Oui, mais quel baiser !

— Et pourquoi pas ? murmura Aryane.

CHAPITRE VI

Le lendemain matin, les choses étaient redevenues claires pour Aryane : il lui était tout à fait impossible d'épouser Kane Taggert.

Au petit déjeuner, Opal ne cessa de se lamenter sur

la façon dont Doriane avait ruiné à jamais la vie de sa sœur.

Aux yeux d'Aryane, ce n'était pas là une véritable dispute, car les deux protagonistes semblaient parfaitement d'accord sur le fond de la question.

Le petit déjeuner terminé, les « braves gens » commencèrent à faire des visites impromptues.

— Chère Opal, je faisais justement des tartes aux prunes. Comme je sais que vous les adorez, je me suis dit : « Tiens si j'en portais une à Opal ? » Au fait, comment vont les jumelles ?...

A midi, on ne comptait plus les gâteaux et la maison était pleine de monde. M. Gates se fit porter à déjeuner dans son bureau ; aussi les trois femmes durent-elle faire face seules.

— Etes-vous vraiment tombée amoureuse de M. Taggert, Aryane ?

— Chère madame Treesdale, répondait la jeune fille, vous reprendrez bien une part de ce délicieux gâteau.

Doriane parvint à s'éclipser et ne reparut qu'à trois heures de l'après-midi. Elle constata avec effroi qu'une garden-party improvisée se tenait sur la pelouse.

A trois heures et demie, un landau s'arrêta devant la porte. Nul n'en avait encore vu de si beau à Chandler. Laqué de blanc, surmonté d'une capote crème, le siège en était capitonné de cuir rouge.

Le silence se fit quand l'ouvrier qui le conduisait descendit de l'attelage et traversa la pelouse.

— Qui est Mlle Aryane Chandler ? demanda-t-il.

Aryane avança d'un pas.

— Cette voiture vous est offerte par votre futur mari, M. Kane Taggert. Prenez bien soin du cheval, il est très bon.

L'homme repartait déjà quand il fit demi-tour.

— J'allais oublier, fit-il, il y a aussi ça.

Il extirpa un petit paquet de sa poche et le lança à Aryane.

Cette fois, l'homme disparut en sifflotant, les mains dans les poches.

— Alors, Aryane, fit Tia, tu n'ouvres pas ton cadeau ?

Aryane hésitait. Si elle défaisait le paquet et acceptait la bague — car elle ne doutait pas que c'en fût une — ne devait-elle pas aussi accepter le donateur ?

L'écrin recelait le plus gros diamant qu'elle eût jamais vu. La pierre, d'une eau parfaite, était entourée de neuf émeraudes formant étoile.

Aryane referma la boîte d'un claquement sec et sans hésitation se dirigea vers le landau. La seconde suivante, elle était en route pour la demeure de Kane Taggert.

Les coups qu'elle assena à la lourde porte restant sans effet, la jeune fille entra.

Elle trouva Kane penché sur ses papiers dans le bureau, gribouillant des notes et donnant de brèves instructions à Edan, assis en face de lui. Les deux hommes étaient enveloppés de l'épaisse fumée de mauvais cigares.

Edan la vit en premier. Aussitôt il se leva et donna une bourrade à son compagnon.

— Je suppose que vous êtes Edan, dit Aryane, s'approchant de lui et lui tendant la main. Je suis Aryane Chandler.

— Enchanté.

— Monsieur Taggert, j'aimerais vous parler.

— Si c'est pour les préparatifs du mariage, je suis trop occupé pour l'instant. Si c'est pour de l'argent, voyez ça directement avec Edan.

— Vous ne devriez pas rester dans cette atmosphère enfumée, fit la jeune fille.

Elle alla ouvrir les fenêtres.

— Dites donc, dit Taggert, ce n'est pas parce que vous allez être ma femme qu'il faut me donner des ordres.

— Autant qu'il m'en souvienne, je n'ai jamais accepté de devenir votre épouse et, si je ne peux même pas vous parler cinq minutes en privé, je ne crois pas que je le serai jamais ! Au revoir, monsieur Taggert. Au revoir, Edan.

— Au revoir, Aryane, répondit Edan, un petit sourire au coin des lèvres.

La jeune fille entendit Kane soupirer quelque chose sur les femmes et leur façon de faire perdre leur temps aux hommes et pressa le pas.

Kane Taggert la rejoignit pourtant comme elle arrivait au perron.

— Je me suis peut-être montré un peu brusque, fit-il. Mais j'ai horreur d'être dérangé pour rien quand je travaille. Il faut que vous compreniez ça.

48

— Je ne vous aurais pas interrompu si cela n'avait été important.

— Entrons ici pour discuter, dit-il en ouvrant la porte de la bibliothèque. Je ne vous offre pas une chaise, il n'y en a pas. Mais si vous tenez absolument à vous asseoir, on peut aller dans ma chambre.

— Il n'en est pas question ! Monsieur Taggert, je veux savoir si votre offre de mariage est sérieuse ou non.

— Vous croyez vraiment que je perdrais tout ce temps à vous faire la cour si je n'étais pas sérieux ?

— La cour !... Oui, je suppose que c'est ainsi que vous nommez votre attitude d'hier. Bon, répondez-moi franchement. Avez-vous tué ou fait assassiner quelqu'un ?

Kane Taggert demeura quelques secondes bouche bée. Une lueur sombre traversa son regard puis céda vite place à un certain amusement.

— Non. Je n'ai jamais tué personne. D'autres questions me concernant ?

— Tout ce que vous estimerez devoir me dire.

— Il n'y a pas grand-chose. J'ai grandi dans les écuries de Fenton. J'ai eu une aventure avec sa fille et il m'a fichu dehors. Depuis, j'ai tout fait pour faire fortune mais je n'ai ni tué ni volé. Je n'ai jamais battu une femme et j'ai assommé le nombre d'hommes qu'il est raisonnable d'assommer dans une vie. Est-ce tout ce que vous vouliez savoir ?

— Oui. Maintenant, autre chose. Vous m'avez demandé d'arranger votre maison, mais que dois-je faire en ce qui vous concerne ?

— Mais ce que vous voudrez, répondit-il, posant sur elle un regard lourd de sous-entendus qu'elle eut du mal à soutenir.

— Monsieur Taggert, reprit Aryane, je connais des hommes qui travaillent dans les mines et qui sont mieux vêtus que vous. Votre langage, sans parler de vos manières, est abominable. Ma mère est morte de terreur à l'idée que je puisse épouser un barbare de votre acabit. Comme je n'ai pas l'intention de faire vivre ma mère dans l'horreur jusqu'à la fin de ses jours, voudrez-vous suivre mes instructions ?

— Vos instructions ? Mais que diable voulez-vous m'apprendre ?

— Tout. Comment vous habiller, comment manger...

49

— Mais je mange très bien. J'ai un excellent appétit !

— Monsieur Taggert, vous aimeriez être comparé à des milliardaires comme les Vanderbilt et les Gould. Avez-vous jamais été invité chez eux en présence de leurs femmes ?

— Non, se troubla-t-il. C'est-à-dire oui, une fois. Mais il y a eu de la vaisselle brisée.

— Je vois, soupira la jeune fille. Je me demande comment vous pouvez espérer faire de moi votre femme, me demander de m'occuper de votre demeure et de donner ces réceptions qui vous tiennent tant à cœur si vous ne savez même pas manger une pêche avec votre fourchette et votre couteau. Car vous ne savez pas, n'est-ce pas ?

— Quelle importance ? Je ne mange jamais de pêche. J'ai horreur de ça. Ce qu'il faut à un homme, c'est de la viande et il n'a pas besoin d'une femme pour...

— Au revoir, monsieur Taggert.

— Attendez ! Vous refusez de m'épouser si je ne suis pas vos leçons ?

— Parfaitement. Il faudra aussi que vous vous habilliez et que vous vous rasiez.

— Vous avez envie de voir mon visage, hein ? C'est bon, combien de temps ai-je pour réfléchir ?

— Je vous donne dix minutes.

— Qui vous a appris à traiter ainsi les affaires ? grimaça-t-il. Très bien, à mon tour de poser mes conditions. Je sais que vous m'épousez pour mon argent. Taisez-vous ! Ça sert à rien de dire le contraire. Vous n'accepteriez jamais de m'épouser avec vos histoires de fourchettes si je n'avais pas cette maison à vous offrir en échange. Normalement, une lady comme vous n'accepterait même pas d'adresser la parole à un homme comme moi. Je veux que vous fassiez croire aux gens que... C'est-à-dire... Enfin, que vous êtes réellement tombée amoureuse de moi. Que vous ne m'épousez pas parce que votre sœur a jeté son bonnet par-dessus les moulins et que par hasard je passais par là. Même votre sœur, je veux qu'elle croie que vous êtes folle de moi. Pareil pour votre mère. Pas question qu'elle ait peur de moi.

Aryane s'était attendue à tout sauf à cela. En tenant ce discours, Kane Taggert avait soudain eu l'air tout à fait désemparé, presque pitoyable.

La jeune fille comprit brusquement que l'homme qu'elle avait devant elle était un déclassé et qu'il en souffrait. Il était trop riche pour être accepté par les gens dont pourtant il avait les manières. Et ceux dont sa fortune le faisait l'égal le rejetaient parce qu'il n'était pas de leur monde.

« Il a besoin de moi, pensa-t-elle. Plus que quiconque jusqu'à ce jour dans ma vie. Pour Leander, je n'étais qu'une satisfaction de plus. Je ne lui étais pas nécessaire. Pour cet homme, tout ce que j'ai pu apprendre est indispensable. »

— Je me montrerai la plus aimante des femmes, dit-elle.

— Vous allez vraiment m'épouser ?

— Je crois bien, s'entendit-elle répondre.

— Nom de Dieu ! s'écria Taggert. Edan ! Arrive ici tout de suite. Lady Chandler a dit oui !

Aryane se laissa tomber sur le rebord de la fenêtre. Si Kane Taggert épousait « lady Chandler », qui donc épousait-elle ?

La nuit approchait quand Aryane repartit chez elle. Discuter avec Kane Taggert était une interminable partie de bras-de-fer et elle se sentait épuisée.

Il avait cru qu'elle assisterait seule à toutes les réceptions avant leur mariage et qu'il pourrait tranquillement rester dans son bureau à brasser ses affaires.

— Si l'on ne nous voit pas ensemble, personne ne croira que nous nous aimons. Il faut que vous veniez à la garden-party d'après-demain et d'ici là vous devez être rasé et avoir un costume décent à porter.

— Je suis en train d'acheter des terrains en Virginie. Un homme doit venir ici demain et il n'est pas question que je sorte.

— Vous pouvez très bien parler affaires pendant les essayages.

— Vous voulez que je me laisse tripoter par un de ces types maniérés ? Jamais. Faites-moi venir des costumes ici et j'en choisirai un.

— Rouge ou violet ?

— Rouge. Une fois, j'en ai vu un rouge à carreaux...

Aryane vit le moment où elle allait crier.

— Ecoutez-moi bien, un tailleur va vous faire un costume sur mesure et c'est moi qui choisirai le tissu. Vous viendrez avec moi à cette garden-party et vous assisterez également à diverses réceptions dans les deux semaines à venir.

— Vous êtes sûre que les vraies ladies sont aussi autoritaires ? Je croyais qu'elles n'élevaient jamais la voix.

— Jamais avec les gentlemen, en effet. Mais avec des hommes qui veulent se pavaner en costume à carreaux, elles doivent avoir recours à des méthodes plus expéditives.

Kane avait alors pris une expression boudeuse, mais il avait fini par céder.

— C'est bon, je me ferai faire un costume et j'irai à votre maudite... pardon, charmante réunion. Par contre, les autres, je ne sais pas...

— Chaque chose en son temps. Maintenant, je rentre à la maison, mes parents doivent s'inquiéter.

— Attendez, venez un peu ici.

Pensant qu'il voulait lui montrer quelque chose, Aryane obéit. Elle fut prise sans ménagement par un poignet et se retrouva sur les genoux de l'homme.

— A mon tour de vous donner des leçons, fit-il. Je suis sûr que j'ai plein de choses à vous apprendre.

Les lèvres de Kane remontèrent le long de son cou, mordillèrent doucement le lobe de son oreille puis vinrent se poser sur les siennes. Aryane avait envie de protester mais son corps la trahissait.

— Kane, fit soudain Edan, entrant dans le bureau. Oh, pardon...

Taggert remit Aryane debout avec une petite tape qui la fit rougir jusqu'à la racine des cheveux et elle s'empressa de sortir de la pièce.

La jeune fille ralentit la course de son cheval en apercevant sa maison. Maintenant, il allait falloir annoncer la nouvelle à ses parents !

Pourquoi avait-elle accepté d'épouser un homme qu'elle n'aimait pas, qui ne l'aimait pas ? Un homme qui la mettait sans cesse en colère ? Un homme qui la traitait comme un objet ?

Aryane trouva très vite la réponse : Kane Taggert la faisait se sentir vivante. Kane Taggert avait besoin d'elle.

Et se sentir soudain réellement utile fit bondir son cœur joyeusement dans sa poitrine.

CHAPITRE VII

A sa grande surprise, mais aussi à son grand soulagement, la maison était remarquablement calme quand Aryane y pénétra par la porte de la cuisine. Elle y trouva la cuisinière et Susan en train de faire la vaisselle.

— Est-ce que tout le monde est couché ? demanda-t-elle.

— Oui, Mademoiselle Daryane, plus ou moins.

— Aryane, répondit-elle machinalement. Susan, vous voulez bien me préparer un plateau et me le monter ?

Dans le vestibule, Aryane aperçut une superbe gerbe de fleurs. Sur le bristol, ces quelques mots : « A ma future épouse, Doriane. Leander. »

Durant tout le temps de leurs fiançailles, jamais Leander ne lui avait fait parvenir le moindre bouquet !

Aryane redressa fièrement le menton et gravit l'escalier.

La jeune fille retrouva avec plaisir sa grande chambre blanche et turquoise. Elle commençait à se déshabiller quand Susan entra.

— Je sais qu'il est tard, mais j'aimerais que vous envoyiez Willie en course. Qu'il porte ce mot à M. Bagly, le tailleur de Lead Avenue. Qu'il le lui remette en main propre, même si pour ce faire il doit le sortir du lit. Il faut qu'il soit au manoir Taggert dès demain matin à huit heures précises.

— Au manoir Taggert ? C'est donc vrai, Mademoiselle, que vous allez l'épouser ?

— Que diriez-vous de rester à mon service et de venir travailler là-bas, Susan ?

— Je ne sais pas, Mademoiselle. Est-ce que M. Taggert est aussi épouvantable qu'on le dit ?

— Que vous a-t-on raconté ?

— Qu'il se met souvent en colère, qu'il crie tout le temps et qu'il n'est jamais satisfait.

— J'ai peur que ce ne soit un peu vrai, soupira Aryane. En tout cas, il ne bat pas les femmes et il n'escroque pas les gens.

— Si vous n'avez pas peur d'aller vivre avec lui, Mademoiselle Aryane, je viendrai avec vous. Je ne crois pas que ce sera très drôle de rester ici quand Mlle Doriane et vous serez parties.

Aryane poussa un nouveau soupir et rédigea un autre mot pour que M. Applegate, le barbier, passe chez Kane Taggert à neuf heures.

— Dites-moi, Susan, n'avez-vous pas deux frères ?

— Si, Mademoiselle.

— Il me faudrait une demi-douzaine d'hommes solides pour toute la journée de demain. C'est pour bouger des meubles. Ils seront bien payés et bien nourris et devront être chez M. Taggert à huit heures et demie. Pensez-vous pouvoir me les trouver ?

— Oui, Mademoiselle.

Aryane écrivit encore un mot.

— Tenez, que Willie porte ceci à Mme Murchinson. Qu'elle vienne là-bas faire la cuisine. Que Willie lui répète bien qu'il y a toutes les provisions à acheter et qu'elle fasse mettre la note sur le compte de M. Taggert. Dites également à Willie qu'il loue un chariot et qu'il l'accompagne dans les courses.

Quelques minutes plus tard, Aryane se glissait avec délices sous les couvertures. Pour la première fois depuis plusieurs jours, elle ne se sentait pas triste à mourir, mais plutôt satisfaite.

Elle avait obtenu de sa sœur une soirée d'aventure et il semblait que celle-ci veuille se prolonger !

Quand Susan vint frapper à sa porte, à six heures du matin, Aryane avait fini sa toilette et était déjà tout habillée.

Elle descendit sur la pointe des pieds pour ne réveiller personne, déposa un mot sur la table de la salle à manger afin de prévenir sa mère qu'elle partait pour la journée, puis alla prendre un rapide petit déjeuner à la cuisine.

Elle gagna ensuite les écuries où, sous ses injonctions, Willie, encore tout endormi, attela le landau.

— As-tu bien donné tous les messages, Willie ?

— Oui, Mademoiselle. J'ai rendez-vous avec un chariot à six heures et demie avec Mme Murchinson. Elle voulait savoir combien de personnes elle devrait nourrir.

— Dis-lui une vingtaine, comme ça on ne manquera de rien. Dis-lui aussi d'acheter toute une batterie de cuisine.

Je doute que M. Taggert ait ça chez lui. Et tâchez d'être là-bas le plus vite possible.

Aryane arriva devant chez Kane, détela son cheval et alla l'attacher à l'ombre. La grande demeure paraissait toujours endormie.

Elle alla frapper à la porte de la cuisine et, comme personne ne lui répondait, elle entra. La vaste pièce était déserte et la jeune fille entreprit d'en explorer les placards. Comme elle s'y était attendue, ils ne recelaient pratiquement rien. A part quelques boîtes de conserves, une mauvaise casserole et une vieille poêle, les rayonnages étaient désespérément vides.

Elle explora ensuite les communs puis, ayant découvert l'escalier de service, partit à la recherche des greniers.

Ce que Kane Taggert avait nommé « greniers » était en fait les chambres des domestiques qui pour l'instant servaient d'entrepôt. Chacune d'elles était bourrée de caisses et de meubles recouverts de housses poussiéreuses.

Aryane en souleva une au hasard et découvrit une ravissante bergère dorée à la feuille, dont la tapisserie fanée était un fouillis de roses, d'amours et de rubans. Elle lut l'étiquette attachée au fauteuil et en resta le souffle coupé.

« Milieu XVIIIe, était-il inscrit. Tapisserie des Gobelins. Aurait appartenu à Mme de Pompadour. Fait partie d'une série de six sièges et deux canapés. »

Une caisse contenant apparemment un tableau était succinctement libellée : « Watteau. » Une autre portait la mention : « Gainsborough. »

La jeune fille découvrit la bergère de Mme de Pompadour et s'y assit. La tête lui tournait un peu depuis qu'elle avait compris que tout ce qui se trouvait là méritait d'être dans un musée.

L'arrivée d'un attelage maltraitant le gravier de la cour la tira de ses pensées.

— Mon Dieu, M. Bagly ! s'écria-t-elle.

M. Bagly était un petit homme malingre qui sous ses allures fragiles cachait un tempérament tyrannique que sa réputation de meilleur tailleur de Chandler lui permettait d'extérioriser.

— Bonjour, Daryane, fit Bagly en s'approchant, suivi de son assistant.

— Bonjour, entrez. Je ne sais pas si vous êtes au courant mais M. Taggert et moi-même nous marions dans quinze jours et il a besoin d'une garde-robe complète. Mais dans l'immédiat, il lui faut un habit pour se rendre demain à une réception. Pantalon et gilet en vigogne grise et veste en cachemire. Pensez-vous que cela pourrait être prêt pour demain quatorze heures ?

— Je ne sais pas. J'ai d'autres clients.

— Je suis certaine qu'aucun d'eux n'est aussi pressé que M. Taggert. Mettez autant d'ouvriers qu'il sera nécessaire sur ce travail et ne regardez pas à la dépense.

— Je pense que je pourrai arranger cela. Maintenant, si nous pouvions prendre les mesures de M. Taggert...

— Il est à l'étage, je crois.

— Ecoutez, Daryane, je vous connais depuis toujours et je suis prêt à mettre tous mes autres travaux en attente pour vous faire plaisir. Je suis venu ce matin très tôt pour la même raison mais sachez qu'en aucun cas je ne monterai encore ces marches. Je crois que nous reviendrons quand M. Taggert sera réveillé.

— Mais, dans ce cas, vous n'aurez plus assez de temps pour faire son costume. Monsieur Bagly, je vous en prie.

— Ecoutez, je veux bien attendre une demi-heure. Si, passé ce délai, M. Taggert n'est pas descendu, nous partirons.

Aryane hocha la tête, réunit tout son courage et monta à l'étage.

Le premier le disputait en splendeur au rez-de-chaussée et la jeune fille demeura quelques instants médusée sur le palier formant galerie. Une vaste salle circulaire pavée de marbre vert et blanc s'ouvrait devant elle. La lumière y pénétrait à flots par une verrière en forme de dôme et l'immense baie vitrée en arc de cercle qui donnait sur le jardin. Des plantes tropicales, véritables arbres, plongeaient leurs racines dans des bacs de pierre sculptée et entouraient le bassin central qui attendait toujours sa mise en eau. Çà et là, des bancs de fer forgé laqués de blanc incitaient à la rêverie en cet étrange jardin exotique.

— J'y mettrai des oiseaux, murmura Aryane.

Dans l'immédiat, la jeune fille avait pourtant d'autres chats à fouetter : il lui fallait trouver Kane au plus vite.

Elle s'engagea dans le couloir et commença à ouvrir les portes les unes après les autres. Au bout de la troisième, elle aperçut une tête blonde émergeant de couvertures en désordre. Evan. Inutile de le réveiller.

Ce ne fut que tout au bout du corridor qu'elle trouva enfin la chambre du maître de maison.

Une couverture suspendue sur un fil de fer devant la fenêtre la plongeait dans une demi-obscurité. Le mobilier se limitait à un grand lit de chêne, une mauvaise table couverte de paperasses et deux fauteuils bon marché, tapissés de peluche rouge et frangés de jaune.

— Pardon, madame de Pompadour, murmura Aryane, levant les yeux au ciel.

D'un pas décidé, elle gagna la fenêtre et arracha la couverture.

— Bonjour, monsieur Taggert ! dit-elle d'une voix forte en s'approchant du lit.

Kane se retourna sur le dos, grogna et continua imperturbablement à dormir.

Son large torse nu émergeait des draps froissés et la jeune fille rougit en pensant que sa nudité ne s'arrêtait sûrement pas là.

Comme elle atteignait le bord du lit, une main la saisit et elle s'y retrouva allongée, des bras puissants l'enlaçant, une bouche cherchant la sienne.

— Vous ne pouviez plus attendre, hein ? Vous avez raison, j'ai toujours aimé faire l'amour au réveil.

Aryane tenta de se débattre mais comprit très vite qu'elle n'y arriverait pas. Il fallait trouver autre chose. Elle parvint à s'emparer de la cruche qui se trouvait sur la table de chevet et l'abattit sans vergogne sur la tête de Kane.

Comme il se redressait d'un bond, dégoulinant d'eau au milieu des débris, elle en profita pour s'échapper.

— Mais vous êtes complètement folle ! Vous auriez pu me tuer !

— Mais non, je me doutais bien que cette cruche n'était pas de meilleure qualité que vos meubles.

— Dites donc, espèce de petite...

— Assez, monsieur Taggert ! Si vous voulez que je devienne votre femme, apprenez dès maintenant à me montrer du respect. Je n'ai pas l'intention d'être traitée comme une fille que vous avez louée pour la nuit ! Dites-vous bien que je ne suis pas ici parce que je meurs d'envie de partager votre couche. Il y a en bas un tailleur qui attend pour prendre vos mesures. Des déménageurs doivent également arriver d'une minute à l'autre, ainsi qu'une cuisinière, et un barbier pour vous débarrasser de tout ce poil qui vous mange le visage. Au cas où vous l'auriez oublié, un mariage doit avoir lieu ici dans moins de deux semaines et je dois pour cela non seulement mettre cette maison en ordre mais vous faire également ressembler à un être humain. Dans ces conditions, il n'est pas question que vous vous vautriez dans votre lit toute la journée ! Compris ?

— Est-ce que je saigne ? demanda-t-il, portant la main à son cuir chevelu.

Aryane poussa un soupir et vint à lui pour l'examiner. Aussitôt, un bras musclé enlaça sa taille et Kane enfouit son visage dans son corsage.

— C'est à vous, tout ça ?

— Vous êtes insupportable ! s'écria-t-elle en le repoussant. Allez, debout ! Et soyez en bas le plus vite possible.

La jeune fille tourna les talons et sortit à grands pas, ignorant les commentaires désobligeants qui ponctuaient sa sortie.

A neuf heures, les mensurations de Kane avaient été prises non sans mal. Il ne supportait pas les mains de M. Bagly et de son assistant, pas plus qu'il ne supportait qu'Aryane choisisse les étoffes à sa place.

La jeune fille avait dû renvoyer sur-le-champ deux des déménageurs qui lui avaient manqué de respect. Quant à Mme Murchinson, elle s'était enfermée dans la cuisine en pestant contre l'absence de tout ustensile.

Quand le barbier parut, Aryane s'empressa de sortir dans le jardin et d'aller explorer les serres dont elle rêvait depuis longtemps.

Elle referma derrière elle le lourd panneau vitré et poussa un soupir de satisfaction : enfin un peu de calme et de beauté !

— Il commençait à y avoir trop de bruit pour vous, n'est-ce pas ?

Aryane découvrit Edan rempotant une superbe azalée. Il était aussi grand et fort que Kane mais devait être un peu plus jeune.

— Je suppose que nous vous avons réveillé, dit-elle. La maison n'a cessé de retentir de cris...

— J'ai l'habitude. Dès que Kane est quelque part, tout le monde se met à crier ! Venez que je vous montre mes plantes.

— C'est vous qui vous occupez du jardin ?

— Pas tout à fait. Il y a une famille de Japonais qui vit dans un pavillon à l'autre bout du parc. Mon domaine réservé se limite aux serres. J'ai des plantes qui viennent des quatre coins du monde.

Avec une grande fierté, le jeune homme montra à Aryane certaines de ses merveilles : simples cyclamens ou primevères, mais aussi orchidées rares et fougères arborescentes.

— Comme vous avez de la chance de pouvoir venir vous isoler ici, soupira Aryane.

— Kane vous donne du fil à retordre, n'est-ce pas ?

— Si l'on veut. Je lui ai cassé une cruche sur la tête ce matin.

Edan prit un air éberlué puis éclata de rire.

— Il m'est aussi arrivé plus d'une fois d'en venir aux mains, confia-t-il. Dites-moi, avez-vous vraiment l'intention d'en faire un homme civilisé ?

— J'espère réussir, mais il me faudra trouver d'autres moyens que les coups. Mais au fait, Edan, j'ignore tout de vous. Comment en êtes-vous arrivé à vivre avec Kane ?

— Il m'a trouvé dans une ruelle de New York où je parvenais à survivre en faisant les poubelles. J'avais dix-sept ans. Quelques semaines auparavant, mes parents et ma sœur étaient morts asphyxiés par les émanations du poêle, dans le taudis où nous vivions. J'étais sans aucune ressource et je venais juste de décider de m'en sortir en dévalisant les passants. Manque de chance, ou plutôt grâce au ciel, ma première victime s'est trouvée être Kane.

— Sa carrure ne vous a pas dissuadé ?

— Peut-être qu'inconsciemment je n'avais pas envie de réussir. Toujours est-il que Kane m'a neutralisé en deux temps trois mouvements. Mais au lieu de me livrer à la police, il m'a emmené chez lui et m'a donné à manger. Il n'avait que vingt-deux ans, mais il avait déjà commencé de faire fortune.

— Et vous ne l'avez plus quitté.

— Exact. Mais je n'ai pas vécu à ses crochets pour

autant. Il m'a fait travailler toute la journée et, le soir, il m'expédiait à des cours. C'est un homme qui estime que dormir est une perte de temps. On ne se couche jamais avant quatre heures du matin, c'est pourquoi vous nous avez encore trouvés au lit en arrivant aujourd'hui.

Edan s'interrompit et regarda à travers les vitres de la serre.

— Ah ! Il semblerait que le barbier ait fait son office.

Aryane observa à son tour le solide gaillard qui venait vers eux dans les vêtements de Kane. Elle tourna vers Edan un regard étonné tandis que Kane entrait dans la serre.

— Aryane ! Vous êtes là ? Ce n'est pas mal, n'est-ce pas ? fit-il en l'apercevant. J'avais oublié à quel point j'étais joli garçon.

La jeune fille ne put s'empêcher de rire car il disait vrai. Rasé de près, l'homme des bois s'était transformé en dieu de l'Antiquité.

— Si vous avez fini avec les plantes d'Edan, venez avec moi. Il y a des odeurs sensationnelles qui sortent de la cuisine et je meurs de faim.

Aryane le suivit et lorsqu'ils furent dehors, Kane la prit par le bras.

— Il faut que je vous dise quelque chose, Aryane, commença-t-il, embarrassé. Je ne voulais pas vous sauter dessus ce matin. J'étais encore à moitié endormi et vous étiez si jolie ! Je ne vous aurais pas fait de mal, vous savez. Je suppose que je ne sais pas m'y prendre avec les femmes... Mais j'apprendrai très vite ! ajouta-t-il avec un sourire.

— Asseyez-vous sur ce banc, répondit-elle, et laissez-moi constater les dégâts. Ça vous fait très mal ? demanda-t-elle en tâtant l'œuf de pigeon qu'il avait sur le sommet du crâne.

— Plus maintenant. Vous voulez toujours m'épouser ?

Aryane dut s'avouer qu'il était bien plus séduisant que Leander et, quand il la regardait ainsi, elle sentait ses genoux sur le point de se dérober.

— Oui, je veux bien.

— Parfait ! fit-il, se levant d'un bond. Allons manger. Edan et moi devons travailler et quelqu'un nous attend déjà dans mon bureau. Et puis, il faut que vous surveilliez ces imbéciles avec leurs meubles.

Kane s'élança vers la cuisine et Aryane dut pratiquement courir pour rester à sa hauteur.

La jeune fille passa son après-midi à superviser les déménageurs. Le contenu de deux chambres de domestique fut descendu au rez-de-chaussée et des tapis installés dans trois pièces. Kane était enfermé en compagnie d'Edan et du visiteur dans son bureau. De temps à autre ses éclats de voix s'en échappaient, couvrant un instant le bruit des ouvriers.

A un moment, Kane passa la tête par l'entrebâillement de sa porte et aperçut les sièges du salon Louis XV.

— Vous croyez que ça va tenir le coup ? fit-il, sceptique.

— Cela fait deux cents ans que ces fauteuils résistent, Kane.

Il se le tint pour dit et réintégra son bureau.

A cinq heures, Aryane alla rejoindre les hommes pour les informer de son départ. C'est tout juste si Kane lui jeta un coup d'œil. Edan fit cependant l'effort de la raccompagner dehors.

— Edan, dites-lui que je viendrai demain à midi avec son costume et que nous devons être à la garden-party à deux heures.

— J'espère qu'il acceptera d'y aller.

— Il ira.

CHAPITRE VIII

Seuls Aryane et Duncan Gates firent honneur au petit déjeuner. Opal avait l'air d'avoir perdu cinq kilos en une nuit ; quant à Doriane, elle s'enfermait dans un mutisme pesant.

Tout en mangeant, Aryane repensait à ce que Susan lui avait dit le matin même sur le comportement de Doriane et de Leander la veille. Doriane était allée faire de la barque sur le lac du parc Fenton en compagnie d'un jeune homme blond.

Ils étaient au beau milieu de l'eau lorsque Leander les avait rejoints à bord d'une autre embarcation de louage et avait précipité le compagnon de Doriane dans le lac. Tandis qu'il refaisait surface, Leander avait obligé Doriane à monter dans sa barque et l'avait ramenée jusqu'à la berge.

Mais comme ils atteignaient le bord, Doriane s'était emparée d'une rame et avait jeté Leander dans la boue, sous les yeux goguenards des promeneurs.

Aryane aurait dû être froissée de la façon dont Leander et sa sœur se donnaient ainsi en spectacle ; jalouse de cet ex-fiancé qui ne manquait pas une occasion de proclamer haut et fort son amour pour Doriane ; jalouse des gerbes de fleurs qui emplissaient quotidiennement la maison. Il n'en était rien.

La jeune fille était bien plus préoccupée de savoir où elle allait placer ce bureau dos d'âne en marqueterie qui pour l'instant attendait dans le vestibule de la maison Taggert. Comment faire pour trouver quelqu'un qui l'aiderait à accrocher les doubles rideaux de brocart découverts au grenier ? Et Kane Taggert ? Comment allait-il se comporter à cette garden-party ?

— Aryane, il faut que je vous parle, dit M. Gates, la collation achevée, faisant sursauter la jeune fille.

Gates emmena Aryane dans son bureau et la fit asseoir, puis alla se planter, mains derrière le dos, devant la fenêtre.

— Si j'ai bien compris, vous avez accepté la demande en mariage de cet homme ?

— C'est exact, répondit la jeune fille, s'apprêtant à essuyer l'orage.

Gates gagna son bureau et se laissa lourdement tomber dans son fauteuil.

— Aryane, soupira-t-il, je sais que cette maison n'a plus jamais été la même depuis le décès de votre père, mais je ne pensais pas que vous auriez un jour recours à de telles extrémités pour la quitter.

— Vous pensez vraiment que j'épouse M. Taggert pour partir d'ici ?

— C'est une des raisons, à mes yeux. Je conçois que l'attitude de Leander soit pour vous une terrible humiliation, mais croyez-moi, Aryane, ce n'est tout de même pas la fin du monde. Vous êtes la plus jolie jeune fille de la ville, peut-être même de tout l'Etat. Vous trouverez quelqu'un d'autre. Si vous le désirez, je peux vous emmener à Denver et vous faire entrer dans le monde.

Aryane alla l'embrasser sur la joue, sincèrement touchée. Jusqu'à ce jour, elle n'avait jamais eu pleinement conscience de l'affection que lui portait son beau-père. Le respect des conventions n'avait jamais autorisé de tels épanchements.

— Merci de votre gentillesse. Mais ne croyez pas que j'épouse Kane Taggert parce qu'il est le seul homme disponible.

— En êtes-vous si sûre ? Ne cherchez-vous pas à prouver aux gens d'ici que vous êtes capable de trouver un autre parti à la seconde même ? Que savez-vous de Taggert ? Qui vous dit qu'il n'y a pas quelque tare cachée dans sa famille ? Son oncle a la réputation d'être une vraie tête brûlée.

— Son oncle ?

— Rafe Taggert. Il travaille à la mine. Il ne cesse de créer des ennuis à Jacob Fenton.

Aryane détourna le regard. Taggert était un nom très répandu dans la région et jamais elle n'avait fait de rapprochement entre Kane et son amie Jane. En tout cas, s'ils étaient parents, elle n'avait pas à redouter de tare cachée dans l'ascendance de son futur mari.

— Je refuse de croire à ces histoires d'hérédité, dit-elle.

— Je ne parviens pas à vous reconnaître, Aryane. Vous étiez si raisonnable avec Leander ! Vous aviez appris à vous connaître, à vous apprécier, avant de vous engager. Et voici que vous acceptez ce Taggert alors que vous ne le connaissez que depuis quelques jours à peine.

La jeune fille se tut. Qu'aurait-elle pu répondre ? Duncan Gates énonçait des vérités toutes frappées au coin du bon sens.

— Le mariage est une chose sérieuse, poursuivit-il. Réfléchissez un peu à ce que vous êtes en train de faire.

— J'ai déjà donné mon consentement.

— Doriane vous a pourtant prouvé avec ses folies que tant que la cérémonie n'avait pas encore eu lieu tout pouvait être remis en question. Ne laissez pas cette malheureuse affaire gâcher votre vie. Renseignez-vous sur Taggert. Pourquoi n'allez-vous pas voir Marc Fenton ?

Il doit bien savoir des choses. J'ai essayé de le contacter, mais il refuse d'entendre parler de Taggert. A vous, il ne pourra refuser de parler. Je vous en prie, Aryane, n'agissez pas à la légère.

La jeune fille n'avait pas envie d'écouter ces conseils. Elle souhaitait poursuivre l'aventure. Elle préférait que Kane Taggert garde son mystère...

Mais ce que lui demandait son beau-père était parfaitement sensé et elle ne trouva pas le moyen de le lui refuser.

— Je vous promets de prendre tous les renseignements possibles, dit-elle. Mais si je ne découvre rien de terrible, je l'épouserai le 20.

— Encore une chose, Aryane. Avez-vous toujours été attirée par l'argent ? Vivre dans cette maison vous semblait-il à ce point misérable ?

— Parce que vous croyez aussi que je me marie avec lui pour sa fortune !

— Evidemment. Pour quelle autre raison iriez-vous épouser ce rustre ? S'il n'avait pas tout cet argent, il ne serait qu'un vulgaire mineur, comme le reste de sa famille, et nul ne lui prêterait la moindre attention.

— Un vulgaire mineur ? Vous croyez ? N'oubliez pas qu'il a commencé palefrenier avant de devenir milliardaire. Il s'est fait à la force du poignet. Personne ne l'a aidé. C'est justement ça qui me plaît chez lui : Kane Taggert n'est pas n'importe qui. Je me demande d'ailleurs pourquoi personne ne s'interroge sur le fait qu'il veuille épouser une fille d'ici. Il aurait pu se marier avec une princesse s'il l'avait voulu.

— Mais, Aryane, vous êtes une princesse !

La jeune fille sourit et se dirigea vers la porte.

— Il faut que je m'en aille. Je dois passer chez M. Bagly commander une garde-robe pour mon futur mari et également une robe de mariée. Je doute que Doriane y ait pensé.

— J'en doute également. Aryane, le directeur de la banque a apporté ceci hier, ajouta-t-il en tirant une enveloppe de sa poche.

C'était un reçu informant Aryane que deux cent cinquante mille dollars avaient été déposés à son nom.

— Merci, dit-elle, tremblant un peu, et elle sortit.

Une heure plus tard, la jeune fille était chez le tailleur

entourée d'une multitude d'échantillons. Elle commanda un nombre impressionnant de vêtements en tout genre puis demanda un rendez-vous pour Edan afin qu'on lui prépare un costume pour le mariage.

La jeune fille repassa chez elle et Susan l'aida à se changer. Quand elle arriva enfin chez Kane Taggert, elle portait une bruissante robe de satin jaune paille et une capeline assortie ornée de camélias blancs.

Elle arrêta sa voiture à l'arrière de la vaste demeure et dut relever ses jupes pour en descendre. Un long sifflement admiratif l'accueillit.

— Superbe ! fit Kane Taggert en s'approchant. Je n'ai jamais vu d'aussi jolies jambes, même chez les plus belles danseuses de La Nouvelle-Orléans !

— Je vous ai apporté votre costume ! Vous avez juste le temps de vous préparer.

— Me préparer pour quoi ?

Aryane posa sur lui un regard las mais ne put s'empêcher de noter au passage combien il était séduisant sans sa barbe.

— La garden-party, à deux heures.

— Ah, ça ! dit Kane, lui tournant le dos et repartant vers la maison.

— Oui, ça, fit-elle, lui emboîtant le pas. J'ai pensé qu'il serait bon que je vous donne quelques conseils avant d'y aller. Vous vous sentirez plus à l'aise. Et puis, il vous faut du temps pour vous habiller...

Arrivé dans le bureau, Kane ramassa un papier sur sa table et regarda Aryane.

— Je suis désolé, mais je n'ai pas le temps d'y aller. Je dois travailler. Mais allez-y, vous êtes prête. Pourquoi ne pas apporter des fleurs de ma part ?

— Pourquoi pas de l'argent ?

— Vous croyez que ça leur ferait plaisir ?

— A eux, non, mais à vous, oui. Vous êtes prêt à tout pour ne pas avoir à les affronter.

— Vous voulez dire que j'ai peur de ces buveurs de thé ? Cette bande de snobs qui... Je n'irai pas, conclut-il, boudeur, se laissant tomber sur sa chaise.

— Ce n'est pas si dramatique, Kane. Ne jugez pas ces gens en fonction de ceux que vous avez pu voir en ville. Ceux-là sont mes amis. Je vous jure que personne ne s'évanouira sur votre passage.

— Pas une seule ne tournera de l'œil en me voyant sans barbe ?

— Essayez-vous de me faire dire que vous serez le plus bel homme de cette réunion ?

Kane tenta de lui prendre la main mais elle s'esquiva.

— Restons ici tous les deux, dit-il. Nous trouverons bien à nous occuper. Votre robe est magnifique.

— Pas question, monsieur Taggert, rit Aryane. Je ne me laisserai pas tenter. Il faut que vous alliez vous préparer pour cette garden-party.

Comme l'homme avançait vers elle, la jeune fille recula et finalement, elle se retrouva adossée au mur. Alors, Kane s'y appuya, une main de chaque côté de sa tête.

— Nous ne nous connaissons pas encore, murmura-t-il. Vous ne croyez pas qu'un couple devrait avoir des moments d'intimité avant le mariage ?

— Inutile de me faire du charme, monsieur Taggert, rétorqua Aryane, le fuyant une fois encore. J'ai l'impression que vous avez peur d'aller là-bas. Si tel est le cas, je ne crois pas que j'aie envie d'épouser un homme comme vous.

— C'est faux ! fit-il, en colère. Je n'ai peur de rien.

— Alors prouvez-le et allez vous habiller.

Kane rangeait nerveusement ses papiers sur son bureau et en le voyant si agité, manifestement en proie à un véritable conflit intérieur, la jeune fille se sentit sur le point de céder. Vite, elle se ressaisit.

— C'est bon, dit-il enfin. J'irai. Mais j'espère que vous n'aurez pas à le regretter.

— Moi aussi, je l'espère, soupira Aryane quand Kane fut sorti en claquant la porte derrière lui.

Tandis que Kane se préparait, Aryane inspecta les meubles disséminés au hasard des pièces. Au bout d'une demi-heure, alors qu'elle commençait à penser que Kane s'était enfui en sautant par la fenêtre de sa chambre, Aryane l'aperçut sur le pas de la porte.

Vêtu d'une veste noire, d'un pantalon de flanelle grise et d'une chemise blanche, il tenait à la main une cravate de soie gris perle.

— Je ne sais pas la nouer, avoua-t-il.

La jeune fille ne put s'empêcher de l'admirer. Les vêtements bien coupés faisaient ressortir la largeur de ses épaules et l'étroitesse de ses hanches ; quant à la veste sombre, elle accentuait les ténèbres de ses cheveux et le hâle de son visage. L'idée de paraître à la réception en compagnie d'un aussi séduisant cavalier gonfla soudain sa poitrine d'une bouffée de fierté.

— Savez-vous attacher ce truc ? insista Kane.

— Ce « truc » est une cravate, corrigea Aryane. Et oui, je sais la nouer. Asseyez-vous, je vous prie.

Kane se laissa tomber sur l'une des bergères avec des airs de martyr.

— La garden-party se tient chez une de mes amies, Tia Mankin, expliqua la jeune fille tout en officiant. Le buffet sera installé sur de longues tables où chacun ira se servir. Tout ce que vous aurez à faire, ce sera d'aller d'un groupe à l'autre et de dire quelques mots aimables. J'essaierai de ne pas vous quitter.

Kane restait silencieux. Quand elle eut fini de lui arranger sa cravate, Aryane le regarda dans les yeux, se demandant s'il était bien l'homme sur lequel elle avait brisé sans vergogne un pichet d'eau.

— Ce sera vite fini, reprit-elle, et nous pourrons revenir ici.

Brusquement, Kane la prit dans ses bras et l'embrassa passionnément, semblant puiser son courage à la source fraîche de ses lèvres.

— Bon, débarrassons-nous de cette corvée, dit-il en la relâchant et en gagnant rapidement la porte.

Aryane ne pouvait plus bouger. Si Kane ne semblait nullement perturbé par le baiser qu'ils venaient d'échanger, elle ne parvenait pas encore à reprendre ses esprits.

— Alors, vous venez ? s'impatienta-t-il.

— Oui, oui, j'arrive, sourit-elle.

Tandis qu'ils roulaient vers chez Tia, Aryane donna à son compagnon ses dernières instructions.

— Si vous voulez que les gens prennent nos fiançailles au sérieux, il faudra vous montrer prévenant à mon égard. Restez près de moi, tenez-moi par le bras... Vous voyez ce que je veux dire. Ah, aussi, n'oubliez pas de m'aider à descendre de voiture.

Tout en menant son cheval, Kane se contentait de hocher silencieusement la tête.

— Et souriez ! reprit-elle. Le mariage n'est tout de même pas une catastrophe !

— Il faudrait déjà que j'arrive à survivre aux fiançailles...

Les gens qui se pressaient dans le jardin des Mankin brûlaient de curiosité et d'impatience de voir arriver Aryane et Kane. Malgré tous leurs efforts pour demeurer distants, ils ne purent s'empêcher de se précipiter autour de la calèche lorsqu'elle s'arrêta devant la grille. Un grand silence se fit alors : l'ours mal léché s'était métamorphosé en gentleman !

Kane ne semblait pas voir les réactions des gens, mais tandis qu'il aidait Aryane à quitter son siège, cette dernière les savourait.

Une fois à terre, la jeune fille passa délicatement son bras sous celui de son cavalier et l'entraîna vers les invités.

— Permettez-moi de vous présenter mon fiancé, Kane Taggert, dit-elle.

Vingt minutes plus tard, Kane avait été présenté à tout le monde et Aryane commençait à se détendre.

— Alors, ce n'était pas si difficile que ça, murmura-t-elle à Kane.

— Pas trop, grogna-t-il. Voulez-vous manger quelque chose ?

— Pas pour l'instant, mais je boirais volontiers un punch. Vous voulez m'excuser quelques instants, je dois parler à quelqu'un.

Aryane s'éloigna puis s'arrêta pour observer à la dérobée Kane se dirigeant vers le buffet. Nombre de femmes lui jetaient des regards admiratifs et Meredith Lechner l'arrêta pour lui parler, non sans avoir auparavant jeté un œil interrogateur à Aryane, comme pour lui demander sa permission.

La jeune fille s'amusait beaucoup de voir que le hideux crapaud s'était changé en Prince Charmant que tout le monde lui enviait. « Dire qu'il a suffi d'un bon coup de cruche sur la tête », se dit-elle en pouffant de rire.

La jeune fille reprit son sérieux et alla rejoindre le Révérend Thomas qui se tenait un peu à l'écart.

— Le moins qu'on puisse dire, c'est que tu l'as changé, sourit-il, en désignant Kane, que désormais trois femmes entouraient.

— Peut-être un peu en surface, oui. Il faut que je vous parle, reprit Aryane. La semaine dernière à la mine, Jane

Taggert m'a fait l'impression de tout savoir de moi. Est-ce vrai ?

— Oui, elle sait tout.

— Mais, comment a-t-elle fait ?

— Je le lui ai dit. Il le fallait. Je voulais que tu aies une alliée entièrement dévouée dans l'enceinte du camp.

— Mais si jamais on me découvre ? Jane risque d'avoir encore plus d'ennuis si elle est au courant.

— Aryane, tu ne peux prendre sur toi toutes les responsabilités. Jane est venue me trouver voici quelques mois et m'a demandé de lui dire toute la vérité. Je l'ai fait.

— Saviez-vous, Révérend, que Jane et Kane étaient parents ?

— Cousins germains, précisa le pasteur. Dès que j'ai appris vos fiançailles, je suis allé trouver Jane. Bien sûr, les gardes ne voulaient pas me laisser entrer, mais je sers un maître plus puissant que le leur et ils ont fini par s'incliner. Ni Jane ni aucun membre de sa famille n'ont jamais vu Kane. Il semble qu'il y ait un secret autour de sa naissance. Quelque chose concernant sa mère. Jane pense qu'elle était... une femme légère et que le père de Kane avait des doutes sur sa paternité. Cela explique pourquoi Kane a grandi chez Fenton et non pas dans la famille Taggert.

— Savez-vous ce que sont devenus ses parents ?

— Jane est persuadée qu'ils sont morts. Aryane, poursuivit le pasteur en posant une main sur le bras de la jeune fille, es-tu sûre de vouloir l'épouser ? Je sais que Leander t'a blessée, mais...

— J'en suis certaine, coupa Aryane, incapable de supporter un nouveau sermon. Maintenant, si vous voulez bien m'excuser, je vais rejoindre mon fiancé avant qu'on me le vole.

Les invités se bousculèrent sur le passage d'Aryane pour l'interroger.

— Es-tu vraiment tombée amoureuse de lui alors que tu sortais avec Leander ?

— Il est très séduisant, Aryane. Vous avez fait des merveilles.

— Leander a-t-il eu le cœur brisé quand tu lui as annoncé la nouvelle ?

— Aryane, il faut absolument tout nous dire !

La jeune fille parvint enfin à rejoindre son fiancé et glissa son bras sous le sien.

— Vous en avez mis, un temps, murmura-t-il. Savez-vous ce que ces perruches voulaient savoir ?

— Non, mais j'imagine, rit-elle. Avez-vous mangé un peu ?

— Seulement deux de ces petits sandwiches ridicules. Un homme pourrait les avaler tous d'un coup et avoir encore faim après ! Il faut encore rester longtemps ? Avec qui parliez-vous ?

— Le Révérend Thomas.

— Ah oui, celui que vous allez aider tous les mercredis. Ne faites pas cette tête étonnée. Je sais plein de choses sur vous. Que diriez-vous d'aller vous asseoir et que je vous apporte une assiette ? J'ai vu que c'était ce que faisaient les autres hommes.

Aryane alla s'installer sous un arbre, pensant que si elle avait été avec Leander, il aurait su naturellement accomplir les gestes qu'il fallait au moment où il le fallait.

Soudain, une ombre lui masqua le soleil. Kane était devant elle, une assiette pleine à la main.

— Vous regrettez de ne pas être avec quelqu'un de plus expérimenté, n'est-ce pas ?

La jeune fille allait répondre mais elle n'en eut pas le temps : une grosse portion de pudding spongieux arrosé de coulis cascadait mollement le long de sa jupe.

Kane ne dit rien. Son visage s'était figé : ce qu'il redoutait depuis le début de la réception venait de se produire.

Un silence de mort s'était fait dans l'assistance, puis les rires commencèrent à fuser, autant d'aiguillons dans le cœur d'Aryane.

Elle se leva d'un bond, le pudding achevant sa lente descente sur l'herbe soignée de la pelouse.

— Emmenez-moi, souffla-t-elle. Prenez-moi dans vos bras, portez-moi jusqu'à la voiture et partons. Vite ! insista-t-elle, comme il ne bougeait pas.

Kane parut enfin sortir de sa stupeur. Il souleva la jeune fille comme une plume et l'emporta vers la calèche, tandis qu'elle se blottissait contre son torse puissant.

— Pourquoi m'avez-vous demandé de faire ça ? s'enquit-il sur le chemin du retour. Je ne vois pas ce que ça change !

— Les trois quarts des hommes présents auraient été incapables de vous imiter, Kane. Ils ne sont pas assez solides. Et plus d'une femme aurait volontiers sacrifié sa robe pour pouvoir faire une sortie aussi chevaleresque.

— Mais vous ne pesez rien !

— Je ne pèse rien pour vous, répondit-elle doucement, appuyant un instant sa tête sur sa robuste épaule.

Kane arrêta brusquement le cheval.

— Vous êtes une vraie lady, mademoiselle Chandler ! Une vraie de vraie !

CHAPITRE IX

Aryane entra en coup de vent dans le salon où sa mère brodait paisiblement.

— Vite, maman, il faut m'aider !

— Aryane ! Ta robe ! Tu crois que ça partira ?

— Je ne sais pas, on verra bien. Je voudrais que tu ailles tenir compagnie à Kane pendant que je vais me changer. Il attend dehors et j'ai peur qu'il ne s'en aille si tu n'y vas pas.

— Tu veux dire ce M. Taggert ! Il est ici ?

— Ecoute, maman, il faut y aller. Il est très malheureux. Il a renversé une assiette pleine de gâteau sur ma robe à la garden-party et tout le monde s'est mis à rire. Si tu avais pu voir son visage ! Je crois que jamais je n'avais vu quelqu'un d'aussi humilié. Je t'en prie, va lui tenir compagnie quelques minutes. Je ne veux pas qu'il s'en aille.

— Je ne vois pas pourquoi ils se sont moqués de lui. Ce genre d'accident peut arriver à tout le monde !

— Oh, merci, maman ! s'écria la jeune fille en l'embrassant.

— Mais je n'ai pas promis d'y aller ! Et que vais-je lui dire ?

Trop tard : Aryane avait déjà quitté la pièce.

Susan attendait sa maîtresse dans sa chambre et l'aida à se déshabiller.

— Vite, porte cette robe à la buanderie pendant que la tache n'est pas encore sèche !

Quand la servante revint, Aryane était en train d'écrire.

— Je fais un mot que Willie devra porter immédiatement à Mme Murchinson. Dis-lui qu'une fois chez M. Taggert, je veux qu'il monte directement au grenier. Arrivé là-haut, qu'il prenne le couloir de gauche et qu'il entre dans la deuxième pièce sur la droite. Elle est pleine de meubles. Contre le mur du fond, il y a un tapis de Boukhara. Non, dis-lui un tapis rouge à motifs géométriques. Il y a aussi un énorme sac plein de coussins et un candélabre d'argent à trois branches. Qu'il descende le tout dans le petit salon. Qu'il y déroule le tapis, qu'il y dispose les coussins et qu'il place le chandelier au centre. Tiens, j'ai tout marqué sur ce papier. Qu'il dise aussi à Mme Murchinson que je ferai tout mon possible pour retarder notre arrivée afin qu'elle ait le temps de faire la cuisine. Tu as bien compris ?

— Oui, Mademoiselle. Est-ce vrai que M. Taggert a renversé tout le buffet sur les invités ?

— Qui t'a raconté ça ?

— J'ai rencontré Ellie qui travaille chez les voisins des Mankin.

— Eh bien, c'est complètement faux. Maintenant, dépêche-toi de faire ce que je t'ai dit.

Quand Susan fut sortie, Aryane s'aperçut que ses jupons étaient également tachés. Elle s'empressa de se dévêtir, puis tira de sa penderie une robe de soie vert amande qu'elle se dépêcha d'enfiler. Susan revint à temps pour l'aider à en attacher les multiples boutons dans le dos.

— Que se passe-t-il en bas ? demanda-t-elle.

— Rien, Mademoiselle. Madame est au salon mais je n'ai rien entendu. Voulez-vous que j'aille voir ?

— Non, c'est inutile.

Aryane était quand même inquiète. Sa mère s'effarouchait pour si peu ! Si Kane décidait de lui donner un échantillon de son langage châtié, elle risquait de s'évanouir sans qu'il se croie obligé de faire un geste...

— Y a-t-il quelqu'un d'autre dans la maison ? s'enquit Aryane. Non ? Alors descendons discrètement voir ce qui se passe. Tu finiras de me boutonner pendant ce temps-là.

Maîtresse et servante descendirent l'escalier sur la pointe des pieds et bientôt Aryane put jeter un œil dans le salon.

Kane et Opal étaient sagement assis sur le canapé et regardaient des daguerréotypes.

— Je n'y suis jamais allée moi-même, disait Opal, mais il paraît que c'est très impressionnant.

— J'ai vécu longtemps à New York, mais j'ignorais que cet endroit existait. Ça s'appelle comment ?

— Les chutes du Niagara.

— Vous aimeriez voir ça, n'est-ce pas ? dit Kane, reposant la plaque sur la table.

— Oui, beaucoup. En vérité, monsieur Taggert, j'ai toujours rêvé de pouvoir louer un wagon de chemin de fer privé et de faire le tour des Etats-Unis.

— Alors, je vais réaliser votre rêve, madame Chandler, dit Kane en prenant sa main entre les siennes. De quel couleur voulez-vous votre wagon ? Je parle de l'intérieur. Rouge ?

— Ce n'est pas possible...

— J'ai une vraie faiblesse pour les ladies, madame Chandler. Et vous, vous êtes une aussi grande lady que votre fille.

Il y eut un long silence pendant lequel Aryane et Susan retinrent leur souffle.

— Rose, murmura Opal, rêveuse. J'aimerais bien un wagon tout rose.

— Vous l'aurez ! Autre chose, madame Chandler ?

— Je préférerais que vous m'appeliez Opal. Je ne crois pas que mon mari apprécierait de vous entendre me donner le nom de mon premier époux.

Kane sourit et posa un gros baiser sonore sur la main qu'il tenait toujours.

— Je commence à comprendre pourquoi votre fille est une vraie lady, dit-il.

— Je crois que votre maman va l'épouser si vous ne le faites pas, souffla Susan à l'oreille de sa maîtresse.

— Tais-toi ! Occupe-toi plutôt de mes boutons !

— Fini, annonça Susan quelques secondes plus tard.

Aryane se redressa, prit sa respiration et fit son entrée au salon.

— J'espère que je ne vous ai pas fait trop attendre. Vous ne vous êtes pas trop impatienté, monsieur Taggert ?

— Non, pas du tout. Mais il faut que j'y aille. J'ai du pain sur la planche.

— Monsieur Taggert, reprit Aryane, cela vous ennuierait-il de me conduire chez ma couturière ? Je lui ai promis de lui apporter quelques patrons.

Kane fronça le sourcil mais il céda lorsque la jeune fille lui assura que cette course ne prendrait pas plus d'un quart d'heure.

— Je ne serai pas de retour avant ce soir, maman.

— Je ne m'inquiète pas, tu es en bonne compagnie, répondit Opal, dédiant son plus beau sourire à Kane.

— Alors, avez-vous bien bavardé avec ma mère ? demanda la jeune fille lorsqu'ils furent en voiture.

— Votre mère est une brave femme. Où se trouve cette couturière ? Vous êtes sûre que ça ne durera que dix minutes ?

— J'ai dit quinze. Ma... précédente robe de mariée avait été faite à Denver mais je voudrais la faire copier.

— Ah oui, pour le double mariage. C'est quand, au fait ?

— Lundi 20. J'espère que vous n'aurez pas trop de travail ce jour-là et que vous réussirez à vous libérer...

Kane lui jeta un regard en coin et finalement sourit.

— Je serai là pour le mariage si vous promettez d'être là pour la nuit de noces.

Et il éclata de rire quand Aryane devint rouge comme une pivoine.

Kane arrêta la voiture devant chez la couturière et aida Aryane à en descendre.

— Je crois que je vais aller boire un coup en attendant, dit-il en désignant d'un geste un des nombreux saloons. J'espère qu'il est plus facile d'être un mari qu'un fiancé !

Et sur ces mots, Kane planta là la jeune fille, qui se prit à regretter le temps où Leander était son chevalier servant.

Aryane ne resta chez la couturière que sept minutes exactement. La vieille dame poussa les hauts cris en se voyant demander d'accomplir un tel travail en si peu de temps, et redoubla d'imprécations en apprenant que sa cliente voulait également qu'elle couse une robe pour Jane Taggert. Finalement, elle jeta littéralement Aryane à la porte, lui disant qu'il fallait qu'elle se mette à l'ouvrage à la seconde même si elle voulait tenir les délais.

La jeune fille se retrouva sur le trottoir, jetant un œil anxieux en direction du saloon où Kane avait disparu. Elle espérait qu'il ne serait pas trop long.

— Alors, ma belle, fit une voix, c'est nous qu'on attend ?

Aryane se retrouva entourée de trois cow-boys dont la tenue et surtout les effluves prouvaient qu'ils venaient de passer au moins trois semaines à cheval.

— Arrête, Cal, dit un second. Tu vois bien que c'est une dame.

— Justement, j'adore les dames !

Aryane, prétendant ne pas les voir, fit demi-tour et posa sa main gantée sur la poignée du magasin qu'elle venait de quitter. Une main rugueuse aux phalanges velues vint se poser sur la sienne.

— Monsieur ! Je vous en prie ! fit-elle, fusillant le malotru du regard.

— Elle parle vraiment comme une dame, commenta l'homme. Alors, poupée, poursuivit-il, que dirais-tu si nous allions ensemble boire quelques bières au saloon ?

— Cal, répéta l'autre, une nuance d'avertissement dans la voix que son compagnon refusa d'entendre.

— Allez, viens, je te promets qu'on va s'offrir du bon temps toi et moi...

— Le bon temps, c'est ensemble qu'on va l'avoir, fit brusquement la mâle voix de Kane à son oreille.

L'impudent vacher fut prestement saisi au collet et à la ceinture et, après avoir décrit un superbe arc de cercle entre ciel et terre, se retrouva au milieu de la rue, mordant la poussière à dents cariées.

Il se mettait péniblement à quatre pattes en secouant la tête — sans doute par identification aux bovidés qu'il était tout juste bon à garder — que déjà la silhouette impressionnante de Kane se dressait au-dessus de lui.

— Tu es ici dans une ville respectable, gronda-t-il. Si tu veux une fille, tu n'as qu'à aller à Denver. Sache qu'ici on sait prendre soin de nos femmes ! Compris ?

— Oui, m'sieur. Bien m'sieur. Je pars à Denver sur-le-champ.

— Ça me paraît une excellente idée, dit Kane, attrapant Aryane par un bras et la propulsant à l'intérieur de la calèche.

Il atteignit rapidement sa maison.

— Mince ! fit Kane en s'arrêtant devant chez lui, vous vouliez peut-être rentrer chez vous ? J'espère que ce crétin ne vous a pas fait mal ?

— Non, dit doucement Aryane. Merci d'être venu à mon secours.

— Ce n'était rien.

Kane l'aida à descendre de voiture, mais il paraissait préoccupé.

— J'ai peut-être outrepassé mes droits, dit la jeune fille, mais je me suis permis de demander à Mme Murchinson de nous préparer un repas. Cela, bien sûr, si vous ne voyez pas d'objection à dîner avec moi.

— Je n'ai rien contre, mais j'espère que vous avez amené avec vous une robe de rechange car je ne suis pas très doué.

— Je suis sûre que tout ira bien.

— Dans ce cas... Mais je dois vous prévenir que du travail m'attend. Entrez dans la maison, je vais attacher le cheval.

Sitôt qu'elle eut pénétré dans la vaste demeure, Aryane se précipita aux cuisines.

— Est-ce que tout est prêt ? s'enquit-elle.

— Tout est au point et il y a du champagne au frais, répondit la cuisinière.

— Du champagne ? s'affola la jeune fille, se souvenant de ce qui était arrivé à Doriane le soir où elle en avait trop bu en compagnie de Leander.

— Et j'ai préparé tous les plats favoris de M. Taggert, poursuivit Mme Murchinson.

« Ça y est, se dit Aryane, encore une qui est tombée amoureuse de lui ! »

— C'est très bien, fit la jeune fille... Comme tout ce que vous faites, d'ailleurs.

Aryane s'empressa de quitter la cuisine et gagna le petit salon : tout y était comme elle l'avait souhaité. Les bougies avaient été allumées, le champagne attendait au frais dans son seau d'argent et les canapés étaient là. Par la baie vitrée, un rayon de soleil couchant venait mourir sur le tapis, réverbérant une douce lumière pourpre.

— C'est vous qui avez organisé ça ? fit la voix de Kane dans son dos.

— J'ai pensé que vous auriez peut-être faim, répondit la jeune fille, hésitante. Et puis, vous avez dit que vous vouliez me parler.

Aryane regrettait désormais sa mise en scène : son côté théâtral donnait l'impression qu'elle cherchait à le séduire.

— Si je ne vous connaissais pas, grogna-t-il, je croirais que vous voulez faire plus que parler. C'est bon, mangeons. Il faut que je...

— Travaille, conclut-elle, blessée.

Kane vint à elle et prit son fin menton dans sa grande main.

— Vous n'allez pas vous mettre à pleurer ? murmura-t-il.

— Il n'en est pas question ! Mangeons, voulez-vous ? Il faut que je rentre car moi aussi j'ai plein de choses à...

Elle s'arrêta comme Kane la prenait dans ses bras. Elle se retrouva blottie contre son large torse, se demandant si ce n'était pas ce qu'elle avait inconsciemment attendu. C'était si bon de sentir la chaleur de ce grand corps contre le sien !

— Vous sentez bon, dit-il, enfouissant son visage dans le creux de son cou. Vous avez été formidable aujourd'hui. Vous êtes sûre de ne pas regretter d'épouser un palefrenier comme moi ?

Aryane ne réussit pas à répondre. Elle sentait ses jambes l'abandonner, mais Kane n'eut aucune difficulté à la garder contre lui, la pressant de plus en plus fort, ses lèvres s'égarant sur la chair fragile de son oreille.

— Là-bas, vous étiez vraiment la plus belle, et vous emporter dans mes bras était merveilleux. Si je me laissais aller, je vous emporterais de la même façon, tout de suite, jusqu'à ma chambre.

Aryane ne parvenait pas à répondre et, pour être honnête, n'était pas certaine de vouloir parler. Une toux gênée retentit dans la pièce.

— Allez-vous-en ! gronda Kane, n'abandonnant pas la chair nacrée qu'il meurtrissait voluptueusement.

Cette apostrophe ramena Aryane à la réalité.

Elle fuit l'étreinte de Kane, tandis que Mme Murchinson traversait la pièce une soupière dans les mains, gratifiant au passage la jeune fille d'un regard scandalisé.

Aryane feignit de ne pas le remarquer, s'appliquant à retrouver son calme.

Que lui avait-il pris ? Il s'en était fallu d'un rien qu'elle ne succombât aux ardeurs de Kane ! Elle avait pourtant promis à son beau-père de prendre des renseignements sur lui avant de consentir définitivement au mariage...

Que se passerait-il si elle découvrait qu'il était bel et bien un criminel ?

Aryane le regarda ôter sa veste et s'asseoir en tailleur sur le tapis. Il retroussa ses manches sur ses avant-bras bruns et musclés et entreprit d'ouvrir la bouteille de champagne. Ne ferait-elle pas mieux de se donner à lui ? Ainsi, elle devrait l'épouser quel que soit son passé...

Non, ce serait tricher.

La jeune fille s'assit à son tour, arrangeant soigneusement les plis de sa jupe autour d'elle.

— J'aimerais vous demander une faveur, murmura-t-elle.

— Faites, répondit-il, la bouche pleine.

— Voilà... je voudrais rester vierge jusqu'au mariage.

Kane avala de travers et il lui fallut bien la moitié de la bouteille de champagne pour se remettre.

— Content d'apprendre que vous l'êtes encore ! Euh... Je veux dire... après Westfield...

Aryane se redressa, les joues en feu.

— Allons, ne montez pas sur vos grands chevaux. Buvez plutôt donc ça, poursuivit-il, lui tendant une flûte de champagne. Ainsi, vous souhaitez rester vierge ? Je suppose que cela veut dire que vous ne voulez pas que je vous touche ?

— Cela vaudrait en effet peut-être mieux.

Une ombre passa sur le visage de Kane et son regard se fit dur. La jeune fille se rendit compte qu'il croyait qu'elle mettait ces distances parce qu'ils n'étaient pas du même monde et chercha à l'en dissuader. Mais comment faire ? Lui dire que s'il continuait à l'embrasser comme il venait de le faire elle finirait par succomber ? Non, impossible.

— Kane, dit-elle, posant sa main sur son bras, ce n'est pas ce que vous pensez.

Il se dégagea d'un geste.

— Je crois au contraire avoir très bien compris, fit-il sèchement. Nous avons passé un accord. Vous deviez faire semblant d'être amoureuse de moi en public, et vous avez tenu votre parole. C'est vrai que vous n'êtes plus obligée de le faire en privé. Promis, je ne vous toucherai plus. D'ailleurs je crois qu'il vaut mieux que je m'en aille. Mangez tranquillement, moi, je vais travailler.

— Non ! Attendez ! s'écria Aryane, se lançant à sa poursuite. Je veux être votre femme autant en privé qu'en public. Simplement, j'aimerais attendre que nous soyons mariés.

— Qui vous en empêche ? Je ne vous traîne pas par les cheveux jusqu'à ma chambre et je ne cherche pas à vous jeter de force dans mon lit ! La maison est assez grande pour que vous puissiez m'éviter si vous y tenez tant que ça !

— Je sais, Kane, mais vous savez vous montrer tellement persuasif...

— Persuasif ? répéta-t-il, un éclair s'allumant dans son regard. J'ignorais que les palefreniers avaient un tel effet sur les ladies. Allez, mangeons, dit-il en se rasseyant. Persuasif, tiens, tiens...

Le petit souper intime organisé par Aryane ne se déroula pas du tout comme elle l'avait prévu. A peine le potage terminé, Edan vint les rejoindre pour faire lire et signer des papiers à Kane. Ce dernier l'invita à se joindre à eux et ils parlèrent affaires pendant tout le repas.

Vers neuf heures, Aryane se leva et voulut prendre congé.

— Ne partez pas, dit Kane en la retenant par le bas de sa robe. J'ai à vous parler.

Immobilisée, Aryane ne savait que faire. Elle fixait, absente, la grande fenêtre obscurcie par la nuit, ignorant les deux hommes assis à ses pieds.

— Je crois que c'est plutôt à moi de partir, dit Edan en se mettant debout.

— Nous n'avons pas encore fini, l'arrêta Kane.

— Tu ne crois pas que tu ferais mieux de rester un peu seul avec ta fiancée ? Merci pour le souper, Aryane, c'était délicieux.

Edan sorti, la jeune fille demeura toujours immobile, refusant de remarquer les coups que donnait Kane en tirant sur sa robe. De guerre lasse, il se leva à son tour.

— Je crois que vous m'en voulez, dit-il.

— Pas du tout, monsieur Taggert, mais il est tard et je dois rentrer. Mes parents vont s'inquiéter.

— C'était très gentil d'organiser ce petit souper, reprit-il, sa longue main empaumant le fin menton de la jeune fille.

— Ravie de vous avoir fait plaisir. Maintenant...

Kane la prit dans ses bras et la serra contre lui.

— Persuasif, murmura-t-il. J'y ai pensé toute la soirée.

Les mains de l'homme remontèrent jusqu'à sa nuque et ôtèrent les épingles qui retenaient ses cheveux. Lorsqu'ils cascadèrent sur ses épaules, il y enfouit ses doigts en soupirant.

— Comme vous êtes belle...

Il chercha ses lèvres et elle ne parvint pas à les lui refuser. Lui donnant le plus tendre et le plus brûlant des baisers, il la fit s'allonger sur les coussins, son grand corps musclé se pressant contre le sien, leurs jambes s'emmêlant.

Kane caressa longuement le jeune corps d'Aryane à travers le tissu bruissant de sa robe. Puis ses doigts se firent plus insistants. Ils se glissèrent sous l'étoffe, dessinant le galbe d'un mollet, l'arrondi d'un genou, le fuseau d'une cuisse, pour venir s'arrêter sur une plage de peau nue et satinée.

Aryane ne parvenait plus à penser. Elle se laissait entièrement aller aux sensations nouvelles et exquises que Kane savait faire naître en elle.

Soudain, il la repoussa, la fixa l'espace d'une seconde et se remit debout.

Allongée sur les coussins, ses amples jupes déployées autour de ses jambes, Aryane se sentit brusquement souillée, humiliée, rejetée, et des larmes lui vinrent aux yeux quand elle se redressa pour tenter de remettre de l'ordre dans sa toilette.

— Allez vous recoiffer, commanda-t-il, je vous ramènerai chez votre mère.

Aryane s'enfuit plutôt qu'elle ne quitta la pièce et monta à l'étage.

Lorsqu'elle fut enfermée dans une des nombreuses salles de bains, elle se laissa aller à son chagrin.

Kane voulait épouser une lady, elle s'était conduite comme une fille ! Voilà pourquoi il l'avait rejetée. Ses larmes redoublèrent lorsqu'elle découvrit dans le miroir ce visage aux cheveux défaits, aux lèvres gonflées par les baisers, aux joues enfiévrées...

Sitôt la jeune fille sortie, Kane alla rejoindre Edan dans le bureau.

— Aryane est-elle partie ? demanda le jeune homme blond, tandis que Kane se servait un grand verre de whisky d'une main tremblante. Que lui as-tu fait ? reprit-il. Je t'avais dit qu'elle n'était pas comme les autres.

— Qu'en sais-tu ? Tu ferais mieux de me demander ce qu'elle m'a fait ? Va plutôt chercher sa voiture et ramène-la chez elle.

— Que s'est-il passé ?

— Rien. Les femmes sont toutes les mêmes, je suppose. Elles ne réagissent jamais comme on s'y attend. Quand je pense que la seule raison qui me pousse à vouloir épouser une lady...

— Pas encore Fenton ! coupa Edan.

— Si, Fenton, justement ! Tout ce que j'ai pu faire depuis des années a été pour me venger de ce salopard et tu le sais très bien. Je n'ai qu'un but, le faire venir un jour ici, dans cette maison quatre fois plus grande que la sienne, et lui offrir à dîner, avec ma femme à mes côtés. Une femme de son monde. L'idéal aurait été sa chère Pamela !

— Mais tu as dû y renoncer. Aryane ne te convient-elle pas ?

— Je dois admettre qu'elle joue bien la comédie. Elle doit vraiment tenir à mon argent.

— En es-tu si sûr ? Et si elle souhaitait simplement se marier pour avoir un mari, des enfants ?

— Elle aura tout le temps d'y penser après. Ce que je veux, c'est écraser Fenton. Ce qu'il me faut, c'est épouser une des sœurs Chandler et inviter Fenton à dîner.

— Que comptes-tu faire d'Aryane ensuite ? On ne jette pas une femme comme une paire de chaussures usées.

— Je lui achèterai des bijoux et si je ne trouve personne pour me racheter cette maison, je la lui laisserai.

— Comme ça ! s'indigna Edan. Tu te débarrasseras d'elle sans explication ?

— C'est elle qui sera contente de se débarrasser de moi ! De toute façon, il n'y a pas de place pour une femme dans ma vie. Maintenant, va la raccompagner chez elle.

CHAPITRE X

Cette nuit-là, Aryane pleura longtemps et finit par s'endormir, épuisée.

Elle ne comprenait plus rien. Sa vie entière avait été vouée à devenir une dame. Une femme irréprochable que tout le monde saluait pour ses qualités, citait en exemple. Sous la férule de M. Gates, elle était devenue l'image parfaite de la lady.

Et pourtant, Leander l'avait rejetée à cause de cela. Il avait finalement choisi d'épouser son contraire.

Kane avait souhaité se marier avec une lady, et comme elle avait un instant dérogé à sa condition, il l'avait lui aussi rejetée. Mais que fallait-il donc qu'elle fasse pour réussir enfin à retenir un homme ?

Quand le lendemain matin Doriane entra chez Aryane et vit ses yeux rougis par les larmes, elle vint sans un mot s'asseoir près d'elle dans le lit.

Au bout d'un moment, Aryane éclata de nouveau en sanglots.

— Tu es si malheureuse que ça ? demanda Doriane.

Aryane, toute à ses larmes, fut incapable de répondre.

— Est-ce à cause de Taggert ?

— Oui... Je ne sais pas ce qu'il attend de moi.

— Tu n'es pas obligée de l'épouser, Aryane. Personne ne t'y force. Il est encore temps de reconquérir Leander.

— Mais c'est toi qu'il veut.

— Il me veut parce que je lui ai donné ce que tu lui refusais. Aryane, tu aimes Leander. Dieu seul sait pourquoi, mais tu l'as toujours aimé. Tu peux encore vivre dans la maison qu'il a construite pour toi ; avoir des enfants...

— Non ! Je suis sûre que c'est toi qu'il préfère.

— Tu dis n'importe quoi. Il ne m'aime pas du tout. Ce matin encore à l'hôpital, il m'a traitée de docteur de pacotille. Il dit que je fais plus de mal que de bien et...

— Il n'aime peut-être pas ta façon d'exercer la médecine, mais il apprécie tes baisers ! Oh, pardonne-moi, Doriane, je ne sais plus ce que je dis.

— Que s'est-il passé avec Taggert ?

— Rien. Bon, il faut que je me secoue. Il y a encore tant de choses à mettre au point avant le mariage.

— Parce que tu comptes vraiment l'épouser ?

— S'il veut bien encore de moi, soupira Aryane.

Soudain, une vie sans Kane Taggert, sans ses sautes d'humeur, ses colères et... ses baisers, lui fit l'effet d'une longue traversée du désert. Elle s'imagina, vieillissante dans un rocking-chair, passant ses journées à faire du crochet, un chat sur les genoux...

— Souhaites-tu m'aider dans les préparatifs de la cérémonie, Doriane, ou préfères-tu me laisser me débrouiller toute seule ?

— Je n'ai aucune envie de penser à ça. Ecoute, Leander est en colère pour ce qui s'est passé, mais je suis sûre que si tu...

— Tout est fini entre lui et moi ! Leander te veut, toi ! Moi, j'épouserai Kane Taggert dans dix jours. Un point c'est tout.

— Tu crois peut-être avoir perdu Leander, mais c'est faux, rétorqua Doriane, quittant le lit à son tour. Je ne vois pas pourquoi tu veux te punir en épousant ce rustre. Il n'est même pas capable de tenir une assiette sans la renverser.

Doriane s'arrêta net, portant une main incrédule à sa joue, là où sa sœur venait de la gifler violemment.

— Kane est l'homme que je vais épouser et je ne laisserai personne en dire du mal !

Les yeux pleins de larmes, Doriane sortit de la chambre.

Aryane se laissa tomber sur son lit, plus troublée que jamais. Comment avait-elle pu en arriver à lever la main sur sa sœur ? Cette question fut vite remplacée par une autre encore plus angoissante : Kane voulait-il encore d'elle ?

Elle s'assit à son secrétaire et, d'une main tremblante, écrivit quelques lignes à son fiancé :

« Cher monsieur Taggert,

« Mon attitude d'hier soir est impardonnable et je comprendrais très bien que vous vouliez rompre nos engagements.

« Aryane Chandler. »

Quand Kane reçut le message, il laissa échapper un juron.

— De mauvaises nouvelles ? demanda Edan.

Kane alla pour lui passer la lettre mais il se ravisa et la glissa dans sa poche.

— C'est d'Aryane, expliqua-t-il. Elle me surprendra toujours... Dis-moi, tu n'avais pas l'intention d'aller en ville ?

— Si.

— Alors, passe chez le bijoutier, choisis une douzaine de bagues et fais-les porter à Aryane.

— Pas de message ?

— Les bagues suffiront.

A quatre heures de l'après-midi, M. Weatherly, le joaillier, sonna chez les Chandler.

— J'ai une livraison à faire pour Mlle Aryane, dit-il à Susan, venue lui ouvrir.

La domestique le mena au salon où Opal et sa fille dressaient laborieusement des listes.

— Bonjour, monsieur Weatherly, dit Opal. Désirez-vous une tasse de thé ?

— Non, merci, je suis venu porter ceci à Aryane.

Le petit homme tendit à la jeune fille un long écrin de velours noir. Le cœur battant, Aryane l'ouvrit et retint sa respiration.

Sur le satin blanc de la boîte scintillaient douze bagues, soigneusement alignées : deux émeraudes, une perle, un rubis, un saphir, trois diamants, une améthyste, un anneau avec trois opales, un de corail et un de jade.

— J'ai eu l'impression de rêver, raconta M. Weatherly. Quand ce grand gaillard blond est entré dans mon magasin il y a à peine une heure pour me commander ces douze bagues de la part de M. Taggert.

— Parce que M. Taggert ne les a pas choisies lui-même ? dit Aryane.

— Non, mais l'idée était de lui, m'a précisé l'homme blond.

La jeune fille se leva en refermant l'écrin.

— Merci de vous être dérangé, monsieur Weatherly.

Aryane remonta à sa chambre, le cœur léger. Certes, Kane n'avait pas cherché à la voir, mais ces bagues prouvaient qu'il avait lu son mot et qu'il voulait toujours faire d'elle sa femme.

Elle entreprit de s'habiller pour le dîner.

Aryane sourit à Marc Fenton assis en face d'elle dans le salon de thé rose et blanc de Miss Emily. Non loin, à une autre table, Opal dégustait quelques pâtisseries. M. Gates avait tenu à ce que son épouse assistât à la rencontre, ne faisant plus désormais confiance aux jeunes hommes, de quelque monde soient-ils.

— Je me suis laissé dire que vous aviez décroché le gros lot, Aryane. On dit en ville que Kane Taggert est aussi mal dégrossi qu'il peut se montrer chevaleresque. Qu'en est-il exactement ?

— Je pensais que vous pourriez me le dire. Il a longtemps travaillé chez vous, non ?

— Je n'avais que sept ans quand il est parti. Je m'en souviens à peine.

— Vous devez cependant avoir quelques souvenirs.

— Je me rappelle avoir eu très peur de lui, rit Marc. Il considérait les écuries comme son domaine et même mon père n'avait pas le droit d'y entrer !

— Cet interdit s'appliquait-il aussi à votre sœur, Pamela ?

— Ainsi, voilà ce que vous désirez savoir ! J'ignore tout de ce qui a pu se passer. Un beau jour, ma sœur et Taggert ont disparu... Vous savez, encore aujourd'hui, je me sens coupable quand je vais prendre un cheval à l'écurie sans en demander la permission !

— Pourquoi votre sœur est-elle partie ?

— Père l'a mariée au plus vite. Je crois qu'il ne tenait pas à la voir tomber encore une fois amoureuse d'un de ses garçons d'écurie.

— Où est-elle maintenant ?

— Je la vois rarement. Elle est allée s'installer à Cleveland avec son mari. Elle a eu un enfant. Mon beau-frère est mort voici quelques mois et mon neveu a été longtemps très malade. Je crois que la vie n'a guère été facile pour Pamela. Ecoutez, si vous tenez à en savoir plus sur votre fiancé, vous feriez mieux de demander à Poïkilia.

— Je ne vois pas qui c'est.

— Ça, je veux bien le croire, répondit Marc. C'est la petite amie de Taggert.

— Sa maîtresse ?

— Vous avez tout compris. Bon, il faut que je m'en aille.

Aryane se leva en même temps que lui et le retint par le bras.

— Où puis-je trouver cette Poïkilia ?

— Dans Crescent Street.

— Mais je ne suis jamais allée là-bas !

— Envoyez Willie et demandez-lui de la rencontrer dans un endroit discret... Et tous mes vœux de bonheur, Aryane.

— Alors ? demanda peu après Opal. As-tu appris quelque chose ?

— Plus que je ne le souhaitais.

Aryane passa tout le reste de son vendredi et le samedi entier à préparer le double mariage. Elle commanda des masses de fleurs et des tonnes de victuailles.

Kane n'avait toujours pas donné le moindre signe de vie, mais elle n'avait aucunement l'intention de faire le premier pas. Arriverait ce qui devait arriver.

Le samedi, M. Gates mit toute la maison en émoi dès cinq heures du matin. C'était un scandale ! Doriane n'était pas encore rentrée ! Elle avait passé toute la nuit dehors et c'était inacceptable.

Aryane et Opal durent déployer des trésors de persuasion pour le calmer et le faire asseoir à la table du petit déjeuner. Ils venaient à peine de commencer quand Doriane arriva, flanquée de Leander.

Doriane portait un pantalon couvert de taches et une chemise d'homme qui lui battait les reins. Ses cheveux défaits étaient sales et son visage était couvert de boue.

Leander ne valait guère mieux. Sans veste ni cravate, sa chemise et son pantalon étaient déchirés.

— Leander ! s'écria Opal, on vous a tiré dessus ?

— Possible, sourit-il. En tout cas vous constaterez que

je vous ai ramené votre fille saine et sauve. Bien, je vais aller dormir un peu car je suis de service cet après-midi. Au revoir, docteur, dit-il à Doriane en lui caressant doucement la joue.

— Au revoir, docteur, répondit-elle en le regardant sortir.

Aryane quitta la table et s'approcha de sa sœur, fronçant le nez.

— Qu'as-tu dans les cheveux ?

— Du fumier de cheval probablement...

— Ne restons pas ici, montons !

Les deux jumelles allèrent s'enfermer dans la salle de bains et Aryane aida sa sœur à se dévêtir.

— Mais enfin, que s'est-il passé ?

Aryane eut droit à un récit confus autant que précipité où il était question de bandits, de règlement de comptes, d'artères sectionnées et de corps à corps avec une femme.

Dans chaque épisode, Leander apparaissait toujours au bon moment pour sauver une vie humaine, y compris celle de Doriane.

— Tu te rends compte ? Ce type avait quatorze trous dans l'intestin et Leander les a tous recousus un par un !

Aryane ne put lutter contre les morsures de la jalousie. En quelques jours, Doriane et Leander semblaient avoir partagé plus de choses qu'elle-même en plusieurs années de sorties régulières.

Tandis que sa sœur dormait, Aryane passa sa journée à espérer en vain la visite de Kane...

Le dimanche matin, la jeune fille s'habilla avec soin et se rendit avec sa famille à l'office. Comme l'assemblée allait entonner le premier cantique, un silence pesant se fit soudain dans l'église.

— Poussez-vous un peu, fit la voix de Kane à l'oreille d'Aryane.

La jeune fille obtempéra et Kane resta silencieux durant toute la cérémonie, fixant le Révérend Thomas d'un regard ennuyé.

L'office terminé, Kane prit Aryane par le bras et l'entraîna rapidement vers la sortie. Sans prêter la moindre attention à ceux qui les saluaient, Kane fit monter Aryane à bord de sa calèche, s'empara des rênes et partit au galop.

— Qu'avez-vous manigancé avec Marc Fenton ? accusa-t-il en arrêtant son cheval sitôt sortis de la ville.

— Je connais Marc depuis toujours et j'ai parfaitement le droit de le rencontrer si j'en ai envie !

— Je vous ai demandé ce que vous faisiez avec Marc Fenton.

Aryane poussa un soupir et décida de lui dire la vérité.

— Mon beau-père m'a fait promettre de prendre des renseignements sur vous. C'est lui qui a arrangé ce rendez-vous. Il aurait souhaité que je voie M. Fenton, mais ce dernier a refusé. Je compte également rencontrer Poïkilia.

— Poïkie ? sourit Kane. C'est Gates qui vous l'a conseillé ? Il est plus fort que je ne pensais... Et que se passera-t-il si quelqu'un vous dit du mal de moi ?

— Je me verrai dans l'obligation de remettre notre mariage en question.

— Quoi ! s'emporta Taggert. Nous devons nous unir dans huit jours et vous êtes prête à tout remettre en question d'une minute à l'autre ! Ecoutez-moi bien, mademoiselle Chandler ! Vous pouvez interroger tous les hommes que j'ai pu rencontrer et toutes les femmes avec lesquelles j'ai pu coucher dans ma vie. S'ils sont réellement honnêtes, aucun ne vous dira du mal de moi.

Furieux, il sauta à terre et s'éloigna mains dans les poches.

— Edan m'avait pourtant prévenu que fréquenter des ladies ne m'attirerait que des ennuis ! J'aurais dû l'écouter, épouser une fille de ferme et aller élever du bétail loin d'ici.

— Je ne voulais pas vous blesser, fit Aryane, venue le rejoindre.

— Me blesser ! Vous en avez de bonnes ! Depuis que je vous connais, je n'ai que des ennuis. Un jour vous voulez m'épouser et le lendemain vous changez d'avis ! Vous passez des jours entiers chez moi à mener tout le monde à la baguette et soudain vous nous fuyez comme si nous avions tous attrapé la peste. Je me réveille un matin et vous êtes devant moi à me couver du regard et la seconde d'après vous essayez de m'assommer avec un pichet. Le coup d'après, vous vous roulez par terre avec moi en m'arrachant pratiquement mes vêtements. Je respecte votre chère virginité, comme vous me l'avez

88

demandé, et qu'est-ce que j'obtiens en récompense ? Vous disparaissez de la circulation... Ce matin, reprit-il, votre mère est venue me trouver. Elle m'a dit quel costume mettre pour aller à l'église et m'a invité à déjeuner. Comme un crétin, je fais ce qu'on me demande, et me voilà dans mes beaux atours avec une fiancée qui me dit qu'elle ne sait toujours pas si elle va m'épouser. Que tout dépend de ce que les autres lui diront. J'en ai assez, Aryane. J'exige une réponse définitive et tout de suite. Et je vous préviens, si vous me dites oui maintenant et que le matin du mariage c'est non, je vous traîne par les cheveux jusqu'à l'autel ! J'attends !

— C'est oui.

— Et si quelqu'un vous raconte que je suis le pire des criminels ?

— Ce sera toujours oui. Kane, que diriez-vous si nous allions nous promener au parc Fenton, comme tous les autres couples, après le repas ?

— Si vous voulez toujours vous montrer en ma compagnie après le déjeuner chez vos parents, je veux bien.

— Vous n'aurez qu'à faire comme moi. Ne parlez pas la bouche pleine, n'élevez pas la voix et surtout ne jurez pas.

— Ce sera tout ?

— Vous n'aurez qu'à vous dire que de ce déjeuner dépend le sort de votre appartement à New York.

— Ça me fait penser qu'il faut que je... Non, j'irai au parc. Ça fait des siècles que je n'ai pas pris une journée de congé.

Kane parut apprécier hautement son repas dominical. Opal le couva tout particulièrement et M. Gates lui demanda conseil pour ses affaires. Tout se passa très bien et Aryane fut contente que sa famille puisse constater que celui qu'ils tenaient pour un monstre était en fait quelqu'un d'agréable et de généreux.

— Votre sœur n'est vraiment pas comme vous, dit Kane quand ils quittèrent la maison.

Doriane n'avait pas pris la parole une seule fois et quand Aryane lui demanda ce qu'il voulait dire, Kane refusa de s'expliquer.

Au parc, ils retrouvèrent de nombreux couples qui comme eux étaient fiancés. Aryane fit les présentations et Kane se montra particulièrement charmant. Il invita même tout le monde à aller prendre des rafraîchissements.

Quand Kane ramena la jeune fille chez elle, elle était au comble du bonheur.

— J'ai toujours cru que passer de telles journées était une perte de temps, avoua-t-il. Mais j'avais tort : c'est très agréable. J'espère que je ne me suis pas trop comporté comme un garçon d'écurie.

— Pas le moins du monde.

— Vous savez monter à cheval ?

— Oui, répondit-elle, pleine d'espoir.

— Alors, je passerai vous prendre demain matin et nous irons faire une balade. Ça vous dit ?

— Tout à fait.

Sur ces mots, Kane l'aida à descendre de voiture et s'en fut.

CHAPITRE XI

Kane arriva le lundi matin à cinq heures alors que personne n'était encore debout.

Aryane sauta du lit dès qu'elle entendit du bruit dehors et jamais jeune fille ne s'habilla plus vite qu'elle.

— Vous en avez mis, un temps, reprocha-t-il lorsqu'elle l'eut rejoint.

Il la prit par la main et la conduisit aux chevaux chargés de sacoches.

— Des provisions, dit-il, laconique.

Ils firent route vers l'ouest, en direction des Rocheuses, grimpant, grimpant à n'en plus finir le long d'étroits raidillons qui semblaient n'avoir aucun secret pour Kane.

Ils finirent par s'arrêter sur une plate-forme d'où l'on découvrait une superbe vue de la ville de Chandler.

— Comment avez-vous découvert cet endroit ?

— C'est ici que je viens quand vous allez prendre le thé chez vos amies. J'ai une cabane un peu plus haut, ajouta-t-il, mais l'accès en est trop difficile pour une dame.

Ils pique-niquèrent sur l'herbe tout en bavardant.

— Comment avez-vous bâti votre fortune ? demanda Aryane.

— Quand Fenton m'a jeté dehors, Pamela m'a donné cinq cents dollars. Je suis parti pour la Californie, où, avec cet argent, j'ai acheté un permis de chercheur d'or. La chance m'a souri : j'ai réussi à quadrupler mon capital. Avec lui, j'ai ensuite acheté des terrains à San Francisco. Deux jours plus tard, je les revendais pour une fois et demie la mise. J'en ai racheté d'autres, les ai revendus pour acheter une fabrique de clous, puis l'ai échangée contre une petite ligne de chemin de fer et ainsi de suite. Vous voyez le processus ?

— Vous saviez que Pamela était veuve désormais ?

— Depuis quand ?

— Je crois que son mari est mort voici quelques mois.

Kane fixa un moment la jeune fille en silence.

— La vie est bizarre, dit-il.

— Que voulez-vous dire ?

— Si je ne vous avais pas invitée chez moi, votre sœur ne serait pas sortie avec Westfield à votre place. C'est lui que vous auriez épousé et pas moi.

— Et si vous aviez su que Pamela était veuve, enchaîna Aryane, vous ne m'auriez pas invitée chez vous. Monsieur Taggert, vous avez parfaitement le droit de renoncer à notre mariage. Si vous préférez...

— Ah, non ! Vous n'allez pas recommencer ! Vous ne pourriez pas essayer de changer de refrain ?

— Je pensais que peut-être...

— Taisez-vous, ordonna-t-il en s'emparant de ses lèvres.

Le mardi matin, très tôt, Willie vint dire à Aryane que Poïkilia l'attendrait le jour même à neuf heures devant le kiosque à musique du parc Fenton.

Poïkilia était une rousse pulpeuse, vêtue de façon un peu trop voyante.

— Bonjour, mademoiselle. Je vous remercie de vous être déplacée si tôt.

— Pour moi, il n'est pas tôt, il est tard. Je ne me suis pas encore couchée. Ainsi, c'est vous que Kane épouse ? Je lui avais bien dit qu'il pouvait s'offrir une lady.

Aryane la foudroya du regard.

— Oh, ça va ! Vous ne vous attendiez tout de même

pas à ce que je vous serre sur mon cœur ! Après tout, à cause de vous je perds de l'argent.

— Est-ce là tout ce que M. Taggert représente à vos yeux ?

— C'est un bon amant si c'est ce que vous voulez savoir, mais de vous à moi, il me fait peur. Je ne sais jamais ce qu'il attend. Mais qu'espérez-vous de moi, exactement ?

— Que vous me parliez de lui. Moi, je ne le connais que depuis très peu de temps.

— Vous voulez savoir comment il est au lit ?

— Absolument pas ! Je veux que vous me parliez de l'homme. Quel genre d'homme est-il ?

— Je ne sais pas. Parfois, j'ai l'impression que personne ne l'a jamais aimé. Mais c'est idiot, bien sûr, avec tout l'argent qu'il a, il a dû avoir des tas de femmes folles de lui.

— Et vous ? L'aimez-vous ? Je veux dire : s'il n'avait pas d'argent ?

— S'il n'en avait pas, je ne le laisserais m'approcher pour rien au monde. Je vous l'ai dit : il me fait peur.

Aryane sortit un chèque de son réticule et le tendit à Poïkilia.

— Le directeur de la banque a pour ordre de ne vous le payer que si vous pouvez lui montrer un billet de chemin de fer prouvant que vous quittez cet Etat.

— Dites-vous bien que je prends ce chèque non pas pour l'argent, mais parce que j'en ai assez de cette ville.

— Je n'en doute pas. Au revoir, mademoiselle !

Le mardi après-midi, comme Aryane commençait à être lasse d'organiser le mariage, Leora Vaughn et son fiancé, Jim Michaelson, passèrent chez elle en tandem. Ils proposèrent à la jeune fille de persuader Kane de louer un autre tandem et d'aller tous les quatre se promener au parc.

Aryane emprunta à sa sœur un de ses pantalons et se nicha sur le cadre ; tous trois se rendirent à la demeure Taggert.

Les éclats de la voix courroucée de Kane leur parvinrent par une fenêtre ouverte comme ils s'arrêtaient devant la vaste maison.

— Je vais aller lui demander s'il consent à venir avec nous, dit Aryane.

— Vous croyez qu'il nous en voudra si nous attendons à l'intérieur ? interrogea Leora, les yeux brillants de curiosité.

— Au contraire, je crois qu'il sera ravi.

Aryane ne savait jamais comment Kane accueillerait une de ses visites, mais celle-ci parut créer à ses yeux une agréable diversion.

L'idée de monter à bicyclette le laissa tout d'abord sceptique car il ne l'avait encore jamais fait, mais en très peu de temps il sut maîtriser l'engin. Et, au parc, il n'eut de cesse d'organiser des courses.

Quand, en fin de journée, ils allèrent rendre leurs tandems au loueur, Kane envisageait d'acheter une usine et d'en fabriquer.

— Je n'en tirerai peut-être aucun profit, mais j'aime prendre des risques. Récemment, j'ai investi dans une entreprise qui fabrique une nouvelle boisson, le Coca-Cola. Ça ne me rapportera probablement rien, mais on ne sait jamais.

Le soir, ils furent toute une bande à s'amuser à des jeux de société chez Sarah Oakley. Kane, s'il était de loin le plus âgé, n'en était pas moins le plus enthousiaste car tous ces divertissements lui étaient encore inconnus.

Les jeunes gens présents semblèrent apprécier sa compagnie, même si son franc-parler ne manquait pas de désarçonner. Ainsi, il n'hésita pas à dire à Jim Michaelson qu'il était un imbécile de se contenter de reprendre le magasin de son père. Qu'il ferait mieux de s'agrandir et d'aller tenter sa chance à Denver plutôt que de croupir à Chandler. Sarah Oakley se vit conseiller de demander à Aryane l'adresse de sa couturière, les robes qu'elle portait n'étant pas à la hauteur de sa beauté. Quant à Cordélia Farrel, elle se vit fermement dissuader d'épouser John Silverman, qui n'était qu'un incapable, uniquement soucieux de se trouver une nouvelle épouse pour s'occuper de ses trois enfants !

Finalement, Kane invita tout le monde à venir dîner chez lui le lendemain soir et Aryane eut envie de disparaître sous terre lorsqu'il déclara en riant :

— Je n'ai pas de meubles en bas, mais on fera comme avec Aryane l'autre soir : on mangera tous assis par terre !

Aryane apprit très vite qu'avec Kane tout sujet était

source de dispute. Il appelait cela « discuter »... Ainsi, le mardi soir, la jeune fille lui demanda de bien vouloir apposer sa signature à côté de la sienne sur des bristols vierges qui seraient glissés dans les cartons contenant un morceau du gâteau de noces que l'on offrirait en souvenir aux invités du mariage.

— Je veux bien être pendu si je signe mon nom sur une feuille blanche ! s'exclama Kane. On pourrait rajouter n'importe quoi au-dessus.

— Mais c'est la tradition ! protesta Aryane.

— Tradition ou pas, je m'en fiche. S'ils veulent du gâteau, ils n'ont qu'à le manger sur place. De toute façon, il sera en miettes quand ils arriveront chez eux.

Aryane ne réussit jamais à le convaincre. En revanche, elle obtint qu'on engage des laquais pour aider les invitées à descendre de voiture et des femmes de chambre pour s'occuper du vestiaire qui serait installé dans le petit salon.

— Au fait, demanda Kane, combien de gens comptez-vous inviter ?

— Au dernier recensement, cinq cent vingt. Y a-t-il des gens que vous souhaitiez voir venir à part vos oncles et vos cousins Taggert ?

— Mes quoi ?

Ce fut le point de départ d'une nouvelle dispute. Kane ne voyait pas pourquoi il aurait invité des parents qu'il n'avait jamais vus. Aryane avait envie de lui dire qu'elle connaissait Jane Taggert, mais comme elle eût été incapable de le lui expliquer, elle se retint.

— Je les invite, que ça vous plaise ou non !

— Ils vont avoir l'air fin, habillés en mineurs !

— Vous n'êtes qu'un snob !

Opal entra dans le salon à ce moment-là et fut prise à partie.

— C'est très simple, dit-elle, vous n'avez qu'à leur faire faire des vêtements pour l'occasion.

Aryane s'abstint de révéler qu'elle s'en était déjà occupée.

Quand Kane s'en alla, la jeune fille avait l'impression d'avoir affronté un véritable cyclone. Elle le raccompagna jusqu'au perron, où il l'embrassa, nullement troublé.

— Devrai-je ainsi me battre pour tout ? soupira Aryane en se laissait tomber sur le sofa aux côtés de sa mère.

— J'en ai bien peur, sourit Opal. Pourquoi ne vas-tu pas prendre un long bain chaud pour te détendre ?

— Il faudrait que je reste au moins trois jours dans la baignoire pour que ça me fasse de l'effet !

Mains dans les poches, cigare aux lèvres, Kane regardait fixement par la fenêtre de son bureau.

— Tu as l'intention de travailler ou de passer ta journée à rêver ? interrogea Edan.

— Ce sont des gosses, fit Kane, se retournant.

— Qui ça ?

— Aryane et ses amis. Ils n'ont jamais eu à se battre, à se demander s'ils auront quelque chose dans leur assiette le lendemain. Pour Aryane, la nourriture vient de la cuisine, les vêtements de chez la couturière et l'argent de la banque.

— Je n'en suis pas si sûr. Aryane me semble avoir la tête sur les épaules et le fait d'avoir été abandonnée par Westfield l'a encore équilibrée.

— Elle a trouvé largement de quoi se consoler, dit Kane en embrassant d'un geste la vaste demeure où ils se trouvaient.

— Je ne crois pas qu'elle soit intéressée par ton argent.

— Ben voyons ! C'est sans doute mon art de manier une tasse de thé qui l'a séduite. Je voudrais que tu la surveilles.

— Tu veux que je l'espionne ?

— Je suis très riche et c'est ma fiancée. J'ai peur qu'on la kidnappe.

— C'est vraiment ça, ou crains-tu qu'elle ne revoie Fenton ?

— Elle passe presque tous ses mercredis dans sa maudite église et j'aimerais bien savoir ce qu'elle y fricote.

— C'est vrai que le Révérend Thomas est plutôt bel homme.

— Je me fous du Révérend Thomas, tu m'entends ? s'emporta Kane. Fais ce que je te dis et arrête de poser des questions.

Edan se leva, l'air dégoûté.

— Je me demande si Aryane se rend compte du guêpier dans lequel elle est en train de se fourrer, fit-il.

— Les femmes sont prêtes à tout pour mettre la main sur des milliards, rétorqua Kane.

Engoncée dans son déguisement de Sadie, Aryane menait son lourd chariot vers la mine. Elle passa les grilles sans encombre et ne tarda pas à s'arrêter devant chez les Taggert, où Jane l'attendait sur le pas de la porte.

— Pas de problème ? souffla Jane. Je suis contente que tu saches enfin que je sais...

— Distribuons d'abord les provisions, nous parlerons ensuite, dit Aryane.

Plusieurs heures plus tard, les deux femmes se retrouvèrent dans la petite maison de Jane.

— Tiens, c'est pour toi, dit Aryane en tendant à son amie un paquet de thé.

— Ainsi, nous allons devenir parentes par alliance ?

— Dans cinq jours. Tu viendras, n'est-ce pas ?

— Bien sûr, ironisa Jane. J'ai sorti ma robe de Cendrillon de la naphtaline et mon carrosse de verre est prêt.

— Tu n'as pas à te faire de souci. Jacob Fenton a autorisé tous les Taggert à sortir du camp ce jour-là. Ma couturière et M. Bagly sont prévenus. Tout ce que tu as à faire, c'est d'amener ton père, Rafe et Ian.

— Facile à dire. Mon père ne sera pas un problème. Mais Rafe, c'est une autre histoire, sans parler de Ian qui a hérité du mauvais caractère de son oncle.

— Je parie que tu es incapable de savoir comment Rafe va réagir à l'idée de venir à ce mariage. Il peut être ravi comme il peut se mettre en colère et dire non. C'est ça ?

— J'ai l'impression que Kane est un vrai Taggert ! Pourquoi l'épouses-tu, Aryane ?

— Franchement, je ne sais pas. Je crois que nous n'avons jamais passé une heure ensemble sans nous disputer. Je me retrouve en train de lui faire des reproches comme une vraie marchande de poisson, et en même temps j'ai envie de le prendre dans mes bras et de le protéger. Je crois que je suis devenue folle. Aucune femme sensée n'irait épouser un tel homme.

— Alors, pourquoi ?

— Je te le dis, je ne sais pas. Peut-être parce que, lorsque je suis avec lui, je me sens vraiment vivre. C'est une impression que je n'avais encore jamais eue avant de le rencontrer. En fait, je crois que Kane est l'homme...

— Oui, je t'écoute ?

96

— L'homme que j'aime, s'entendit dire Aryane.

— Est-ce donc une telle catastrophe d'aimer un Taggert pour que tu fasses une tête pareille ? s'amusa Jane.

— L'aimer, ce n'est rien, mais vivre avec...

— Inutile d'y penser, tu n'arriveras jamais à imaginer ce que ça peut être, rit encore Jane.

— Est-ce que toute ta famille est comme Kane ?

— Mon père tient de sa mère. C'est une chance. Mais Rafe et Ian sont des Taggert cent pour cent. Mais je pensais que ton Kane, avec tout son argent...

— Je crois que ça le rend encore pire. Au fait, comment est Ian ? Je crois que je ne l'ai jamais vu. Et qui est son père ?

— Lyle, le frère de Rafe. Il est mort dans un coup de grisou à vingt-trois ans. Quant à Ian, c'est normal que tu ne l'aies jamais vu. Il a beau n'avoir que seize ans, cela fait déjà des années qu'il travaille au fond de la mine. Il est comme son oncle Rafe : grand, beau et perpétuellement en colère.

— Et le père de Kane ?

— C'était Frank, l'aîné des frères. Il est mort avant ma naissance. Je crois même que Kane n'était pas encore né non plus à l'époque. Mais la nuit commence à tomber. Il vaudrait mieux que tu t'en ailles maintenant.

— Tu viendras au mariage, n'est-ce pas ? J'aimerais tant que tu sois là ! Et puis, ajouta Aryane en souriant, ça te donnerait l'occasion de me voir habillée autrement qu'avec ces oripeaux !

— De toi à moi, je crois que je me sens plus à l'aise avec Sadie qu'avec Aryane Chandler.

— Jane, ne dis pas ça !

— Rassure-toi, je viendrai.

— Et tu iras voir ma couturière dès demain pour ta robe. Tiens, voici son adresse.

Jane prit le bout de papier et sourit.

— Et je te promets de faire tout mon possible pour Rafe et Ian.

Sur le chemin du retour, Aryane repensa à loisir à sa conversation avec Jane Taggert et à l'incroyable découverte qu'elle lui avait permis de faire. Oui, elle aimait Kane ! Jamais en fait elle n'avait aimé Leander. Cette idée lui donnait envie de chanter à tue-tête.

La jeune fille fit claquer son fouet. Il fallait qu'elle se

dépêche de rentrer, de faire sa toilette et de se changer.

Un sourire espiègle courut sur ses lèvres en pensant à la soirée de vendredi. Elle demanderait à Leander d'inviter Kane et Edan à son cercle. Ainsi, elle aurait la grande maison à elle toute seule pour recevoir ses amies pour un petit dîner d'adieux. Une façon à elle d'enterrer sa vie de jeune fille.

Pourvu qu'elle obtienne de cet homme aperçu dans cette baraque foraine de Coal Avenue ce qu'elle attendait de lui...

Aryane était tellement perdue dans ses pensées qu'elle ne fit pas preuve ce soir-là de sa vigilance habituelle. Elle ne vit pas l'homme qui se tenait caché à l'ombre d'un bosquet et qui la regarda passer en silence.

Comme il la suivait de loin sur son cheval, Edan fronçait les sourcils...

CHAPITRE XII

Le jour des noces approchait avec une rapidité étonnante et Aryane ne savait plus où donner de la tête.

Le dîner du mercredi soir offert par Kane fut un succès.

— J'ai rompu mes fiançailles avec John aujourd'hui, monsieur Taggert, annonça Cordélia Farrell.

— Voilà une bonne nouvelle ! s'écria Kane en prenant la jeune fille dans ses bras pour l'embrasser. Vous méritez bien mieux que ce vieux jeton !

— Merci, monsieur Taggert, fit Cordélia, toute rougissante.

— Comment se fait-il que tout le monde m'appelle monsieur Taggert ?

— Parce que, monsieur Taggert, répliqua Aryane, vous n'avez jamais demandé à personne de vous appeler Kane.

De ce jour-là on n'appela plus Kane que par son prénom.

Aryane passa son jeudi à donner des ordres à la nuée d'extra engagés pour le mariage, tandis que Kane et Edan restaient enfermés dans le bureau à travailler.

Le vendredi se déroula de la même manière mais, le soir venu, elle eut bien du mal à convaincre Kane de rejoindre Leander à son cercle.

— Je n'ai pas le temps ! Ces types ne travaillent-ils donc jamais ? Déjà que je n'aurai plus beaucoup de temps après le mariage, avec une femme tout le temps sur les bras... Euh, je ne voulais pas dire ça...

Aryane ne disait rien, se contentant de le toiser du regard.

— C'est bon, céda-t-il. Mais je ne vois pas pourquoi cette petite réunion doit se tenir chez moi et pas chez vous !

Tournant les talons, Kane alla se renfermer dans son bureau.

— Maudites femmes ! s'écria-t-il.

— Quelle nouvelle torture Aryane t'a-t-elle encore imposée ? sourit Edan.

— Il faut que nous allions passer la soirée au cercle de Westfield. Nous devons être partis à sept heures et ne pas revenir avant minuit. Où est passé le temps où les femmes obéissaient à leurs maris ?

— Ce bon vieux temps n'est qu'un mythe. La première femme s'est empressée de désobéir au premier homme. Que compte faire Aryane pendant ce temps ?

— Elle donne un thé pour ses amies et je veux que tu restes ici pour la surveiller.

— Quoi ?

— Elle a donné congé aux domestiques pour la soirée et je n'aime pas l'idée de toutes ces jeunes filles seules ici. La réunion doit se tenir dans la salle à manger et, tu sais, il y a ce réduit dissimulé par un rideau qui...

— Hein ? Tu veux m'enfermer dans un placard pour espionner ces demoiselles ?

— C'est pour leur bien et j'estime que je te paie suffisamment cher pour que tu fasses ce petit boulot pour moi !

— Un petit boulot qui...

Un peu plus tard, Aryane croisa Edan dans un couloir et remarqua une sérieuse ecchymose à sa mâchoire.

— Que vous est-il arrivé ?

— Rien, je me suis heurté à un mur !

A six heures, les derniers domestiques s'en furent et, vers sept heures moins le quart, les premières amies d'Aryane commencèrent à arriver, chacune apportant qui une tarte, qui une tourte, qui un pâté.

Kane, pestant toujours, monta à bord de sa vieille carriole, à côté d'un Edan glacial.

Dix jeunes filles plus Doriane se retrouvèrent dans la vaste salle à manger.

— Sommes-nous bien seules ? demanda Tia.

— Oui, enfin, soupira Aryane en fermant soigneusement la double porte. Passons aux choses sérieuses, maintenant.

Une bouteille de scotch à la main, assis sur une mauvaise chaise dans son cagibi, Edan broyait du noir. Par un jour pratiqué dans la soie du rideau, il pouvait apercevoir Miss Emily donnant un grand coup de poing sur la table.

— Silence ! Silence ! La réunion est ouverte !

Edan avala une bonne lampée de whisky.

— La parole est à Aryane qui va nous faire un rapport sur la situation dans les camps de mineurs.

Pétrifié, Edan écouta Aryane faire un compte rendu des multiples injustices qui sévissaient dans les mines. Certes, il l'avait suivie quelques jours plus tôt et savait qu'elle livrait des légumes à la mine, mais cette fois la fiancée parlait de syndicats et de grèves. Le jeune homme avait vu des hommes se faire tuer pour le quart de ce qu'Aryane était en train de dire !

Nina Westfield se mit ensuite à parler d'un magazine qu'elles pourraient monter et faire entrer clandestinement dans les camps.

Edan posa sa bouteille à terre et l'oublia.

On parla de Fenton et des représailles dont il ne manquerait pas de les accabler s'il découvrait ce qui se passait.

— Je reste en contact avec Jane, dit Aryane. J'ignore pourquoi, mais Fenton semble avoir peur de tous les Taggert. Il les a autorisés à venir au mariage.

— Et Jane a le droit de venir faire des courses en ville, renchérit Miss Emily. Je sais que ton Kane a autrefois travaillé chez Fenton, mais j'ai l'impression qu'il y a autre chose. Je pensais que peut-être tu étais au courant.

— Non, je ne sais rien. Chaque fois que le nom de Fenton est prononcé devant lui, Kane se met en colère.

Dans son réduit, Edan avait l'impression de rêver. Ces jeunes filles de bonne famille ne parlaient que de complots, de soulèvements, et semblaient vouloir mener une véritable guerre contre Fenton !

Il fut ensuite question d'ouvroir et d'œuvres charitables, puis on passa à l'ouverture des cadeaux qu'elles avaient apportés à Aryane.

Le premier paquet révéla une caisse de vin qu'Aryane s'empressa de servir à la ronde.

— A ta nuit de noces et à toutes les nuits de noces ! s'écria Miss Emily, levant son verre. Qu'elles soient précédées d'un mariage ou non, ajouta-t-elle.

Les autres paquets révélèrent des dessous de dentelles qu'Edan trouva tout à fait affriolants mais guère en harmonie avec l'idée qu'il se faisait des jeunes filles de la bonne société.

Il faillit ensuite tomber de sa chaise quand Doriane se mit à un piano qu'il n'avait pas vu dans un angle de la pièce et que toutes se mirent à danser un french-cancan, n'hésitant pas à relever bien haut leurs jupes.

— Chères amies, fit enfin Aryane, tout essoufflée, à mon tour de vous faire une surprise. Elle nous attend en haut. Vous venez ?

La petite troupe quitta la pièce en riant et en se bousculant.

Resté seul, Edan put enfin sortir de sa cachette et gagna le jardin. Quelle pouvait être cette fameuse surprise ? Sans hésiter, il escalada le rosier grimpant qui courait sur la façade et alla épier par la fenêtre.

Les jeunes filles étaient assises par terre, se passant gaiement les bouteilles de vin. A l'autre bout de la pièce, sur une estrade de fortune, un homme vêtu en tout et pour tout d'un minuscule slip offrait à l'assistance hilare le spectacle impressionnant de sa musculature de lutteur. Chaque nouvelle pose était saluée de rires, d'applaudissements et de cris.

Edan redescendit en silence de son perchoir. Kane avait voulu qu'il reste pour protéger les jeunes filles, mais c'était plutôt des jeunes filles qu'il fallait apprendre à se protéger !

Le samedi matin, Kane entra une fois de plus dans son bureau en claquant la porte derrière lui.

— Aryane choisit vraiment son jour pour être malade !
Tu crois que c'est parce qu'on se marie demain ?

— Non, je ne pense pas. Sans doute a-t-elle mangé... ou
bu quelque chose qui ne lui a pas réussi. J'ai entendu
dire qu'elle n'était pas la seule jeune fille de Chandler
à garder la chambre ce matin.

— Sans doute se repose-t-elle en prévision de demain,
grogna Kane.

Il s'assit à son bureau et farfouilla dans ses papiers.

— Nerveux ?

— Pas du tout ! rétorqua Kane, sans se rendre compte
qu'il tenait à l'envers le papier qu'il était censé lire.

Edan se pencha, le lui prit des mains et le remit à
l'endroit.

— Merci, soupira Kane.

CHAPITRE XIII

Le matin du mariage, le soleil était si resplendissant
qu'il semblait avoir été créé spécialement pour ce jour-
là. Opal réveilla sa maisonnée dès cinq heures du matin et
entreprit de plier soigneusement les robes de ses filles
dans des cartons.

Malgré l'agitation du rez-de-chaussée, Aryane resta
encore un peu au lit. Sa nuit avait été plutôt troublée et
son sommeil rare. Ses pensées revenaient sans cesse
vers Kane et elle fit une muette prière pour qu'il finisse
par l'aimer comme elle l'aimait.

A dix heures, Opal, Aryane et Doriane étaient fin prêtes
pour gagner la demeure Taggert. Elles s'y rendirent à
bord du landau d'Aryane, Willie les suivant en menant
un lourd chariot.

Toutes les jeunes filles ayant participé à la soirée
d'adieux d'Aryane étaient déjà là.

— Les tables sont prêtes, dit Tia.

— Et les tentes ont été dressées dans le jardin, ajouta
Sarah.

— Quant à Mme Murchinson, elle est devant ses fourneaux depuis quatre heures.

102

— Et les fleurs ? s'enquit Aryane. Ont-elles été arrangées comme je l'avais demandé ?

— Je crois, fit Tia.

— Aryane, intervint Miss Emily, tu ferais bien d'aller vérifier toi-même. Je vais faire en sorte que ton mari ne croise pas ton chemin.

Tandis que Miss Emily se postait en sentinelle devant la porte du bureau de Kane, Aryane passa d'une pièce à l'autre.

Les multiples cadeaux en provenance des quatre coins des Etats-Unis trônaient sur trois longues tables dressées dans le petit salon. Kane avait beau prétendre qu'il n'avait pas d'amis à New York, de nombreux présents semblaient vouloir le démentir. Il y avait là des verres de Venise envoyés par les Vanderbilt, de la vaisselle d'argent offerte par les Gould et des couverts de vermeil donnés par Rockefeller en personne.

Les habitants de Chandler avaient mis un point d'honneur à tout envoyer en double pour les jumelles.

Aryane quitta le petit salon orné de palmiers en pot et dont la cheminée croulait sous les roses rouges et les pensées violettes, pour pénétrer dans le grand salon. C'est là que se réuniraient les proches avant et après la cérémonie.

Des guirlandes de feuilles de vigne entrelacées d'œillets roses festonnaient les hauts lambris de laque blanche et encadraient fenêtres et cheminée. Devant chaque baie vitrée, d'énormes fougères posées sur des sellettes d'acajou filtraient les rayons du soleil et dessinaient des entrelacs arachnéens sur le parquet à chevrons.

Aryane termina aussi vite que possible son inspection, puis gagna l'étage, où les autres étaient déjà montés. Il restait encore cinq heures avant le début de la cérémonie mais la jeune fille savait que les détails de dernière minute se multiplieraient.

Si le rez-de-chaussée était l'œuvre d'Aryane et n'avait plus aucun secret pour elle, elle n'était pas encore bien familiarisée avec l'étage.

Après avoir vérifié que rien ne manquait dans les appartements réservés aux invités, la jeune fille se rendit à sa chambre, où l'attendait Tia.

— Je crois que je ne m'habituerai jamais à cette maison, dit sa jeune amie. As-tu vu ce jardin suspendu ?

— Quel jardin ? dit Aryane, rejoignant Tia devant la porte-fenêtre.

Ce qui n'avait été jusque-là qu'une immense terrasse déserte s'était comme par magie transformé en jardin tropical.

Palmiers, fougères, jasmins et bougainvillées s'entremêlaient, protégés des ardeurs du soleil par de fines claies de bois blanc. Aryane ramassa une carte de visite sur la table d'osier.

« J'espère que ceci vous plaira, lut-elle. Recevez mes vœux de bonheur. Edan. »

La jeune fille fut très touchée mais n'eut guère le temps de se laisser aller à son émotion : déjà Mme Murchinson faisait irruption dans la chambre.

— Il y a trop de monde dans ma cuisine ! Faites quelque chose : je ne peux pas travailler dans ces conditions !

— C'est bon, je viens...

La jeune fille ne put remonter à sa chambre que deux heures plus tard tant il y avait de problèmes à régler à l'office.

— Il est grand temps que tu t'habilles, lui dit Opal.

Aryane se dévêtit et commença à enfiler une fine chemise de dentelle.

— Tiens, qui est cette femme ? dit Sarah, depuis la porte-fenêtre.

— Je ne sais pas, fit Tia, venue la rejoindre. Mais il me semble l'avoir déjà vue quelque part. C'est probablement une amie de Leander. Quelle drôle d'idée de venir à un mariage habillée tout en noir !

— Nous n'avons pas le temps de nous intéresser à ce qui se passe dehors, intervint Opal, qui finissait de lacer le corset de sa fille.

Ignorant les propos de sa mère, Aryane alla rejoindre ses amies. Sitôt qu'elle aperçut l'inconnue, elle sut qui elle était.

— Pamela Fenton, murmura-t-elle.

Un silence gêné se fit, puis Sarah le rompit :

— Aryane, quel jupon veux-tu ?

Aryane continua à s'habiller, mais ses pensées désormais allaient vers Pamela. Elle était sûre que la jeune femme en deuil attendait Kane au jardin.

On frappa à la porte et Sarah alla ouvrir.

— Aryane, c'est cet homme qui travaille avec Kane. Il veut absolument te parler. Il dit que c'est urgent.

— Dites-lui que c'est impossible, protesta Opal, mais déjà sa fille enfilait un peignoir et allait retrouver Edan.

Kane fumait un cigare à l'extrémité du jardin qui dominait la ville.

— Bonjour, Kane, murmura Pamela dans son dos.

Kane mit un moment à se retourner et, quand il le fit, son visage était impassible.

— Tu n'as pas changé, dit-il.

— C'est vrai, je n'ai pas changé. Je t'aime toujours, Kane. Je n'ai jamais cessé de t'aimer et, si tu veux bien partir avec moi maintenant, je te suivrai jusqu'au bout du monde.

Kane fit un pas vers elle, puis recula aussitôt.

— Non, je ne peux pas faire ça.

— Mais si, tu peux ! Et tu le sais. Pourquoi te soucierais-tu des gens de cette ville ? Pourquoi te soucierais-tu... d'elle ?

— Non, répéta-t-il.

— Kane, insista Pamela en se rapprochant de lui, je t'en prie, ne commets pas cette erreur. N'épouse pas quelqu'un d'autre. C'est moi que tu aimes et tu sais que je t'...

— Que tu m'aimes tellement, coupa-t-il, que tu n'as pas hésité à m'abandonner pour épouser ce type ! Non, je ne partirai pas avec toi aujourd'hui. Cela la ferait trop souffrir et elle ne le mérite pas.

Pamela se laissa tomber sur un banc.

— Tu vas me rejeter uniquement parce que tu ne veux pas faire souffrir Aryane Chandler ? Elle est jeune. Elle trouvera quelqu'un d'autre. Est-elle seulement amoureuse de toi ?

— Je suis sûr que tu connais l'histoire. Elle aime Westfield. Elle a seulement consenti à m'épouser pour mon argent.

— Dans ce cas, tu ne lui dois rien.

— Tu sembles avoir oublié qui je suis, Pamela. Moi, je tiens parole.

— Je pensais que tu savais ce qui s'était passé...

— Il s'est passé que tu m'as laissé tomber en me don-

nant cinq cents dollars de pourboire ! C'est tout ce que
je sais.

— Quand j'ai dit à mon père qu'il fallait qu'il nous
marie parce que j'attendais ton enfant, il m'a expédiée
de force dans l'Ohio. Nelson Younger devait énormément
d'argent à mon père et il a payé ses dettes en m'épousant.

— Mais on m'a dit que...

— Que j'ai préféré m'enfuir plutôt que de t'épouser ?
Et tu l'as cru, évidemment ! Ton orgueil te perdra.

— Et l'enfant ? demanda Kane après un silence.

— Zacharie a treize ans. Il est grand, il est beau, et il
est tout aussi orgueilleux que son père. Pars avec moi,
Kane. Si tu ne le fais pas pour moi, fais-le pour ton fils.

— Mon fils, murmura Kane. Comment était ton mari
avec lui ?

— Nelson était bien plus âgé que moi et il était
content d'avoir un enfant, qu'il soit de lui ou pas. Il
aimait Zach. Il s'en occupait beaucoup... Ils allaient jouer
ensemble au base-ball tous les samedis...

— Et Zacharie croit que cet homme était son père ?

— Zach t'aimerait autant que moi si nous lui disions
la vérité.

— La vérité, c'est que ton Nelson était le véritable
père de cet enfant. Moi, je n'ai fait que l'engendrer.

— Alors, tu rejettes ton fils ?

— Non. Si tu l'abandonnais, je prendrais soin de lui.
C'est toi que je rejette, Pamela.

— Kane, je ne veux pas te supplier. Mais si tu ne m'aimes plus aujourd'hui, tu recommenceras peut-être à
m'aimer demain.

Kane s'assit près d'elle et lui prit les mains.

— Ecoute-moi, Pamela. Ce qui s'est passé entre nous
remonte à bien longtemps et je m'aperçois aujourd'hui
que j'ai changé. Si tu étais venue me trouver il y a encore
quelques mois, je serais parti avec toi sans hésiter. Mais
il y a Aryane...

— Tu m'as dit qu'elle ne t'aimait pas. L'aimes-tu ?

— Je la connais à peine.

— Alors ? Pourquoi tourner le dos à une femme qui
t'aime ? Renoncer à ton propre fils ?

— Je n'en sais rien, bon sang ! Pourquoi fallait-il que
tu reviennes le jour de mon mariage ? Pourquoi veux-
tu que j'humilie une femme qui a toujours été... si bonne

pour moi ? Je n'ai pas le droit de la laisser plantée toute seule au pied de l'autel !

— Nelson aussi a été bon avec moi, soupira Pamela, des larmes coulant le long de ses joues. Au début, j'ai essayé de te joindre pour t'expliquer ce qui s'était passé, mais tu étais introuvable. Quand on a commencé à parler de toi dans les journaux, quelques années plus tard, je n'ai plus eu le courage de t'écrire. Je ne voulais pas faire de mal à Nelson. Quand il est mort, j'ai encore attendu pour venir ici. J'avais honte de moi. Puis Zach est tombé malade et quand il a été guéri, que j'ai pu faire le voyage jusqu'à Chandler, tu étais déjà fiancé. Je me suis répété que tout était fini pour nous, mais au dernier moment, il a fallu que je te voie, que je te parle.

— Pamela, dit Kane, la prenant doucement par les épaules, tu as toujours été trop romantique. Avec le temps, tu idéalises. Souviens-toi, nous ne cessions de nous disputer. Il n'y a que dans la grange que l'on s'entendait bien, mais ça ne suffit pas pour être heureux ensemble.

— Et c'est mieux avec Aryane ?

— Quand elle n'est pas d'accord avec moi, elle me frappe avec ce qui lui tombe sous la main. Toi, tu t'enfuyais et tu pleurais en te demandant si je t'aimais toujours.

— J'ai changé, Kane.

— Je ne le crois pas. Tu as vécu avec un homme âgé qui a continué à te gâter autant que l'avait fait ton père. Aryane, elle, n'a jamais été gâtée.

— Et au lit ? fit-elle en se dégageant. Est-elle mieux que moi ?

— Je n'en ai aucune idée. Je ne l'épouse pas pour ça.

— Kane, si je te suppliais à genoux ?

— Ça ne servirait à rien. J'épouse Aryane.

— Embrasse-moi, murmura-t-elle. Embrasse-moi encore une fois.

Pamela ferma les yeux et lui offrit ses lèvres. Kane hésita, puis posa sa grande main sur la nuque de la jeune femme et l'attira à lui.

Quand leur baiser prit fin, ils se sourirent.

— Tout est fini, n'est-ce pas ? murmura Pamela.

— Oui.

— Toutes ces années auprès de Nelson, j'ai cru que je

t'aimais, mais j'étais amoureuse d'un rêve. Mon père avait peut-être raison.

— Arrête de parler de ton père ou nous allons nous battre.

— Tu lui en veux toujours autant, n'est-ce pas ?

— Ecoute, c'est le jour de mon mariage et je ne veux que de la joie autour de moi. Parle-moi plutôt de mon fils.

— Avec plaisir, commença-t-elle.

Une heure plus tard, Pamela quitta le jardin, laissant Kane finir son cigare. Il en jeta le mégot à terre, tira sa montre de son gousset, constata qu'il était grand temps de rentrer s'habiller et regagna la maison.

Chemin faisant, Kane se trouva nez à nez avec son sosie — mais un sosie qui aurait eu dix ans de plus que lui. Les deux hommes s'immobilisèrent, se jaugeant du regard comme deux chiens lors d'une première rencontre. Ils surent tout de suite qui ils étaient.

— Tu ne ressembles pas à ton père, dit Rafe, vaguement accusateur.

— Comment le saurais-je ? Je ne l'ai jamais vu ! Ni lui ni aucun membre de sa famille, d'ailleurs.

— Je me suis laissé dire que ton argent ne sentait pas toujours très bon.

— Moi, on m'a dit que vous n'aviez pas d'argent du tout.

— Tu ne ressembles pas à Frank non plus. Je m'en vais : je n'ai rien à faire ici.

Déjà, Rafe s'éloignait à grands pas.

— Vous pouvez être grossier avec moi, cria Krane, mais vous n'avez pas le droit de l'être vis-à-vis de celle que j'épouse !

Rafe ne se retourna pas, mais il hocha la tête.

— Il faut vraiment que je vous parle, dit Edan, le regard sombre.

Les femmes qui entouraient Aryane protestèrent, mais la jeune fille les fit taire d'un geste et suivit Edan jusqu'à sa chambre.

— Je sais que ce n'est pas très convenable, s'excusa le jeune homme, mais c'est la seule pièce de cette maison où nous puissions être tranquilles. Voilà, poursuivit-il,

108

embarrassé. Vous n'êtes pas sans savoir que Kane est immensément riche et que du coup ceux qui le touchent de près sont susceptibles d'être enlevés en échange d'une rançon. C'est pour ça que Kane m'a demandé de vous surveiller. Je vous ai suivie ces derniers jours.

Aryane sentit le sang abandonner son visage.

— Je n'aime pas ce que j'ai découvert. Passe encore que vous vous rendiez sous un déguisement à la mine, mais vos complots...

— Mes complots, répéta Aryane, sentant ses jambes se dérober sous elle.

— Je ne voulais pas vous espionner, poursuivit Edan en la faisant asseoir sur une chaise, mais Kane m'y a forcé. J'étais caché dans le cagibi l'autre soir pendant votre *thé*.

— Qu'avez-vous dit à Kane ?

— Rien encore, et pourtant il va bien falloir que je lui parle. Mais comment voulez-vous que je lui dise de but en blanc que vous l'épousez parce qu'il a des liens avec Fenton et qu'à travers lui vous espérez poursuivre votre combat ! Vous me décevez, mais j'aurais dû m'y attendre, avec une sœur comme la vôtre, qui n'hésite pas à voler le fiancé de sa propre...

— Edan ! Je vous interdis ! Rien ne vous autorise à parler ainsi de ma sœur. Quant à ces liens qui uniraient Kane et Jacob Fenton, j'ignore de quoi vous voulez parler. Si vous croyez vraiment que je poursuis quelque machination contre Kane, allons le trouver sur-le-champ et tout lui dire !

— Calmez-vous. Dites-moi plutôt depuis combien de temps vous faites vos petites expéditions à la mine ?

— Ce que nous faisons, les femmes de cette ville le font depuis plusieurs générations. Notre club a été fondé par ma grand-mère. Le but est de s'entraider et de venir en aide à ceux qui en ont vraiment besoin. Il se trouve qu'en ce moment ce sont les mineurs et leurs familles. J'estime que notre but n'a rien d'immoral. Il est au contraire hautement louable !

— Pourquoi un tel secret alors ?

— Parce que si nos pères, nos frères et nos maris apprenaient ce que nous faisons, ils nous en empêcheraient sous prétexte que c'est dangereux.

— Auquel cas ils n'auraient pas tort... Et... les thés ?

— C'est aussi une institution de ma grand-mère. La pauvre s'est mariée en étant totalement ignorante des choses de la vie et elle a été terrorisée. Elle a décidé de créer ces petites réunions. Disons qu'elles ont un peu évolué avec le temps, acheva Aryane, écarlate.

— Combien de femmes de Chandler font partie de votre société secrète ?

— Il y a une douzaine de membres actifs. Beaucoup de femmes, comme ma mère, se sont retirées après leur mariage.

— Et vous, avez-vous l'intention de l'imiter ?

— Non, répliqua Aryane en regardant le jeune homme droit dans les yeux.

— Je n'ai pas l'impression que Kane sera d'accord.

— C'est pourquoi je ne lui ai rien dit. Edan, cela demande des mois d'entraînement pour être capable de se transformer en vieille femme. Si je me retire, il faudra longtemps avant que quelqu'un puisse devenir Sadie. Et pendant tout ce temps, les mineurs seront privés du peu que je leur apporte. Promettez-moi de ne rien dire à Kane.

Edan fixa Aryane puis finit par soupirer lourdement.

— Je ne dirai rien à une condition : jurez-moi de ne pas vous mêler à ces histoires de syndicats et de ne pas prendre part à ce journal subversif dont il a été question l'autre soir.

Aryane se mit sur la pointe des pieds et l'embrassa sur la joue.

— Merci, Edan. Vous êtes un véritable ami. Maintenant, il faut que j'aille finir de m'habiller. Au fait, que vouliez-vous dire en parlant de ces liens entre Kane et Fenton ?

— Je croyais que vous étiez au courant. Charity, la mère de Kane, était la plus jeune sœur de Jacob Fenton.

— Non, je l'ignorais, murmura Aryane et elle sortit.

Quelques minutes plus tard, Sarah Oakley présentait à Aryane sa robe de mariée.

— J'ai cru rêver, fit-elle ; j'ai aperçu quelqu'un dehors et sur le moment j'ai pensé que c'était Kane dans ses vieux vêtements mais, en fait, c'était un garçon beaucoup plus jeune qui lui ressemblait comme deux gouttes d'eau.

— C'est Ian, sourit Aryane. Je suis contente qu'il ait choisi de venir.

— J'ai bien peur qu'il n'en reste bientôt plus grand-chose, intervint Nina depuis la balustrade de la terrasse. Les deux fils Randolph et les frères Meredith se sont moqués de lui et il s'est jeté sur eux.

— Quatre contre un ! sursauta Aryane.

— Ça m'en a tout l'air, mais ils ont disparu derrière les arbres et je ne les vois plus.

Aryane écarta sa robe de mariée et se précipita dehors.

— Où sont-ils ?

— Là-bas. Tu vois ces feuillages qui s'agitent ? J'ai l'impression qu'ils se battent comme des chiffonniers.

— Je vais dire à un domestique d'aller les séparer, proposa Nina.

— Vexer un Taggert ? s'écria Aryane, renfilant son peignoir. Jamais de la vie ! J'y vais. D'ailleurs, il n'y a personne de ce côté de la maison.

— Personne, ricana Sarah. Juste une douzaine de domestiques, quelques invités et...

— Si quelqu'un allait devant allumer quelques-unes des fusées du feu d'artifice, cela ferait diversion ? suggéra Opal, qui savait par expérience qu'il ne servirait à rien de tenter de raisonner sa fille.

— J'y cours, fit Nina.

— Et moi, je passe par le rosier, comme ça je ne rencontrerai personne, dit Aryane, enjambant déjà la balustrade.

Tandis que les détonations des fusées attiraient la foule sur le devant de la maison, Aryane traversa à petite foulée le jardin et disparut sous les arbres. Elle ne tarda pas à découvrir Ian, disparaissant sous les gamins déchaînés.

— Arrêtez immédiatement ! cingla-t-elle.

Le pugilat continuant de plus belle, la jeune fille se jeta dans la mêlée, tirant tout d'abord Jeff Randolph par une oreille. Il se pétrifia en la reconnaissant.

Ce fut ensuite le tour des deux frères Meredith et il ne resta plus que Steve Randolph aux prises avec Ian.

Quand la jeune fille attrapa Steve par une oreille, le gamin fit volte-face, fou de rage, et sans même réaliser lui lança un coup de poing. Aryane l'esquiva et lui envoya un direct d'une de ses mains que le maniement des chevaux de Sadie avait rendues particulièrement solides.

Le garnement effectua un joli vol plané et se retrouva le nez dans la poussière.

— J'avais encore jamais vu une femme avoir un tel punch ! commenta Ian en se redressant.

— Vous n'avez pas honte de vous conduire aussi mal le jour de mon mariage ! Pas un mot ! Vous quatre, allez retrouver vos parents et toi, Steve, tu ferais bien d'aller demander de la glace à la cuisine et d'en mettre sur ta mâchoire. Toi, suis-moi, dit-elle à Ian lorsqu'ils furent seuls.

— Si vous croyez que je vais vous suivre dans *sa* maison, il n'en est pas question.

— Evidemment. D'autant que pour y entrer il faut passer par le rosier grimpant et que je ne vois pas comment quelqu'un qui a perdu un combat serait capable de l'escalader.

— Perdu un combat ! s'écria Ian, lui jetant un regard féroce. Au cas où vous ne sauriez pas compter, ils étaient quatre contre moi ! Et si vous n'étiez pas arrivée pour semer la pagaille, je les aurais tous assommés.

— Ça ne change rien au fait que tu as peur d'entrer chez ton cousin ! Au revoir !

— Je n'ai pas peur !

— Mais non. Tu n'as simplement pas envie de le voir. Je comprends très bien. Tout ça est très logique.

— Bon, alors, où il est, votre maudit rosier ?

Aryane lui jeta un regard glacial.

— Où se trouve le rosier par lequel vous grimpez ? reprit-il plus poliment.

Tapi dans les massifs, Kane avait observé toute la scène. Il avait tout d'abord cru rêver en découvrant sa future femme dégringolant le rosier qui courait sous ses fenêtres. Quand elle s'était jetée dans la mêlée, il avait fait un bond pour venir à la rescousse, mais l'uppercut magistral qu'elle avait décoché à l'un des pugilistes l'en avait dissuadé. Un fou rire l'avait pris, fou rire qui maintenant redoublait tandis qu'Aryane, toujours dans une toilette peu convenable pour une lady, escaladait la façade à la suite du dernier garnement.

Soudain, il vit Aryane rester accrochée au rosier par le bas de son peignoir. Elle tentait en vain de se détacher quand trois hommes et une femme apparurent au

112

détour de la maison. D'une seconde à l'autre, ils allaient la voir.

Kane traversa la pelouse en courant et déjà sa main brune se posait sur la cheville déliée d'Aryane.

La jeune fille baissa les yeux et crut s'évanouir en découvrant Kane.

Comment allait-il réagir ? Quelle situation grotesque ! Témoin d'une telle scène, M. Gates ou Leander n'auraient pas décoléré pendant des semaines !

— Bonjour, fit-elle, un sourire idiot courant sur ses lèvres. Beau temps, n'est-ce pas ?

— Tout à fait, pouffa-t-il. Je comprends que vous ayez eu envie de faire une promenade ! Maintenant, Aryane, si vous ne voulez pas être vue, vous feriez bien de rentrer dans votre chambre.

— Oui, vous avez raison, dit-elle, enjambant enfin la balustrade. Kane ! appela-t-elle depuis la terrasse, votre cadeau de mariage vous attend sur votre bureau.

— Merci ! A tout à l'heure !

Le groupe aperçu quelques instants plus tôt arrivait. Kane les croisa, sifflotant, les mains dans les poches, et leur fit un petit signe de la tête.

— Aryane, gronda Opal, si tu ne t'habilles pas tout de suite, tu vas rater ton mariage !

— Plutôt mourir, rétorqua la jeune fille.

Dix minutes plus tard, Kane ouvrait le paquet déposé sur sa table. Il y découvrit deux boîtes de cigares et un mot :

« Ces cigares fabriqués à La Havane sont les plus fins du monde. Nous nous engageons à en fournir désormais chaque mois deux boîtes à M. Kane Taggert. »

Kane allumait l'un d'eux lorsque Edan parut. Il lui tendit la boîte.

— Cadeau d'Aryane, dit-il, déjà enveloppé d'un léger nuage subtil et bleuté. Comment crois-tu qu'elle ait fait pour qu'ils arrivent à temps ?

— Je l'ignore, mais une chose est sûre : Aryane n'est pas quelqu'un qu'il faut sous-estimer.

— Bon, je suppose qu'il est temps que j'aille me préparer. Tu viens me donner un coup de main ?

— Je te suis.

CHAPITRE XIV

Aryane avait dessiné sa robe de mariée elle-même. La souple soie ivoire enveloppait son corps en soulignant ses lignes parfaites et en allongeant encore sa silhouette. Les crevés de dentelle blanche de ses manches ballon laissaient transparaître la finesse de ses bras, tandis que le tissu se rétrécissait vers les poignets fermés par toute une rangée de perles de nacre. Les mêmes perles, mais plus petites, constellaient le bustier, y dessinant un savant motif persan. Quant à la jupe frôlant le sol, elle se terminait par une traîne bruissante de plus de cinq mètres.

Aryane demeura sagement droite et immobile tandis que ses amies posaient sur ses cheveux, relevés en un savant chignon, le long voile de dentelle de Bruges aux délicats motifs floraux. Puis elle enfila ses gants assortis.

— Aryane, murmura Opal, sans parvenir à en dire davantage tant l'émotion l'envahissait.

— Maman, ne pleure pas. J'épouse le meilleur des hommes.

— Je sais, ma chérie. Tiens, prends ceci, dit-elle en lui tendant un petit bouquet de roses jaunes. C'est ta sœur qui les a choisies : les siennes sont rouges.

— Il faut y aller, intervint Tia. J'entends la musique.

Aryane retrouva sa sœur en haut du vaste palier d'où partaient les escaliers jumeaux. Les deux jeunes filles s'embrassèrent tendrement.

Au son de la marche nuptiale, Aryane et Doriane descendirent lentement sous les regards admiratifs des invités massés dans le hall. Seuls leurs bouquets de roses et les motifs de leur voile les différenciaient.

La foule s'ouvrit pour leur livrer passage et elles pénétrèrent côte à côte dans l'immense bibliothèque transformée pour l'occasion en chapelle. Les intimes, jusque-là assis sur des chaises impeccablement rangées, se levèrent à leur approche.

En remontant l'allée, Aryane aperçut Jane Taggert entre son père et son oncle, puis elle reporta son attention sur l'estrade décorée de feuillages et de fleurs, dressée à l'extrémité de la salle où les mariés attendaient. Les deux hommes avaient interverti leurs places !

Aryane avançait droit sur Leander tandis que bientôt Doriane se retrouverait au côté de Kane.

Aryane, prise de fou rire, jeta un regard espiègle à sa sœur, mais celle-ci restait de marbre, les yeux fixés sur Kane.

La jeune fille sentit alors sa gorge se nouer : ce n'était pas un simple aléa, leurs bouquets différents arrangés par Doriane en étaient la confirmation. Etait-ce là un stratagème pour ne pas épouser Leander ? Doriane voulait-elle Kane ?

Non, Doriane se sacrifiait pour que sa sœur puisse quand même épouser Leander ! C'était certes touchant, mais totalement déplacé...

Souriant toujours, Aryane fixa Kane. Lui aussi la regardait intensément et elle fut heureuse de constater qu'une fois encore il l'avait reconnue.

Le bonheur de la jeune fille ne dura pas, car immédiatement, Kane se rembrunit et détourna les yeux. Pas de doute : il pensait que c'était elle qui avait organisé la substitution.

Tandis qu'elle atteignait l'estrade, Aryane se demandait comment sortir avec élégance de ce quiproquo. Ses professeurs lui avaient enseigné l'art de se tirer de toutes les situations, mais celle où une femme se trouve sur le point d'épouser un autre que son fiancé n'avait jamais été envisagée.

— Chers enfants, commença le Révérend quand ils furent tous sur l'estrade.

— Excusez-moi, dit Aryane, le plus bas possible pour n'être entendue que d'eux cinq, mais je suis Aryane.

Leander comprit tout de suite et se tourna vers Kane, qui regardait toujours devant lui.

— On change de place ? dit-il.

— Ça m'est égal. Pour moi, ça n'a pas d'importance.

Aryane se fit soudain l'effet d'être la cinquième roue du carrosse. Apparemment, les deux hommes allaient se disputer sa sœur et la laisser pour compte.

— Pour moi, reprit Leander, ça en a beaucoup.

Les deux hommes changèrent enfin de place tandis que l'assistance, qui jusqu'alors avait réussi à se contenir, éclatait de rire.

Aryane jeta un regard en coin à Kane et lut la fureur dans ses yeux.

Le Révérend Thomas mena rondement la cérémonie et quand les jeunes mariés s'embrassèrent, le baiser de Kane fut glacial, contrastant violemment avec l'étreinte passionnée de Leander et de Doriane.

— Je voudrais vous parler seul à seul dans votre bureau, souffla Aryane.

Kane consentit d'un hochement de tête et la repoussa, dégoûté.

Sitôt sortis de la bibliothèque, les deux couples furent assaillis par les invités qui n'en finissaient pas de gloser sur la scène à l'autel. Séparée de Kane, Aryane se retrouva près de Jane Taggert.

— Que s'est-il passé ? demanda Jane.

— Je crois que ma sœur pensait me faire plaisir en me donnant Leander. Elle se sacrifiait en épousant l'homme que j'aime.

— As-tu dit à Doriane que tu aimais Kane ? Que tu voulais vraiment l'épouser ?

— Kane ne le sait pas lui-même. Je n'ai pas osé le lui dire : j'avais peur qu'il ne me croie pas. Je comptais sur les cinquante ans qui viennent pour le lui faire comprendre. A l'autel, ajouta-t-elle, les larmes aux yeux, il a dit qu'il se moquait d'épouser Doriane ou moi.

Jane prit son amie par le bras et l'entraîna à l'écart.

— Tu sais, reprit-elle, quand on épouse un Taggert, il faut être forte. Il a été blessé dans son orgueil et il est capable de dire et de faire n'importe quoi. Va vite le trouver et explique-lui tout. Surtout ne le laisse pas ruminer plus longtemps. Il va en faire une montagne et après il sera trop tard pour le faire revenir en arrière.

— Je lui ai demandé de me retrouver dans son bureau.

— Alors, que fais-tu ici ?

Aryane esquissa un petit sourire triste, enroula deux fois sa traîne sur son bras et prit la direction du bureau.

Kane regardait par la fenêtre, un cigare non allumé aux lèvres, et ne se retourna pas quand Aryane entra.

— Je suis désolée pour cette interversion à l'autel, dit-elle. J'ai sans doute commis une erreur dans l'agencement de la cérémonie.

— Vous ne vouliez pas épouser Westfield ?

— Non ! C'était une erreur, je vous assure.

— Je n'ai rien dit tout à l'heure, rétorqua Kane en prenant un papier sur sa table, parce que je ne voulais pas vous humilier devant tout le monde. Mais je ne supporte pas les menteurs ! Surtout quand j'ai renoncé à tout pour eux !

Aryane prit la lettre qu'il lui tendait. Tracés d'une écriture hâtive et signés de son propre nom, elle put lire ces quelques mots : « Je serai la mariée aux roses rouges, Aryane. »

— Gardez l'argent, gardez cette maison ! explosa-t-il. Vous avez travaillé suffisamment dur pour ça. Vous n'aurez pas à me supporter davantage. Et avec un peu de chance, vous pourrez offrir votre précieuse virginité à Westfield !

— Kane ! protesta Aryane, mais il était déjà sorti.

Doriane pénétra quelques instants plus tard dans le bureau et trouva sa sœur prostrée sur une chaise.

— Il est temps de découper le gâteau. Il faudrait que Taggert et toi veniez nous rejoindre.

— Ça t'écorcherait la bouche de l'appeler par son prénom ? cingla Aryane, folle de rage. A tes yeux, il n'est même pas capable de sentiments. Te rends-tu compte de ce que tu as fait ?

— Mais, Aryane, tout ce que j'ai pu faire, je l'ai fait pour toi. Je ne cherchais que ton bonheur:

— Mon bonheur, vraiment ? Comment pourrais-je être heureuse alors que je ne sais même pas où se trouve mon mari ? Je te remercie beaucoup : grâce à toi je ne saurai probablement jamais ce que le bonheur veut dire !

— Moi ? Mais qu'ai-je donc fait, à part tenter de te prouver que tu n'étais pas obligée d'épouser cet homme pour son argent ?

— Tu es vraiment aveugle, ma pauvre Doriane ! Tu viens de blesser au plus profond de lui-même un homme bon, sensible et généreux. Tu l'as humilié devant des centaines de personnes et tu ne t'en rends même pas compte.

— Tu veux parler de ce qui s'est passé devant l'autel, n'est-ce pas ? Mais je l'ai fait pour toi. Je sais que tu aimes Leander et j'étais prête à épouser Taggert pour que tu sois heureuse. J'ai tellement honte du mal que je t'ai fait ! J'ai brisé ta vie, je le sais, mais je n'ai cherché qu'à réparer mes erreurs.

— Toi, toi, toi ! A t'entendre, tu sais tout ! Tu sais que j'aime Leander. Tu sais que Kane est un homme abominable. Ecoute-moi bien, Doriane. Leander te fait peut-être perdre la tête, mais moi je suis toujours restée de glace dans ses bras. Leander, je m'en moque, et si tu avais eu un minimum de lucidité, tu te serais rendu compte que je suis tombée éperdument amoureuse de Kane. Il est noble et généreux. Je sais que ses manières laissent parfois à désirer, mais sois logique avec toi-même : tu m'as toujours reproché les miennes, trop parfaites.

Doriane se laissa tomber sur une chaise et l'expression de son visage traduisait une telle surprise qu'en d'autres circonstances cela eût été comique.

— Tu aimes Taggert ? murmura-t-elle. Tu aimes Kane Taggert ? Mais je ne comprends plus ! Tu as toujours aimé Leander ! Tu l'aimes depuis l'enfance.

— C'est vrai, dit Aryane, soudain calmée. Dès l'âge de six ans, j'ai décidé qu'il était l'homme de ma vie. Je voulais l'épouser. C'était un peu un but pour moi, comme atteindre le sommet d'une montagne. J'aurais mieux fait de me fixer comme but l'Himalaya, poursuivit-elle, amère. Au moins, une fois arrivée en haut, cela aurait été fini. Doriane, je n'ai jamais eu la moindre idée de ce que je ferais une fois Leander devenu mon mari.

— Alors que tu le sais avec Taggert ?

— Oh oui, je le sais. Je vais faire de cette maison un paradis où il sera heureux et où je serai heureuse à ses côtés. Un endroit où je pourrai faire tout ce que je voudrai.

Au grand étonnement d'Aryane, sa sœur fut prise d'une véritable fureur.

— Je suppose que tu n'as pas jugé nécessaire de me dire ça plus tôt ! Il ne t'est pas venu à l'idée que ces derniers temps je traversais un véritable enfer ? Que je me rongeais de remords et que je passais mes nuits à pleurer ? Et pendant ce temps-là, mademoiselle filait le parfait amour avec son Crésus !

— Je t'interdis de dire du mal de lui. Je l'aime !

— Mais pourquoi ne pas me l'avoir dit ?

— Par jalousie et par rancœur, dit Aryane en toute honnêteté. Je crois que j'avais envie de vous chasser de mon esprit, Leander et toi. De ne pas voir à quel point vous étiez faits l'un pour l'autre.

— Faits l'un pour l'autre ? Ma pauvre Aryane, tu te trompes. Je ne nie pas que, physiquement, nous avons une grande complicité mais je crois que Leander est mon Himalaya à moi. Il y a toute une part de lui que j'ignore, que je ne parviens pas à atteindre. Nous avons passé des heures côte à côte en salle d'opération, mais c'était comme si je n'étais pas là. Dès que j'aborde avec lui un certain seuil, il se ferme comme une huître.

— En tout cas, je peux voir la façon dont tu le regardes. Jamais je n'ai eu pour lui ces yeux-là.

— C'est parce que tu ne l'as jamais vu opérer. Si tu l'avais vu, tu aurais...

— Je me serais évanouie, coupa Aryane. Doriane, je suis désolée de ne t'avoir rien dit plus tôt, mais je suppose que je t'en voulais. Tu sais, ce qui s'est passé m'a fait très mal. Je croyais vraiment aimer Leander et toute ma vie j'ai été persuadée qu'un jour je l'épouserais. Et voilà que tu surviens et en une nuit tu me l'enlèves. Leander m'appelait toujours sa princesse de glace et je commençais à désespérer de donner un jour à cet homme ce que tu lui as donné.

— Et tu ne désespères plus ?

— Non, souffla-t-elle, rougissante.

— Tu l'aimes donc ? Tu n'as pas peur de voir les assiettes voler dans tous les coins ? Tu ne redoutes pas les autres femmes ?

— Quelles autres femmes ?

Doriane s'enferma dans un silence embarrassé.

— Ça suffit comme ça, Doriane. Je suis adulte et si tu sais quelque chose sur mon mari, dis-le-moi !

— Eh bien, voilà... J'ai vu Kane embrasser Pamela Fenton dans le jardin, juste avant la cérémonie.

Aryane paniqua quelques secondes, puis une phrase de Kane lui revint et tout devint clair dans son esprit. Certes, il avait embrassé Pamela, mais c'était elle qu'il était venu aussitôt épouser. Il avait dit avoir renoncé à tout pour elle : ce baiser était un baiser d'adieu.

— Doriane, dit-elle, tu viens de faire de moi la plus heureuse des femmes. Il faut que j'arrive à le retrouver et que je lui dise que je l'aime, que je lui demande pardon.

— Comment ça, le retrouver ?

— Kane m'a quittée.

— Quoi ? Mais c'est impossible ? Pas en plein mariage ! Pas devant tous les invités !

— Pourquoi serait-il resté au milieu de gens qui ne pensent qu'à ricaner sur ce qui s'est passé tout à l'heure ? Kane croit que j'aime toujours Leander, que c'est moi qui ai organisé cette substitution. Quant à M. Gates, il est persuadé que j'épouse Kane pour son argent. Je crois qu'il n'y a que maman à savoir que je suis amoureuse pour la première fois de ma vie.

— Mon Dieu, que puis-je faire, Aryane ?

— Rien. Il est parti. Il m'a laissé de l'argent, cette maison et il a tourné les talons. Je n'ai aucune idée de l'endroit où il se trouve. Il est peut-être déjà dans le train pour New York.

— Moi, je le croirais plutôt à sa cabane.

Les deux sœurs se retournèrent brusquement pour découvrir Edan.

— Je ne voulais pas me mêler de ce qui ne me regarde pas, reprit le jeune homme, mais après ce qui s'est passé tout à l'heure, je me doutais que Kane serait hors de lui.

— Je vais aller le rejoindre et tout lui expliquer, dit Aryane, sautant sur ses pieds et ramassant sa traîne. Doriane, sache que je ne t'en veux pas.

— Si tu savais comme je regrette... Dès que la réception sera terminée, je t'aiderai à faire tes bagages.

— Pas question, ma chérie. Je pars sur-le-champ ! Mon mari est bien plus important que quelques centaines d'invités. Tu n'auras qu'à trouver une excuse pour expliquer cette disparition.

— Mais, Aryane, je suis incapable de faire face à une telle réception !

— Pauvre Doriane, sourit sa sœur. C'est curieux, je croyais à t'entendre que j'avais reçu une éducation complètement inutile. Allez, ne fais pas cette tête. Qui sait, il y aura peut-être quelques cas d'intoxication alimentaire et tu pourras montrer tes talents ! Bonne chance...

Sitôt sortis du bureau, Edan la prit à part. Lui souriait, mais Aryane, elle, était loin de partager sa bonne humeur.

— Pas à dire, m'espionner est devenu chez vous une habitude !

— Si l'on veut. En tout cas, en deux semaines j'en ai appris presque plus que pendant le reste de mon existence. Dites-moi, vous étiez sérieuse quand vous disiez aimer Kane ?

120

— Parce que vous aussi, vous me prenez pour une menteuse ! Ecoutez, il faut que j'aille me changer. Grimper cette montagne ne va pas être une partie de plaisir.

— Vous savez où se trouve la cabane ?

— J'en ai une vague idée.

— Aryane, vous n'allez pas ainsi courir après lui. Laissez-moi y aller et je lui expliquerai tout.

— Pas question. Kane est mon mari et j'irai le trouver seule.

— Ah, soupira le jeune homme, je me demande s'il se rend compte de la chance qu'il a. Que puis-je faire pour vous aider ?

— Allez trouver Sarah Oakley et dites-lui de me rejoindre dans ma chambre pour m'aider à me changer. Non, attendez, envoyez-moi plutôt Jane Taggert. C'est cette jeune femme ravissante dans une robe mauve.

— Ravissante ? Tiens, tiens. Bon, j'y cours. Bonne chance, Aryane !

CHAPITRE XV

Jane approuva tout à fait la démarche de son amie et l'aida à changer de toilette en un clin d'œil.

Quand Aryane fut prête, les deux jeunes femmes quittèrent la maison par un escalier dérobé et retrouvèrent Edan dans le jardin. Il attendait dissimulé dans un bosquet, tenant un cheval par la bride, une double sacoche de cuir passée sur l'encolure.

— De quoi manger pendant quelques jours, expliqua-t-il. Vous êtes sûre de vouloir y aller ? Si vous vous perdiez...

— Je suis née ici, Edan, et je connais la région comme ma poche. Vous savez très bien que je ne suis pas une pauvre petite créature sans défense, même si c'est ce que les gens croient.

— Allez, va-t'en, intervint Jane. Et ne te fais pas de souci pour ici. Rejoins ton mari et ne pense à rien d'autre.

Aryane quitta la résidence Taggert aussi discrètement que possible, mais ce n'était pas chose aisée que de passer inaperçue au milieu de plus de cinq cents invités.

Comme elle atteignait les grilles, elle faillit renverser Rafe Taggert et Pamela Fenton qui se promenaient bras dessus, bras dessous. Son cheval fit un écart en arrière et son chapeau manqua tomber.

Rafe lui jeta un regard amusé.

— Vous, vous êtes la jumelle qui a épousé un Taggert, fit-il. Et maintenant, vous vous enfuyez !

— Autant que je connais Kane, intervint Pamela avant qu'Aryane ait pu répondre, il a dû être profondément blessé par ce qui s'est passé devant l'autel et il est déjà parti. Est-ce que vous seriez en train de lui courir après ?

Aryane ne savait quelle attitude adopter face à l'ancienne maîtresse de son époux. Elle redressa fièrement le menton et choisit un ton neutre et froid.

— Parfaitement, madame.

— Bravo ! Ce qu'il lui faut, c'est une femme courageuse. Moi, j'attendais toujours qu'il me revienne et j'avais tort. J'espère que vous êtes prête à affronter sa colère. Elle fait souvent peur à voir. En tout cas, mes meilleurs vœux vous accompagnent.

— Merci, murmura Aryane, ne sachant que penser du discours de Pamela.

Se moquait-elle ou était-elle sincère ?

Aryane ne croisa plus personne et poussa un soupir de soulagement lorsqu'elle se retrouva dans la campagne.

La plaine était longue à traverser et la jeune femme eut tout le loisir de repenser à ce qui s'était passé. Pauvre Kane, s'il avait mieux connu les gens de Chandler, il aurait su qu'ils se moqueraient bien plus de Leander et de ses hésitations que de lui. Kane aurait dû simplement rester et rire avec les autres. Malheureusement, Kane Taggert ne savait pas rire de lui-même. Il lui faudrait apprendre.

Aryane atteignit le pied des montagnes et s'engagea dans le raidillon suivi déjà une fois. Elle ne tarda pas à arriver à l'endroit où ils avaient pique-niqué.

Kane avait dit que sa cabane se trouvait quelque part au-dessus, mais où ?

La jeune femme sauta de sa monture, ôta sa veste

qu'elle attacha à la selle et entreprit d'explorer les broussailles environnantes.

Après avoir examiné les falaises qui la surplombaient
sous différents angles, elle finit par y deviner un vague
sentier qui sinuait à travers les roches, pour disparaître
définitivement sous les conifères.

Que diable faisait-elle en pleine nature, toute seule, le
jour de son mariage ? A l'heure qu'il était, elle aurait dû
ouvrir le bal dans les bras de son mari. Son mari ! Justement toute la question était là. Au dire d'Edan, il se
trouvait en haut de cette montagne, mais le jeune homme pouvait se tromper. Rien ne prouvait que Kane
n'était pas en route pour l'Afrique ou l'Amérique du
Sud. Avec lui, il fallait s'attendre à tout !

Aryane retourna à son cheval, lui donna à boire et
remonta en selle.

Le sentier se révéla encore plus étroit qu'elle ne l'avait
cru. Les branches des épineux s'accrochaient par endroits
à ses jambes, déchirant sa jupe.

Une fois dans la forêt, sa progression fut encore plus
difficile. Non seulement elle devait faire attention aux
épineux mais les branches basses l'obligeaient sans arrêt
à se coucher sur l'encolure de son cheval.

A deux reprises, elle dut s'arrêter pour trouver son
chemin et, la deuxième fois, elle fit fausse route et se
retrouva dans un cul-de-sac. Elle eut toutes les peines du
monde à faire demi-tour pour retourner à son point de
départ.

Repartie dans la bonne direction, elle eut la joie de
découvrir un lambeau du costume de Kane accroché à un
buisson. Oui, plus de doute, son mari était bien passé par
ici.

C'est alors qu'il se mit à pleuvoir. Tout d'abord, elle
n'entendit que le bruit des gouttes d'eau martelant les
arbres, puis en l'espace de quelques secondes, elle fut
complètement trempée, la pluie cascadant littéralement
le long des rochers.

Aryane ne pouvait plus voir à deux mètres devant elle
et continua de progresser le nez rivé au sol, angoissée
à l'idée de perdre à tout moment la trace du mince
sentier.

Le tonnerre alors s'en mêla et le cheval se mit à
broncher à chaque éclair. La jeune femme finit par des-

cendre et le tira par la bride, trébuchant sur le sol boueux. Le sentier devint une étroite corniche, coincée entre la falaise et le précipice. Aryane avançait pas à pas, calmant son cheval au fur et à mesure qu'elle progressait.

— Si tu ne transportais pas les provisions, lui dit-elle, il y a belle lurette que je t'aurais laissé partir...

Arrivée au bout de la corniche, un nouvel éclair zébra le ciel et Aryane aperçut enfin la cabane. Elle s'arrêta, dégoulinante de pluie, et remercia le ciel. Un instant elle avait cru qu'elle n'atteindrait jamais son but.

Que faire maintenant ? Aller à la porte et frapper comme si rien ne s'était passé ? Comme si cette visite était naturelle ?

Soudain, Aryane dut lutter contre l'envie de rebrousser chemin.

Brusquement, l'orage redoubla de violence, les montagnes répercutant les roulements terrifiants du tonnerre. Le cheval d'Aryane hennit de terreur et aussitôt un autre lui répondit. Alors, le cheval se rua en avant, et se précipita vers la cabane.

La jeune femme perdit l'équilibre et se mit à dévaler le flanc de la montagne en hurlant, son cri aussitôt couvert par la déflagration d'une arme à feu.

— Fichez-moi le camp en vitesse si vous ne voulez pas que je vous fasse sauter la cervelle, tonna la voix de Kane.

Accrochée à une racine, Aryane luttait pour retrouver son équilibre et ne pas tomber dans le précipice qui s'ouvrait sous elle. Se pouvait-il que Kane lui en voulût au point de lui tirer dessus ?

Le moment n'était pas à ce genre de question. Elle n'avait pas le choix : soit elle sombrait dans l'abîme, soit elle affrontait son courroux.

— Kane ! cria-t-elle, sentant ses forces l'abandonner.

Pratiquement à la même seconde, le visage de Kane se profila au-dessus d'elle.

— Nom de Dieu ! s'exclama-t-il en s'empressant d'allonger le bras pour la saisir.

Il parut la soulever telle une plume et la remit debout sur la terre ferme. Puis il recula et la regarda comme s'il doutait de sa présence ici.

— Je suis venue vous voir, dit Aryane en tentant de sourire.

124

— Soyez la bienvenue. Ce n'est pas souvent que je reçois des visites par ici.

— C'est peut-être dû à votre manière d'accueillir les visiteurs, dit la jeune femme, coulant un regard significatif au revolver que Kane serrait toujours dans sa grande main.

— Voulez-vous entrer un instant ? Il y a du feu à l'intérieur.

En une explosion terrifiante, la foudre tomba près d'eux et, sans même s'en rendre compte, Aryane se retrouva dans les bras de son mari. Elle sut que c'était maintenant ou jamais.

Lentement, Aryane leva son visage mouillé de pluie vers Kane.

— Vous m'avez un jour dit que vous seriez présent à notre mariage si en échange j'étais là pour notre nuit de noces. Voilà, je suis venue tenir ma promesse.

Le visage de Kane fut alors balayé par des émotions multiples et contradictoires qui passèrent sur lui avec la même vitesse que les nuages noirs dans le ciel au-dessus d'eux. Puis il rejeta sa tête en arrière et partit d'un rire si sonore qu'il sembla couvrir un instant le bruit des éléments déchaînés.

L'instant d'après, il prenait Aryane dans ses bras et l'emportait vers la cabane. Arrivé à la porte, Kane s'arrêta et embrassa doucement la jeune femme. Elle sut alors que son pénible périple à travers les montagnes était entièrement justifié.

A l'intérieur de l'unique pièce, un grand feu brûlait dans une cheminée de pierre qui couvrait entièrement l'un des murs.

— Je suis désolé, dit Kane, mais je n'ai pas de vêtements de rechange. Tenez, ôtez les vôtres et enveloppez-vous dans cette couverture pendant que je vais attacher votre cheval.

— Il y a des provisions dans les sacoches, cria Aryane comme il sortait.

Une fois seule, Aryane ôta un à un ses vêtements trempés, sans pouvoir s'empêcher de regarder sans cesse la porte par laquelle Kane reviendrait bientôt.

— Trouillarde, se dit-elle à haute voix. Tu t'es offerte à lui. Maintenant, il faut assumer.

Quand Kane revint, Aryane était blottie devant l'âtre ; seul son visage émergeait de l'épaisse couverture de laine.

Il lui sourit et déposa les provisions sur le plancher.

Pour tout mobilier, la cabane contenait un vaste lit de bois blanc où de vieilles couvertures étaient empilées. Des boîtes de conserves, posées les unes sur les autres, couvraient toute la surface d'une des quatre parois de la cabane.

— Vous avez eu une bonne idée d'amener à manger. Edan ne me croirait pas s'il pouvait m'entendre, mais de vous à moi, j'en ai par-dessus la tête des conserves.

— Je n'en suis pas si sûre. C'est lui et votre cousine Jane qui ont rempli les sacoches. Ils ont même mis un morceau du gâteau de mariage.

— C'est vrai, le mariage, soupira Kane. Je suppose que je vous ai complètement gâché cette journée. Les femmes attachent tant d'importance à ce genre de cérémonie, ajouta-t-il en commençant à déboutonner sa chemise.

— Beaucoup de femmes ont un mariage comme celui que j'avais prévu, mais bien peu en ont un comme le mien.

Kane lui sourit en retirant sa chemise.

— C'est votre sœur qui avait tout manigancé, n'est-ce pas ? Vous n'aviez rien à voir là-dedans ? Je l'ai compris en venant ici.

— Oui, c'est ça. Mais Doriane ne pensait pas à mal. Elle m'aime et croyait que je voulais épouser Leander. Alors, elle a voulu *arranger* les choses.

Quand Kane entreprit de retirer son pantalon, Aryane détourna les yeux.

— Croyait ? reprit Kane et, comme la jeune femme ne répondait pas, il insista : Vous avez dit qu'elle croyait que vous vouliez Leander ? Elle ne le croit donc plus ?

— Pas après ce que je lui ai dit, murmura Aryane, fixant obstinément le feu.

Elle entendait, dans son dos, Kane se frictionner avec une serviette et luttait contre l'envie de se retourner. Etait-il aussi bien bâti que l'athlète dont elle avait loué les services pour sa petite fête d'adieu ?

Kane vint s'agenouiller auprès d'elle. Il ne portait que sa serviette, qu'il avait ceinte autour de ses reins. Son corps n'était pas d'un athlète, put constater Aryane, mais bien d'un dieu de l'Antiquité. Sous la peau lisse et dorée roulaient des muscles superbement déliés.

— Vous m'avez déjà une fois regardé comme ça, murmura Kane. C'était ce matin, juste avant que vous cherchiez à m'assommer avec ce pichet. Avez-vous l'intention de recommencer ?

Aryane le regarda droit dans les yeux et laissa lentement glisser sa couverture sur sa gorge.

— Non, souffla-t-elle.

La chaleur du feu était intense sur la peau nue d'Aryane, mais la main de Kane qui se posait sur sa joue était encore plus brûlante. Ses doigts se glissèrent dans les cheveux humides, caressèrent sa nuque tandis que son pouce frôlait doucement ses lèvres.

— Je vous ai déjà vue dans toutes sortes de robes ravissantes, dit-il, mais jamais encore vous n'aviez été aussi jolie qu'en cet instant. Je suis heureux que vous soyez venue. Cet endroit est fait pour l'amour.

Aryane ne quitta pas les yeux de Kane tandis que sa main descendait le long de son cou, suivait lentement l'arrondi de l'épaule, s'attardait sur la gorge. Quand il repoussa doucement les pans de la couverture, la jeune fille réalisa qu'elle priait intérieurement le ciel de ne pas le décevoir.

Kane la prit par les épaules et l'allongea sur le sol, puis écarta complètement la couverture, révélant le corps nu et parfait d'Aryane.

— Que vous êtes belle !

— Je vous plais ?

— Me plaire ? Mais regardez donc mes mains : elles tremblent comme des feuilles. Si je ne me retenais pas, je me jetterais sur vous. Mais une femme qui a escaladé des montagnes pour me rejoindre mérite tous les égards. Que diriez-vous de boire quelque chose ? Aimez-vous le punch ?

— Peut-être, je ne sais pas.

— Vous allez goûter.

Kane se releva et alla ouvrir une boîte de fruits au sirop. Il en versa le jus dans une autre boîte vide, y écrasa quelques fruits avec une fourchette et y ajouta une bonne rasade de rhum.

— Non, dit-il comme Aryane faisait mine de remettre

la couverture sur ses épaules. Restez comme ça. Si vous avez froid, dites-le-moi, je vous réchaufferai.

Il revint près d'elle et lui tendit sa préparation.

— Désolé, je n'ai pas de verre, mais vous verrez, cette boîte remplit très bien le même office.

Aryane commença à boire. Au début, elle se demandait ce qu'elle faisait toute nue assise par terre dans cette cabane perdue au milieu de la forêt, mais lorsqu'elle eut fini, cela lui parut la chose la plus naturelle du monde.

— Ça va mieux ? demanda Kane.

— Beaucoup mieux.

Elle allait boire encore quand Kane lui retira la boîte.

— Je vous veux détendue, dit-il, pas saoule.

Kane prit la jeune fille dans ses bras et elle noua d'elle-même ses mains derrière sa nuque. Jamais de sa vie, Aryane ne s'était sentie aussi à l'aise et ce fut elle qui posa ses lèvres sur celles de Kane.

— Qu'avez-vous dit à Doriane au sujet de vous et de Leander ? demanda-t-il.

— Qu'il l'enflammait peut-être corps et âme mais que moi, il me laissait de glace.

— De glace, murmura-t-il, vraiment ?

Kane prit Aryane contre lui et l'embrassa profondément, ses mains courant sur le corps de la jeune fille. Ses lèvres et ses doigts éveillaient en elle un monde de sensations inconnues autant que délicieuses et elle s'y abandonnait totalement.

— Doucement, souffla-t-il à son oreille. Nous avons toute la nuit devant nous.

Mais Aryane ne voulut pas l'écouter et elle trouva si bien les gestes qu'il finit par la suivre plutôt que la précéder sur les chemins de l'extase. Ce fut elle qui vint à sa rencontre et lorsqu'il la pénétra, elle ne put retenir un cri de souffrance. Kane s'immobilisa aussitôt et couvrit son visage de baisers.

Peu à peu la douleur s'évanouit, cédant la place au plaisir. Ce fut alors au tour de Kane de prendre l'initiative, imprimant à leurs corps le rythme de l'amour. Il fit gravir à celle qui désormais était vraiment sa femme les échelons éblouissants du plaisir charnel et Aryane se perdit, criant, gémissant et suppliant, ses mains s'accrochant aux larges épaules de l'homme qui la révélait à elle-même.

Elle chavira définitivement, gémissant une dernière fois son nom. Alors, Kane se souleva sur les coudes et la regarda, son visage revêtant une expression étrange qu'Aryane ne lui avait encore jamais vue.

— Je ne t'ai pas plu ? demanda-t-elle, angoissée. Toi aussi, tu crois que je suis frigide ?

— Non, mon amour, sourit-il en l'embrassant tendrement. Tu es tout sauf frigide. Non seulement tu es une vraie lady, mais tu es aussi une vraie femme. La femme la plus merveilleuse que j'aie jamais rencontrée.

Il déposa un baiser sur son front.

— Je vais un peu dehors, annonça-t-il. La pluie me fera du bien. Puis nous mangerons. Il faut que je prenne des forces si je veux te faire l'amour toute la nuit.

Aryane le regarda se lever et sentit bien qu'il n'avait pas envie d'être seul même pour quelques minutes.

— Viens avec moi, dit-il en lui tendant la main.

— Jusqu'au bout du monde, répondit Aryane.

CHAPITRE XVI

Aryane et son mari offrirent leurs corps nus à la pluie nocturne. La jeune femme n'avait pas froid : elle était toute à sa merveilleuse découverte. Non, elle n'était pas de glace. Son corps recelait des trésors de passion que Leander n'avait jamais su lui faire connaître, c'était tout. Sans doute se connaissaient-ils trop. Sans doute leur relation était-elle plus celle d'un frère et d'une sœur que de deux amants.

— Tu as l'air bien rêveuse, dit Kane en la prenant dans ses bras. Dis-moi à quoi tu penses. Que ressent une dame après s'être donnée à un garçon d'écurie ?

— Elle se sent merveilleusement bien, rit Aryane. En fait, elle ne se sent plus dame du tout, elle se sent femme.

— Tu es sûre de ne pas regretter que notre nuit de noces ne se soit pas passée dans des draps de soie ? Tu n'aurais pas préféré que ce soit un autre homme qui...

— Idiot, fit Aryane, posant sa main sur les lèvres de Kane. Cette nuit est la plus merveilleuse de ma vie et pour rien au monde je ne voudrais un autre que toi à mes côtés. Une cabane dans les bois, seule avec l'homme qu'on aime. Que peut-on rêver de plus beau ?

Kane la fixait intensément, le sourcil légèrement froncé.

— Rentrons, dit-il, nous allons prendre froid.

Il précéda Aryane vers la cabane mais, soudain, fit volte-face et la prit dans ses bras, unissant en un baiser fougueux leurs corps froids et trempés de pluie. La jeune femme s'abandonna follement à son étreinte.

Enfin, il la souleva dans ses bras et l'emporta à l'intérieur de la cabane, la bouchonnant à l'aide de la couverture comme il l'eût fait d'un poulain nouveau-né.

— Tu es extraordinaire, disait-il. Je m'étais fait plein d'idées sur ce que pouvait être le mariage avec une des jumelles Chandler, mais tu viens de les balayer à jamais.

— Es-tu déçu ? Je sais que tu voulais te marier avec une lady et j'ai peur de ne pas me comporter comme l'une d'elles.

Kane marqua un temps d'arrêt pour peser soigneusement ses mots.

— Disons que je suis en train d'apprendre beaucoup, dit-il. Je doute que la femme de Gould ait jamais escaladé une montagne sous l'orage pour le retrouver.

Il la serra de nouveau contre son large torse et enfouit son visage au creux du cou fragile, le meurtrissant de baisers.

— Sais-tu faire la cuisine ? murmura-t-il. Ou est-ce trop te demander ?

— Je suis plus douée pour organiser un dîner que pour le préparer. Pourquoi, tu n'aimes pas Mme Murchinson ?

— Disons que je suis très content qu'elle ne soit pas là en ce moment. Non, je voulais simplement savoir si tu étais capable de nous faire à manger avec les provisions que tu as apportées.

— Je crois pouvoir surmonter cette épreuve, rit-elle en échappant aux grands bras musclés. Ah, soupira-t-elle, je voudrais que cette nuit ne prenne jamais fin ! J'avais peur que tu ne me renvoies. Et puis, je suis si heureuse d'être ici plutôt qu'à Chandler. C'est tellement plus romantique !

130

— Romantique ou pas, si je ne mange pas rapidement quelque chose, je crois que je vais m'écrouler.

— Dans ce cas, il faut agir vite !

Tandis que Kane remettait du bois dans le feu, Aryane vida les sacoches. Un mot s'en échappa.

« Ma chère fille, lut-elle, je souhaite que ton mariage t'apporte tout le bonheur du monde. Je pense que tu as eu parfaitement raison de suivre ton mari et ne t'étonne pas en revenant si le bruit court qu'en fait c'est lui qui t'a enlevée. Je t'embrasse, Opal. »

Kane se détourna de la cheminée et découvrit Aryane les yeux pleins de larmes, serrant entre ses doigts la feuille de papier.

— Que se passe-t-il ?

Aryane lui tendit la lettre sans un mot.

— Je t'ai enlevée ? Qu'est-ce que ça veut dire ?

— Cela signifie que lorsque nous retournerons en ville ta réputation d'homme le plus chevaleresque de Chandler sera définitivement ancrée.

— Ma quoi ?

— Ta réputation de preux chevalier ! Tout a commencé ce jour où tu m'as emportée dans tes bras à la garden-party. Ensuite, il y a eu ces cow-boys que tu as rossés en pleine rue. Enfin, il y a eu ce dîner aux chandelles ou plutôt ce pique-nique, devrais-je dire.

— Mais c'est parce qu'il n'y avait pas de chaises ! Et puis, à la garden-party, j'avais renversé mon assiette sur ta robe ! Quant aux cow-boys, je ne pouvais tout de même pas rester là sans rien faire !

— Le résultat est le même. En rentrant, je suis sûre que toutes les gamines te regarderont avec des yeux mouillés d'admiration et ne rêveront que d'épouser un homme qui tout comme toi les enlèvera au beau milieu de la cérémonie pour les emporter dans une cabane perdue au fond des bois.

Kane resta silencieux pendant une bonne minute. Puis, il sourit, vint s'asseoir près d'Aryane et l'embrassa dans le cou.

— Romantique, rit-il. Alors que sans ma femme pour me guider je passerais mon temps à me ridiculiser devant tout le monde... Qu'est-ce que c'est que ce truc rosâtre ?

— Du foie gras. Et les petites taches noires, ce sont des parcelles de truffe : un champignon très rare.

Aryane fit griller un toast sur les braises de la cheminée, le tartina de foie gras et le tendit à Kane.

— Qu'en penses-tu ? demanda-t-elle.

— Pas mauvais. Qu'y a-t-il d'autre ?

Aryane entreprit d'ouvrir un à un les récipients de porcelaine.

— Saumon fumé, avocats au crabe, cocktail de crevettes, jambon d'York et poulet rôti.

Ce dernier n'était pas prévu au menu mais Aryane comprit que Mme Murchinson l'avait rajouté pour faire plaisir à son cher Kane ! Elle se demanda combien de personnes avaient finalement pris part aux préparatifs de sa fuite...

— Au fait, dit Kane, as-tu trouvé ton cadeau de mariage dans le petit coffre recouvert de cuir ?

— Celui qui est dans le salon ? Non, je n'ai pas eu le temps de regarder. Que contient-il ?

— Si je te le dis, il n'y aura plus de surprise.

— Un cadeau de mariage de toute façon doit être fait le jour même. Dans la mesure où nous sommes ici et le coffre là-bas, je réclame un autre cadeau.

— Mais tu n'as même pas vu ce que c'était ! Et puis, que veux-tu que je te donne ? Ici, il n'y a rien.

— J'aimerais que tu partages avec moi un de tes secrets.

— Je t'ai déjà tout dit sur moi ? Que veux-tu savoir ? Où se cache de l'argent liquide au cas où je ferais banqueroute ?

— Je pensais à quelque chose de plus personnel. Tu pourrais me parler de tes parents, de tes liens mystérieux avec les Fenton, me dire ce qui s'est passé entre Pamela et toi ce matin au jardin.

Un moment, Kane fut trop sidéré pour pouvoir parler.

— Tu ne veux rien d'autre ? Ma tête sur un plateau, par exemple ? Pourquoi veux-tu savoir ces choses-là ?

— Parce que nous sommes mariés.

— Ne recommence pas à prendre tes airs de grande dame. Des tas de couples sont comme ta mère et ton beau-père. Elle l'appelle M. Gates, par respect, et je suis sûr qu'elle n'a jamais osé lui poser de questions comme tu le fais.

— Alors, disons que je suis curieuse. Après tout, c'est ma curiosité qui m'a fait venir chez toi.

— Bon, je vais te dire tout. De toute façon, Pamela m'a dit que d'ici à quelques jours, toute la ville serait au courant. Tu te souviens que, quand j'étais plus jeune, Fenton m'a jeté dehors parce que je fréquentais sa fille ?

— Oui, je sais.

— J'ai toujours cru que quelqu'un nous avait espionnés et était allé le lui raconter. Aujourd'hui, Pamela m'a dit que c'était elle qui lui avait tout révélé.

Kane marqua une pause embarrassée et prit une profonde inspiration avant de poursuivre.

— Pamela a expliqué à son père qu'elle était enceinte de moi et qu'elle voulait m'épouser. Ce salaud de Fenton l'a forcée à épouser un type qui lui devait de l'argent et, à moi, il m'a dit qu'elle ne voulait plus me voir, puis il m'a flanqué à la porte.

— Et c'est pour ça que tu le détestes ?

— Non. Ça, je ne l'ai appris qu'aujourd'hui. Si je te raconte cette histoire, c'est parce que Pamela est revenue vivre à Chandler et qu'elle a avec elle son fils. Il n'a que treize ans, mais me ressemble, paraît-il. A croire Pamela, les langues vont très vite aller bon train.

— Alors, si tout le monde va le savoir, ce n'est pas vraiment un secret.

— C'était pourtant pour moi un secret il y a encore quelques heures. J'ignorais complètement que j'avais un fils.

Si Kane était têtu, Aryane n'avait rien à lui envier. Aussi revint-elle à la charge.

— Je t'ai demandé un vrai secret, pas une histoire qui fera les belles heures de tous les thés dans une semaine. Je veux savoir sur toi une chose que toi seul connais. Que même Edan ignore.

— Mais quelle importance ? En quoi cela peut-il t'intéresser ? s'exclama Kane.

— Parce que je t'aime et que je veux te connaître.

— Les femmes passent leur temps à dire « je t'aime ». Il y a encore quinze jours, tu aimais Leander. Oh, et puis zut ! Je vais te dire quelque chose qui d'ailleurs va sûrement te plaire. Ce matin, Pamela est venue me trouver et m'a dit qu'elle m'aimait toujours et qu'elle voulait que je parte avec elle. J'ai refusé.

— A cause de moi ?

— Pourquoi ? Ce n'est pas toi que j'ai épousée, peut-être ? Même si ta sœur n'a rien fait pour m'aider !

— Que s'est-il passé entre Doriane et toi pour que que vous soyez ensemble comme chien et chat ?

— Un secret à la fois, rétorqua Kane. Maintenant, que dirais-tu de débarrasser ce lit de toute cette nourriture et de venir me rejoindre ?

Aryane fronça le sourcil mais fit ce qu'il demandait.

— J'aime les femmes obéissantes, commenta Kane.

— Toute mon éducation m'a appris à l'être.

— Obéissante, toi ! Depuis que je te connais tu n'as cessé de faire le contraire de ce que je disais. Sauf peut-être depuis que nous sommes dans cette cabane...

Aryane vint s'allonger près de lui et aussitôt Kane l'enlaça, leurs lèvres s'unissant en un baiser fiévreux.

— Jamais je n'aurais imaginé que tu pouvais être ainsi, dit Kane. Au fond, tu ressembles plus à ta sœur qu'il n'y paraît.

— Toi aussi tu pensais que j'étais faite de glace ?

Kane sourit et la serra encore plus fort contre lui.

— Que crois-tu qu'il se passe quand la glace entre en contact avec le feu ? souffla-t-il, les lèvres dessinant les fins contours de son oreille.

— La glace fond ?

— Non, ça fait de la vapeur !

Kane s'empara de nouveau de ses lèvres et lui imposa le poids de son corps.

Aryane ferma les yeux, savourant sa chaleur tout contre elle. On lui avait répété que la nuit de noces était une expérience pénible et douloureuse, mais la sienne se révélait une lente promenade dans un jardin de délices.

Longtemps encore ils s'aimèrent, dans la lumière fauve et vacillante du feu, le silence de la pièce n'étant brisé que par leurs plaintes et le crépitement des braises.

CHAPITRE XVII

Quand Kane se réveilla, il faisait déjà grand jour. Il admira longtemps le corps assoupi d'Aryane près du sien, puis se mit à la caresser lentement.

— Il est temps de te lever et de préparer le petit déjeuner, fit-il.

— Tu n'as qu'à sonner la bonne et lui dire de te l'apporter, rétorqua Aryane d'une voix paresseuse en se blottissant au creux de sa large épaule.

Kane fronça le sourcil, puis son visage se détendit et une lueur espiègle traversa son regard.

— Tiens, bonjour, monsieur Gates. Bonjour, Westfield ! Quelle bonne idée d'être passés nous voir !

La réaction d'Aryane fut immédiate. Elle se redressa d'un bond, remonta le drap sous son menton et posa autour d'elle un regard horrifié tandis que Kane éclatait de rire.

— Tu devrais avoir honte de faire des plaisanteries pareilles ! J'ai cru mourir de peur.

— De peur ? Mais j'étais là pour te défendre. Bon, j'ai faim.

Kane quitta le lit et alla fourrager dans les provisions.

Aryane se réinstalla confortablement dans le lit et l'admira tandis qu'il évoluait dans la cabane.

Oui, il était bien mieux fait que l'athlète de sa soirée d'adieux. Un colosse de bronze souple et chaud que la lumière du soleil dorait, soulignant encore le dessin parfait de ses muscles que le moindre geste faisait tressaillir.

Kane se tourna vers elle et rencontra son regard. Le pain qu'il tenait aussitôt lui échappa et il se redressa en lui tendant la main. Aryane vint le rejoindre et se laissa aller entre ses bras.

— Je ne pensais pas rester longtemps ici, expliqua-t-il, mais que dirais-tu de prolonger notre séjour de quelques jours ? Ce serait notre voyage de noces. Bien sûr, ce n'est pas Venise ni Paris.

— J'y suis déjà allée, murmura-t-elle contre ses lèvres, et je peux te dire que c'est beaucoup moins bien qu'ici.

135

Aryane déploya toute sa science de nouvelle amante pour l'attirer vers leur couche, mais finalement il sut lui résister.

— Allons, gronda-t-il doucement, habille-toi. J'ai là-bas une chemise et un pantalon de rechange que tu peux enfiler. Je veux que tous les boutons soient bien fermés et que rien ne dépasse, compris ? J'ai envie de te montrer les ruines d'une ancienne mine qui ne sont pas loin.

Vêtus et restaurés, ils sortirent. Là où ils se trouvaient, à quatre cents mètres d'altitude au-dessus de Chandler, l'air était vif et frais. Sans paraître se rendre compte que la jeune femme n'était guère entraînée à l'escalade et que ses bottes de cheval ne se prêtaient pas à ce genre d'exercice, Kane allait bon train. Il finit par s'arrêter sur une corniche, sous d'énormes rochers en surplomb qui semblaient sur le point de tomber à tout instant.

— C'est encore loin ? demanda-t-elle.

— Tu veux qu'on se repose un peu ?

— Oui, avec plaisir.

Kane décrocha de son épaule le sac où il avait mis quelques provisions et le posa à terre. Il en sortit une gourde qu'il tendit à Aryane.

— Kane, tu viens souvent ici ?

— Chaque fois que mon travail me le permet. Tiens, regarde les rochers, là-bas. Tu as déjà vu ça ?

Aryane s'approcha et observa dans la direction qu'il indiquait. De la brume mauve montant de la vallée émergeaient de hauts rochers d'une violente couleur ocre.

— On dirait qu'un géant les avait dans sa poche et qu'il les a abandonnés là, fit Kane.

— Je crois qu'un géologue nous donnerait une explication plus plausible. Tu n'aimerais pas pouvoir aller à l'école et apprendre plein de choses ? Savoir pourquoi ces rochers sont là et pourquoi ils ont une forme aussi étrange ?

— Je suis très content de ma scolarité. Elle m'a permis de récolter quelques millions de dollars. Ça ne te suffit pas ?

— Ce n'est pas ça. Je pensais à tous ceux qui n'ont pas ta chance.

— Mais j'y pense aussi. Je donne aux œuvres autant qu'un autre si ce n'est plus.

— Je crois qu'il vaut mieux que je te dise tout de suite

que j'ai offert à ton cousin Ian de venir vivre avec nous.

— Mon cousin Ian ? Tu veux parler de ce gamin qui semble prêt à dévorer la terre entière et que tu as tiré d'un mauvais pas hier dans le jardin ?

— Je suppose qu'on peut le décrire ainsi. Moi j'ai trouvé qu'il avait plutôt l'air d'avoir autant de détermination que toi.

— Pourquoi diable veux-tu te le mettre sur les bras ?

— Parce qu'il est intelligent. Que s'il n'avait pas eu à soutenir les siens, il serait resté à l'école au lieu de travailler dans la mine. J'espère que tu ne m'en veux pas de lui avoir parlé sans te consulter d'abord. Mais, après tout, c'est *ton* cousin germain. La maison est assez grande pour qu'il puisse y habiter.

Kane rangea les affaires dans le sac et le passa à son épaule. Il se remit en marche.

— Je veux bien à condition qu'il ne me dérange pas. Je n'aime pas trop les gamins.

— Même pas quand c'est ton propre fils ? demanda Aryane, hâtant le pas pour rester à sa hauteur.

— Je ne l'ai jamais vu. Comment veux-tu que je sache si je l'aime ou pas ?

— Et tu n'es pas curieux de faire sa connaissance ?

— Ma seule curiosité, actuellement, c'est de savoir si la vieille Hettie Green va me vendre ses parts de chemin de fer ou non.

— Au fait, as-tu réussi à acheter l'appartement de Vanderbilt à New York ?

— Oui, c'est terminé. Mais j'ai dû envoyer des tonnes de télégrammes. Au tarif où ils sont, j'aurais mieux fait d'investir dans les postes. Vivement que le téléphone soit installé partout, les choses seront plus faciles. Pour l'instant on ne peut téléphoner que dans Chandler, et qui a besoin d'y appeler qui que ce soit, je te le demande.

— Tu pourrais passer un coup de fil à ton fils.

— Edan avait raison, soupira-t-il. J'aurais dû épouser une fille de ferme. Au moins, elle n'aurait pas mis le nez dans mes affaires.

Aryane ne dit plus rien et se contenta de le suivre tant bien que mal. Ils étaient arrivés sur un plateau et à part les broussailles qui ne cessaient de s'accrocher à ses vêtements trop grands pour elle, progresser était moins exténuant.

Ils marchèrent encore un bon kilomètre et atteignirent enfin la mine abandonnée. Celle-ci était à ciel ouvert et se trouvait au bord d'une falaise d'où l'on dominait toute la vallée.

Tandis que Kane admirait la vue, Aryane ramassa un morceau de charbon.

Une fois de plus, elle constata combien le minerai brut pouvait être beau quand on le regardait de très près. Noir, luisant, avec des reflets argent, on pouvait facilement imaginer qu'avec les millénaires, dans certains cas, il se transformait en diamant.

Elle jeta le morceau de charbon au loin et s'en vint retrouver Kane.

— C'est bien ce que je pensais, dit-elle, le charbon ici ne vaut rien.

— Pour moi, tous les charbons se ressemblent. En quoi celui-ci est-il plus mauvais qu'un autre ?

— Il n'est pas mauvais, il est même d'une très bonne qualité. Le problème, c'est qu'on ne peut pas l'acheminer par chemin de fer. Et sans train, le charbon ne vaut rien. C'est ce que mon père disait toujours.

— Je croyais que ton père avait fait sa fortune dans le commerce.

— C'est exact, mais il est venu dans le Colorado à cause du charbon. Il pensait trouver en arrivant des gens très riches qui s'empresseraient de lui acheter les deux cents cuisinières qu'il apportait avec lui.

— Ça ne me paraît pas une mauvaise idée.

— Sauf qu'à l'époque le chemin de fer n'était pas encore arrivé jusque-là et que si on n'avait qu'à se baisser pour ramasser du charbon, personne n'avait pu faire fortune, faute de pouvoir l'exporter.

— Comment s'en est-il sorti, dans ce cas ?

Aryane sourit au souvenir de l'histoire que sa mère lui avait racontée tant de fois.

— Mon père voyait les choses en grand, expliqua-t-elle. Il y avait à l'époque, au pied même de la montagne où nous nous trouvons en ce moment, une communauté de fermiers. Ils vivaient chacun disséminés sur leurs terres et mon père a décidé qu'il serait plus intéressant de fonder une ville — *sa* ville. Ils se sont tous regroupés autour de lui et ce fut chose faite. Mon père leur donna à chacun une de ses cuisinières en leur faisant promettre en échange de se fournir exclusivement en charbon chez *Chandler's*, à Chandler, Colorado.

— Tu veux dire qu'il a donné son nom à cette ville ?

— Absolument. J'aurais aimé voir la tête des colons quand il leur a annoncé qu'ils vivaient dans la ville de M. William Chandler !

— Et pendant toutes ces années, j'ai cru qu'il avait sauvé à lui tout seul trois mille bébés pris dans un incendie ou quelque chose comme ça.

— Sans aller si loin, il a beaucoup fait pour les habitants d'ici.

— Mais dis-moi, s'il exploitait le charbon, comment se fait-il qu'il ait fait fortune dans le commerce ?

— Au bout de deux ans, il a eu des problèmes de vertèbres et il n'a plus pu exploiter sa mine. Alors, il l'a vendue et avec l'argent, il est reparti pour l'Est. Quelques mois plus tard, il revenait avec un convoi de cinquante chariots bourrés de marchandises en tout genre. Entre-temps il avait épousé ma mère et décidé vingt familles à venir s'installer à Chandler.

— Et l'arrivée du chemin de fer a enrichi les fils des fermiers.

— Exact. Mais entre-temps, mon père était mort et les parents de maman lui ont fait épouser le très respectable M. Gates.

— Il y a des gens qui ont vraiment de drôles d'idées ! La ville entière vous regarde comme si vous étiez une famille royale alors qu'en fait ton père était un aventurier en proie à la folie des grandeurs !

— En tout cas, il était vraiment un roi pour maman, Doriane et moi. Quand nous étions petites, les gens de la ville ont décidé de faire de l'anniversaire de papa un jour férié. Maman a essayé de leur dire la vérité, mais ils n'ont pas voulu l'écouter. Ils avaient trop besoin d'un héros.

— Et M. Gates, d'où sort-il dans toute cette histoire ?

— Il était sans éducation, mais il avait fait fortune en abreuvant la ville de bière. En échange de Sa Majesté Opal Chandler, il a tout offert et mes grands-parents ont accepté.

— Lui aussi voulait épouser une vraie lady, si je comprends bien.

— Et il s'est si bien coulé dans le moule que sa femme et ses deux belles-filles n'ont jamais plus eu le droit de respirer, commenta Aryane.

Kane demeura longuement silencieux.

— Je suppose qu'on n'est jamais content de ce qu'on a, soupira-t-il enfin.

— N'as-tu jamais pensé que si tu avais été élevé comme un fils de famille tu ne serais jamais devenu ce que tu es ? Que tu aurais été un enfant gâté et irresponsable comme Marc ?

— A t'entendre, Fenton m'a fait un faveur.

— Une faveur.

— Quoi ?

— On dit une faveur, pas un faveur.

— Tu es en train de changer de sujet. Tu sais, je devrais t'envoyer discuter affaires pour moi à New York. Tu les aurais à l'épuisement !

— J'aimerais mieux t'épuiser toi, sourit-elle en passant ses bras autour de son cou.

CHAPITRE XVIII

Aryane lut dans les yeux de Kane qu'il était en proie à une lutte intérieure. Puis, vaincu, il s'empara avidement de ses lèvres, la serrant de toutes ses forces contre lui.

— Que m'as-tu fait ? dit-il, le regard brûlant de désir. Moi qui calcule sans cesse depuis des années, je sens que je perds la raison. Je tuerais celui qui chercherait à t'éloigner de moi.

— Et si c'est une femme ?

— Je la tuerais aussi. Viens, ne restons pas, je connais un endroit.

Kane la prit par la main et l'entraîna jusqu'à une ancienne cabane de mineur dissimulée par la végétation. Il écarta les broussailles qui en obscurcissaient l'entrée et la fit passer devant lui.

Il vint se placer derrière elle et, tandis qu'il l'embrassait dans le cou, ses mains déboutonnaient nerveusement la chemise trop grande, se glissant vite dans l'échancrure et s'emparant des seins déjà tendus pour lui.

Il la déshabilla très vite, puis arracha littéralement ses propres vêtements dont il fit un lit de fortune sur le plancher de la cabane. Il s'allongea alors et la fit se coucher sur lui.

Comme elle avait aimé sa douceur lors de leur première nuit, elle aima sa violence et s'y abandonna totalement, telle une odalisque se soumettant aux caprices de son sultan.

Apaisée, couchée sur le torse de l'homme, Aryane ferma les yeux et écouta décroître les battements précipités de son cœur.

— Sais-tu qu'il s'est mis à pleuvoir ? demanda doucement Kane.

La jeune femme ne put qu'émettre un soupir pour toute réponse.

— Sais-tu, reprit-il, qu'il ne doit pas faire plus de quinze degrés, que j'ai des milliers de petits bouts de charbon qui me rentrent dans le dos et que ma jambe gauche est morte depuis au moins une heure ?

— Je suppose, revint-il à la charge, que tu comptes rester ainsi encore une semaine et que tu te moques de savoir que mes orteils sont si glacés que si je les cognais contre quelque chose je suis sûr qu'ils tomberaient. J'ai un marché à te proposer.

— Je t'écoute.

— On va s'habiller, on va s'asseoir à l'entrée de la cabane pour regarder la pluie et tu vas me poser des questions puisque apparemment c'est ce que tu aimes le plus au monde.

— Et tu me répondras ?

— Probablement pas, sourit-il en se dépêchant de ramasser ses vêtements.

Aryane vint lui frotter le dos où effectivement de petits bouts de charbon s'étaient incrustés et à plusieurs reprises ses seins le frôlèrent. Kane fit aussitôt volte-face et lui immobilisa le poignet.

— Arrête, fit-il. Ne recommence pas, ou je vais encore me conduire comme un idiot.

Aryane renonça à comprendre ce qu'il voulait dire par là et se contenta de renfiler ses vêtements. Elle avait à peine fini que Kane l'attirait sur ses genoux, à l'entrée de la cabane.

— Tu me rends heureuse, murmura Aryane.

— Je ne peux pas dire que tu me rendes triste. Mais explique-moi pourquoi je te rends heureuse.

— Je vais te donner un exemple. Peu après nos fiançailles officielles, Leander et moi avons été invités à un grand bal à la mairie. J'avais envie d'y aller et je m'étais fait faire pour l'occasion une robe rouge. Pas un rouge sombre, non, un rouge très vif, très lumineux. Ce soir-là quand je l'ai mise, j'avais l'impression d'être la plus jolie fille du monde. J'ai quitté ma chambre et je suis descendue retrouver Leander qui m'attendait au pied de l'escalier avec M. Gates.

Aryane marqua une pause, visiblement encore bouleversée par le souvenir de cette soirée.

— Je m'attendais à des compliments, reprit-elle. Mais, sitôt arrivée dans le vestibule, M. Gates s'est mis à hurler. Il disait qu'il n'était pas question que je sorte dans une robe aussi voyante ; que j'avais l'air d'une traînée ; qu'il fallait que je retourne immédiatement me changer. Alors, Leander s'est interposé et a pris mon parti. Je crois que je ne l'ai jamais autant aimé qu'à ce moment-là.

Encore une fois, Aryane se tut quelques secondes.

— En arrivant au bal, Leander m'a suggéré de garder mon manteau et de prétexter un rhume. Du coup, j'ai passé toute ma soirée à faire tapisserie dans un coin et personne n'a jamais vu ma superbe robe.

— Mais pourquoi ne pas tous les avoir envoyés au diable ? Pourquoi donc n'as-tu pas dansé alors que tu en mourais d'envie ?

— Parce que toute ma vie j'ai toujours fait ce qu'on attendait de moi. C'est pour ça que je suis heureuse avec toi. Tu as l'air de penser que si je grimpe à un rosier en déshabillé, toutes les dames le font. Et quand je me permets de te faire des avances, tu n'es pas choqué.

Kane lui donna un baiser et sourit.

— J'apprécie beaucoup tes avances, fit-il, mais je pourrais me passer de tes apparitions publiques en déshabillé. Tu te souviens des chiots ?

— Je ne suis pas certaine de savoir de quoi tu parles.

— C'était à la fête d'anniversaire de Marc Fenton. Le

jour de ses huit ans, je crois. Je t'ai emmenée à l'écurie pour te montrer une portée de chiots blancs tachetés de noir.

— Oh oui, je me souviens ! Mais ça ne pouvait pas être toi. C'était un homme.

— J'avais dix-huit ans et toi tu devais en avoir...

— Six. Raconte-moi.

— Ta sœur et toi étiez venues pour l'anniversaire. Vous portiez toutes les deux des robes de dentelle blanche et vous aviez un gros nœud de soie rouge dans les cheveux. Ta sœur est tout de suite allée rejoindre les autres enfants dans le jardin pour jouer à la balle, mais toi, tu t'es sagement assise sur un banc et tu n'as plus bougé. Tu restais là, assise, les mains croisées sur tes genoux.

— Et tu es passé devant moi en poussant une brouette et tu t'es arrêté. La brouette avait dû contenir du fumier car je me souviens que ça sentait très mauvais.

— C'est probable, rit Kane. Tu avais l'air si triste sur ton banc que j'ai eu pitié et je t'ai proposé de venir voir les chiots.

— Et je t'ai suivi.

— Pas avant de m'avoir inspecté des pieds à la tête. Enfin, je suppose que j'ai passé l'examen.

— Puis j'ai mis une de tes chemises et une catastrophe s'est produite. Je me rappelle que j'ai pleuré.

— Tu n'osais pas t'approcher des chiots de peur de te salir. Alors, je t'ai donné une de mes chemises pour mettre par-dessus ta robe. Tu ne voulais pas la prendre. Et la catastrophe dont tu parles, c'est quand un des chiots a sauté après ton ruban et qu'il l'a défait. Je crois que je n'ai jamais vu un enfant aussi malheureux que toi ce jour-là ! Tu as fondu en larmes en répétant que M. Gates te disputerait très fort. Et quand je t'ai offert de renouer ton ruban, tu m'as dit que seule ta maman savait le faire correctement. Oui, c'est bien le mot que tu as employé : correctement.

— Et finalement, tu l'as renoué correctement. Maman ne s'est jamais aperçue qu'il avait été défait.

— C'était toujours moi qui tressais les queues et les crinières des chevaux.

— Pour Pamela ?

— Tu es bien curieuse à son sujet. Serais-tu jalouse ?

— Pas depuis que tu m'as dit avoir refusé de la suivre.

— Voilà pourquoi on ne devrait jamais dire de secret
aux femmes.

— Tu aimerais que je sois jalouse ?

— Je n'aurais rien contre. En tout cas, moi j'ai laissé
tomber Pamela. En as-tu fait autant avec Leander ?

— Je croyais l'avoir fait devant toi à l'autel.

— Remarque, je te comprends. Il a beaucoup moins
d'argent que moi.

— Toi et ton maudit argent ! Tu ne peux pas penser
un peu à autre chose ? A m'embrasser, par exemple !

Un long baiser les réunit.

— Sais-tu que je n'avais pratiquement pas parlé d'autre chose que d'affaires depuis des années ? fit Kane.

— Tu ne parlais pas avec les autres ?

— Quelles autres ?

— Les autres femmes. Poïkilia, par exemple.

— Je ne lui ai jamais dit quoi que ce soit. Tu n'as pas
froid ? demanda-t-il, comme elle se serrait un peu plus
contre lui.

— Non, je n'ai jamais été aussi bien.

CHAPITRE XIX

Aryane regarda Kane quitter leur lit et s'habiller. Elle
sut que leur étrange lune de miel dans la montagne était
finie.

— Je suppose qu'il faut partir, fit-elle tristement.

— Deux hommes viennent me voir ce matin et je ne
peux pas me permettre de les manquer. J'aimerais pouvoir rester plus longtemps ici, mais c'est impossible.

Lui aussi était triste et Aryane ne chercha pas à discuter. Elle se leva à son tour et remit sa tenue de cava-
lière. Kane dut l'aider à lacer son corset.

— Comment fais-tu pour respirer dans un tel carcan ?

— Respirer n'est pas le but, sourit Aryane. On met un
corset pour avoir une silhouette élancée. Par ailleurs,
c'est excellent pour le dos : ça maintient.

144

Kane n'eut pas l'air très convaincu, mais il pensait déjà à autre chose.

Ils terminèrent de se préparer en silence. Aryane ignorait ce que pensait Kane, mais pour sa part, elle n'avait jamais été aussi heureuse de sa vie. Ses peurs d'être frigide étaient à jamais enfuies et son avenir s'annonçait serein auprès de l'homme qu'elle aimait.

Comme ils quittaient la cabane, Kane s'arrêta sur le pas de la porte et jeta un dernier regard à l'intérieur.

— Jamais encore je n'avais été autant heureux ici, dit-il.

Aryane s'apprêtait à monter seule à cheval mais Kane vint la prendre par la taille et la déposa sur sa selle. Elle le regarda, surprise. Etait-ce bien là l'homme qui l'avait laissée se débrouiller toute seule pour escalader les rochers ?

— Tu ressembles de nouveau à une lady dans ce costume, murmura-t-il comme pour s'excuser.

Ils suivirent l'étroit sentier en silence. Kane s'arrêtant régulièrement pour attendre sa femme, et ce ne fut que lorsqu'ils atteignirent Chandler qu'Aryane prit la parole.

— Kane, sais-tu ce à quoi j'ai pensé ces derniers jours ?

— Je crois, oui, fit-il en clignant de l'œil. Et j'apprécie beaucoup ce genre de pensées.

— Tu es incorrigible, répondit la jeune femme, rougissant malgré elle. Non, j'ai pensé qu'il serait bien de proposer à ta cousine Jane de venir habiter chez nous.

Aryane ne laissa pas à Kane le temps de protester. Elle enchaîna aussitôt :

— Bien sûr, vous autres Taggert êtes tellement orgueilleux qu'elle n'acceptera jamais une invitation directe. Mais nous allons avoir besoin d'une gouvernante et elle ferait très bien l'affaire. Cela lui permettrait de sortir de la mine. Tu ne trouves pas qu'Edan et elle forment un joli couple ?

— Quand j'ai annoncé à Edan que j'envisageais de me marier, il m'a demandé si j'étais prêt à laisser une femme interférer dans ma vie. Je lui ai dit que je ne pensais pas que le mariage changerait quoi que ce soit à mon existence et il a éclaté de rire. Je commence à comprendre pourquoi ! Qui as-tu encore l'intention de recueillir ? Le clochard qui mendie tous les dimanches matin à la porte de l'église ?...

Il s'arrêta comme Aryane s'éloignait brusquement, le corps bien droit sur sa selle. Un instant, il ne bougea pas, puis alla la rejoindre.

— Tu ne vas pas te mettre en colère, hein ? Tu peux inviter qui tu veux, tu sais. La maison est assez grande pour ça.

C'était la première fois de sa vie que Kane cherchait à apaiser une femme en colère et il ne savait pas comment s'y prendre. Il finit par saisir le cheval d'Aryane par la bride.

— Je ne connais même pas cette Jane. Je ne vois pas qui c'est. Si ça tombe, elle est laide à faire peur...

— Elle portait une robe violette au mariage et...

— Tu veux dire cette petite brune à la taille bien faite ? Celle qui a de superbes yeux verts ? J'ai vu ses jambes quand elle descendait de calèche : elles sont magnifiques.

— Parce que tu regardais les autres femmes le jour de ton mariage !

— Quand je n'étais pas en train de t'observer escaladant ton rosier à moitié nue, sourit Kane.

Aryane lut le désir dans son regard et ne refusa pas sa main quand il la lui tendit pour l'aider à descendre de cheval.

A deux pas de la ville, à l'abri d'un buisson, ils s'aimèrent. Deux heures plus tard, lorsqu'ils arrivèrent à la demeure Taggert, leurs vêtements étaient froissés et Aryane avait des brins d'herbe dans les cheveux.

Edan les regarda gravir le perron main dans la main et sourit.

— Je vois, Aryane, que vous l'avez retrouvé. Kane, il y a quatre hommes qui attendent pour te voir et une douzaine de télégrammes.

Tandis que Kane gagnait son bureau, Aryane monta se changer. Dix minutes plus tard, il venait la rejoindre dans la chambre pour lui annoncer qu'il devait s'en aller pour affaires.

Il resta absent trois jours.

CHAPITRE XX

Il n'y avait pas quatre heures que Kane était parti qu'Aryane se rendait compte qu'elle était faite pour le métier d'épouse au foyer. Doriane pouvait avoir de l'ambition, vouloir changer le monde, elle, elle était faite pour diriger une maison.

Bien sûr, s'occuper de la demeure Taggert et commander la nuée de domestiques relevait du commandement d'armée mais, de par son éducation, Aryane avait été préparée à ce rôle de général en chef.

La jeune femme commença par écrire une lettre à Jane pour lui demander de venir quelques jours l'aider à mettre la maison en ordre. Parallèlement, elle écrivit à Sherwyn Taggert, le père de Jane, pour lui dire qu'elle espérait la garder près d'elle comme gouvernante. Aryane espérait qu'il ne s'opposerait pas à ce que Jane quitte la mine.

Aryane réunit ensuite dans la grande salle à manger tous les domestiques qu'elle avait engagés avant de s'enfuir avec Kane. Chacun se vit définir ses tâches et tous ceux qui se permirent une réflexion furent renvoyés sur-le-champ.

Le matin du second jour, la demeure Taggert ressemblait à une ruche. Sept bonnes faisaient le ménage, quatre valets de chambre descendaient les meubles du grenier et Mme Murchinson dans sa cuisine se voyait flanquée de trois assistantes.

Dehors, un cocher et deux palefreniers régnaient sur les écuries et quatre solides gaillards avaient été chargés de donner un coup de main au jardin, sous la direction de M. et Mme Nakazona, le couple de jardiniers japonais.

Quelques heures plus tôt, tout en aidant sa maîtresse à s'habiller, Susan lui avait raconté la scène terrible qui avait eu lieu entre Rafe et Ian Taggert.

L'adolescent avait clamé bien haut qu'il détestait son cousin Kane et que pour rien au monde il n'habiterait sous son toit. Comme Rafe lui faisait remarquer que personne ne le lui avait demandé, Ian expliqua qu'il s'agissait là d'une proposition d'Aryane mais qu'il préférait mourir plutôt que d'accepter.

Rafe et le jeune homme en étaient alors venus aux mains et, étant donné sa carrure, Rafe n'avait eu aucun mal à avoir le dessus. Rafe avait alors informé le rebelle qu'il resterait chez Kane jusqu'à nouvel ordre, dût-il le rouer de coups tous les jours. Et, pas question de s'enfuir, car Rafe le retrouverait et il verrait alors de quel bois il se chauffait !

Dès lors, Ian s'était cloîtré dans la chambre qu'on lui avait attribuée et seule Mme Murchinson avait pu le voir quand elle lui montait un plateau ou des livres.

— Des livres ? s'étonna Aryane.

— Ça a l'air d'être sa passion, répondit Susan. Mme Murchinson dit qu'il lit toute la journée et que ce n'est pas bon pour lui. Qu'il ferait mieux d'aller jouer au base-ball avec les garçons de son âge.

Maintenant que tous les domestiques s'étaient mis au travail, Aryane décida qu'il était temps de s'occuper de Ian. S'il devait vivre ici, il fallait l'intégrer au plus tôt à la vie de famille.

La jeune femme monta à sa chambre et frappa. Il fallut plus d'un coup pour que Ian se décide à lui dire d'entrer.

Au rouge de son front, Aryane comprit qu'il cherchait à dissimuler quelque chose et elle aperçut un livre dépassant de sous l'oreiller où il l'avait glissé précipitamment.

— Ainsi, vous voilà de retour, accusa-t-il plutôt qu'il ne fit remarquer.

— Oui, nous sommes rentrés hier soir. Comment trouves-tu ta chambre ?

La pièce ne contenait qu'un lit mais elle faisait facilement le double de la surface de la maison des Taggert à la mine.

— Pas trop mal, grogna Ian, les yeux fixés sur la pointe de ses lourdes bottines.

« Toujours ce maudit orgueil des Taggert », pensa Aryane.

— Ian, fit-elle, pourrais-tu m'aider cet après-midi ? J'ai engagé quatre hommes pour déplacer les meubles, mais j'aurais besoin de quelqu'un pour les superviser. Vérifier qu'ils ne les cognent pas en passant dans l'embrasure des portes, ce genre de choses. Tu veux bien m'aider ?

Ian hésita puis finit par accepter.

Aryane s'attendait à le voir se transformer en un véritable tyran, mais il n'en fut rien. Très vite il assit son autorité sur les quatre hommes placés sous ses ordres et tout se passa dans le calme et avec une remarquable efficacité.

Aryane le regardait faire descendre un énorme bureau dans le grand escalier quand Edan vint la rejoindre.

— Il est comme Kane, murmura-t-il. Ces gens-là n'ont jamais été enfants. Ils ont toujours fait preuve de sérieux et d'autorité. Ces hommes l'ont senti et c'est pour ça qu'ils lui obéissent au doigt et à l'œil.

— Edan, savez-vous jouer au base-ball ?

— Oui, pourquoi ? Vous avez l'intention de monter une équipe ?

— Pourquoi pas ? Il y a assez d'hommes ici pour ça. Je crois que je vais téléphoner au magasin de sport et faire livrer les équipements nécessaires. Vous croyez que j'arriverais à frapper la balle avec une batte ?

— Ma chère Aryane, je vous crois capable de tout pour peu que vous le vouliez, rétorqua Edan en se dirigeant vers le bureau.

— Le dîner sera servi à sept heures et on est prié de s'habiller ! cria-t-elle.

Le repas était excellent et la patience dont Edan fit preuve à l'égard de Ian détendit nettement l'atmosphère.

La soirée du lendemain ne se déroula pas aussi bien. Aryane avait passé pour descendre dîner une robe de faille verte au décolleté sage que fermait un grand camée ovale. Kane était rentré dans l'après-midi et n'avait même pas pris le temps de se changer avant de s'enfermer dans son bureau. Edan, superbe dans son habit, attendait la jeune femme en haut de l'escalier, non loin de Ian, auquel il avait prêté un de ses nouveaux costumes.

Sans un mot, Aryane saisit le bras d'Edan en souhaitant que Ian lui prît l'autre. Comme le jeune homme ne bougeait pas, Aryane attendit résolument qu'il se décide. S'étant enfin exécuté, le trio s'engagea dans le vaste escalier.

— Ian, fit Aryane, je ne sais comment te remercier pour toute l'aide que tu m'as apportée depuis deux jours.

— Où donc est passé tout le monde ? tonna la voix de Kane dans le hall. Vous sortez ? demanda-t-il, les ayant aperçus. Edan, j'ai besoin de toi.

En prononçant ces quelques mots, Kane n'avait pas quitté des yeux Aryane.

— Nous passons à table, dit calmement la jeune femme, coinçant le bras de Ian sous le sien pour l'empêcher de se dégager. Viens-tu avec nous ?

— Pas le temps. Faut bien que quelqu'un travaille dans cette maison, grogna Kane en tournant les talons.

Une fois à table, Aryane amena la conversation sur les lectures de Ian, sujet qui jusqu'alors avait été passé sous silence.

Le jeune homme s'étrangla. Si lire avait toujours été encouragé par son père et ses oncles, il l'avait toujours fait en cachette de peur que ses copains ne se moquent de lui.

— Qui as-tu lu récemment ? demanda Aryane.

— Mark twain, répondit-il à contrecœur.

— Demain, je vais te chercher un répétiteur. Ce sera mieux que d'aller à l'école car tu es maintenant trop grand.

— Si je dois mettre les pieds dans une école, je retourne à la mine !

— Tout à fait d'accord avec toi, coupa Aryane. Demain, nous irons également chez le tailleur te faire faire des costumes. Ah, voici le sorbet. Je suis sûre que tu vas l'aimer.

Edan rit en voyant l'expression renfrognée de Ian.

— Inutile de discuter, fit-il. Personne n'arrive à faire changer Aryane d'avis.

— Sauf *lui.*

— Lui, comme tu dis, moins que quiconque.

Ils entamaient les desserts quand Kane parut.

— Ce repas n'en finit pas, dit-il.

Kane posa un pied sur une chaise et se pencha pour prendre une grappe de raisin au centre de la grande table.

Un regard de la jeune femme le fit s'asseoir sur sa chaise. Aryane fit signe au domestique et on installa un couvert devant Kane.

Après un moment de surprise, Kane attaqua sa charlotte au chocolat et cela lui plut tellement qu'il sembla s'y absorber entièrement.

Pendant ce temps, Ian observait son cousin à la dérobée et Edan fixait attentivement sa propre assiette.

Afin de relancer la conversation, Aryane expliqua combien les Nakazona étaient contents d'avoir de l'aide au jardin. Kane raconta alors comment il avait fait leur connaissance et Edan se mêla à la conversation en parlant de ses plantes rares. Finalement, le repas s'acheva dans une ambiance agréable et chacun se sépara le sourire aux lèvres.

Kane et Edan se retirèrent dans le bureau tandis qu'Aryane et Ian passaient au salon.

La jeune femme prit un ouvrage et Ian se plongea dans un livre. A force d'insistance, la jeune femme finit par obtenir de l'adolescent qu'il lût à voix haute. Ian lisait bien et se révéla particulièrement doué pour interpréter les dialogues.

Au moment de se coucher, Aryane monta seule à sa chambre. Kane était toujours enfermé à double tour dans son bureau, fumant cigare sur cigare, à en croire la fumée bleutée qui filtrait sous la porte.

Il vint se coucher tard dans la nuit, prit la jeune femme contre lui et s'endormit aussitôt.

Aryane fut réveillée par les mains de Kane courant sur son corps. Sans même ouvrir les yeux, elle se tourna vers lui et leurs lèvres se reconnurent. Kane lui fit lentement l'amour, la menant jusqu'au paroxysme du plaisir.

Enfin, Aryane ouvrit les yeux.

— Eh oui, sourit-il, c'est bien ton mari. Tu aurais préféré quelqu'un d'autre ?

— Comment le saurais-je ? Veux-tu que j'essaie ? repartit-elle, ravie de le voir froncer le sourcil. Rassure-toi, je plaisante, je n'ai aucune envie de faire l'expérience.

— Bon, il faut que j'aille travailler, dit Kane en se levant, si je veux pouvoir payer l'armée que tu as recrutée.

Aryane le regarda disparaître dans la salle de bains et se cala paresseusement dans ses oreillers. Peu après, Susan frappa.

— Madame Aryane, il y a là Mlle Jane et son père et un chariot plein de leurs affaires.

— Dis-leur que je descends.

Quand Aryane fut habillée il y avait déjà longtemps que Kane était parti s'enfermer dans son bureau.

— Jane, fit-elle en entrant dans le salon, comme je suis heureuse que tu aies accepté ma proposition ! Nous avons vraiment besoin d'une gouvernante ici.

— Arrête tes mensonges, sourit Jane. Je ne suis pas dupe. Tu sais très bien que je n'ai aucune notion de la façon dont on dirige une telle maisonnée. Si je suis ici, c'est parce que mon père m'y a obligée, tout comme Rafe a forcé la main à Ian. Et justement, en ce qui concerne mon père, j'aimerais te demander de faire quelque chose.

— Je t'écoute.

— Voilà... hésita-t-elle, est-ce qu'il pourrait venir vivre ici aussi ? Si tu dis oui, je ferai tout ce que tu voudras.

— Mais, Jane, il n'y a aucun problème ! Et tu sais, tu n'as pas besoin de travailler. Tu fais partie de la famille et tu peux rester ici autant que tu le souhaites.

— Pas question ! Si je ne fais rien, je me connais, je mourrai d'ennui dans les quinze jours.

— Comme tu voudras. Bien, si tu me présentais ton père, maintenant ?

Quand Aryane découvrit Sherwyn Taggert, elle comprit pourquoi Jane ne voulait pas se séparer de lui. Brisé par ses années au fond de la mine, Sherwyn se mourait.

Kane resta dans son bureau pendant le déjeuner, mais Edan vint rejoindre tout le monde autour de la table.

Sherwyn se révéla être un vieux monsieur charmant, ne tarissant pas d'anecdotes drôles sur la mine et les mineurs.

Tout le monde riait quand Kane fit son entrée. Aussitôt Aryane fit signe au domestique de lui installer un couvert.

Pendant tout le reste du repas, Kane parla très peu mais observa attentivement chaque convive tour à tour.

— J'ai une bonne nouvelle pour toi, Ian, annonça Aryane. Hier, j'ai envoyé un télégramme à un vieil ami de mon père qui habite Denver. C'est un ancien explorateur anglais qui a parcouru le monde. Il est allé en Egypte, au Tibet, un peu partout. Je lui ai demandé s'il voudrait bien venir ici et te servir de professeur. J'ai reçu sa réponse ce matin : c'est oui.

Ian demeura un instant silencieux.

— Il connaît l'Afrique ?

— Notamment. Bon, que diriez-vous d'une partie de base-ball ? dit Aryane en se levant de table. J'ai fait dessiner un terrain sur la grande pelouse et j'ai tout ce qu'il faut pour jouer. J'ai même un manuel avec toutes les règles mais je dois admettre que je n'y comprends rien.

— Je suis certain que Ian saura vous expliquer les rudiments, intervint Sherwyn. Et Edan doit aussi les connaître.

— Vous venez avec nous, Edan ? demanda Aryane.

— Avec joie.

— Et toi, Jane ?

— Pourquoi pas.

— Kane ?

— Impossible, j'ai trop de travail. Et, Edan, j'ai besoin de toi.

— Adieu, base-ball ! soupira le jeune homme, suivant Kane dans le bureau.

Tandis qu'Edan s'asseyait à la table, Kane se mit à arpenter la pièce, revenant sans cesse devant la grande fenêtre d'où on apercevait le terrain de jeu. Edan se demanda si Aryane avait choisi délibérément cet endroit.

— Elle est belle, n'est-ce pas ? fit Kane, au lieu de répondre à la question qu'Edan venait pourtant de lui poser pour la deuxième fois.

— Qui ça ? fit le jeune homme, fouillant dans ses papiers comme si de rien n'était.

— Aryane, bien sûr ! Regarde-moi ce Ian. Il joue ! A son âge, je travaillais quatorze heures par jour.

— Lui aussi, il n'y a pas si longtemps. Et moi aussi. D'ailleurs, je ne vois pas ce que je fais ici, ajouta-t-il en repoussant sa chaise. Toute cette paperasse peut bien attendre quelques heures. Je vais aller profiter un peu du soleil. Tu viens ?

— Non, il faut bien que quelqu'un reste, bougonna Kane. Et puis, si, je viens ! Et je te parie cent dollars que je suis celui qui envoie la balle le plus loin.

— Pari tenu.

Kane s'adonna au jeu avec l'enthousiasme d'un enfant. Il ne parvint à frapper la balle avec sa batte qu'à la troisième tentative, mais personne n'osa lui dire qu'il n'en avait pas le droit. La balle ainsi expédiée alla briser une fenêtre du second étage et Kane en parut ravi. Il ne cessa ensuite de donner des conseils à tout le monde.

A un moment, Kane et Ian faillirent se battre à coups de batte, mais Aryane réussit à les séparer avant le premier sang. A sa grande surprise, les deux lutteurs s'unirent contre elle pour lui dire de se mêler de ses affaires.

Aryane, penaude, reprit sa place près de Sherwyn.

— Ian commence à se sentir chez lui, lui sourit le vieil homme. Rafe et lui n'arrêtaient pas de s'injurier et je crois que ça commençait à lui manquer.

— Vous n'avez pas peur qu'ils se fassent du mal ?

— Non, votre Kane a trop la tête sur les épaules pour en arriver là. C'est à votre tour de jouer, Aryane.

Aryane profita de ce que Kane et Ian se disputaient comme des chiffonniers sur un point de règlement pour expédier d'un coup de batte sa balle dans l'autre camp.

— Cours, Aryane, cours ! hurla Jane.

Relevant ses jupes à hauteur des genoux, la jeune femme partit de toutes ses forces, prenant une bonne longueur d'avance. Kane réalisa alors ce qui se passait et se lança à sa poursuite. Aryane le vit se rapprocher par-dessus son épaule et se dit que s'il la percutait, elle y laisserait au moins trois dents. Elle redoubla de vitesse.

Kane la plaqua au sol en l'attrapant par les chevilles. Mais il était trop tard, elle venait de regagner son camp.

— Bravo ! applaudit Sherwyn.

Kane et Ian, qui faisaient équipe, se mirent alors à l'abreuver d'injures, mais le vieil homme demeura imperturbable, un sourire heureux éclairant son visage ridé.

Jane vint aider Aryane à se relever.

— On dirait qu'il n'aime pas perdre, sourit-elle en regardant son mari à l'autre bout du terrain.

— Tu n'as rien à lui envier sur ce chapitre ! rit Jane.

Les mains et le visage couverts de poussière, la jupe en lambeaux, Aryane alla prendre Kane par le bras.

— Puisque nous t'avons battu à plates coutures, fit-elle, que dirais-tu d'arrêter pour aujourd'hui et d'aller prendre des rafraîchissements ? On continuera demain.

Kane lui jeta un regard vexé, puis éclata de rire en la prenant dans ses bras.

— J'ai gagné face à tous les businessmen de Wall Street, mais toi, je n'ai pas encore réussi à te battre une seule fois !

— Ça suffit, les amoureux, intervint Edan. Allons boire quelque chose.

Il se tourna ensuite vers Jane et lui offrit son bras. Les deux couples partirent vers la maison, suivis de Ian et de Sherwyn.

CHAPITRE XXI

Cette partie de base-ball brisa définitivement la glace au sein de la famille. De ce jour, Kane ne fuit plus la table et Ian sortit de son mutisme, rendant les repas nettement plus animés. Un jour, Kane le traita de rêveur et il lui dit qu'il ignorait tout de la vraie vie. Piqué au vif, l'adolescent lui rétorqua (dans des termes qui obligèrent Aryane à le menacer de sortir de table) qu'il n'appartenait qu'à lui, Kane, de lui montrer ce qu'était cette fameuse vraie vie !

Kane le prit au mot et l'initia aux affaires, lui expliquant le fonctionnement de la Bourse et comment lire un contrat.

En quelques jours, Ian se mit à parler en milliers de dollars et à évoquer des transactions immobilières dans des villes qu'il aurait été incapable de situer sur une carte.

Un après-midi, Aryane surprit Sherwyn, installé à la table de jardin, en train de griffonner sur un papier. Plus tard elle constata qu'il s'agissait du dessin très réussi d'une mésange.

Elle acheta une boîte d'aquarelles, des pinceaux et des blocs de croquis qu'elle offrit à Sherwyn, prétendant les avoir par hasard trouvés dans un grenier.

Nullement dupe, le vieil homme les prit en riant et l'embrassa sur la joue. De ce jour il passa le plus clair de son temps à peindre dans le jardin.

Aryane alla rendre visite à sa sœur qui venait d'ouvrir une aile réservée aux femmes à l'hôpital Westfield. Elle y rencontra Leander, qu'elle n'avait pas revu depuis le jour du mariage, et décida de mettre fin au malaise qui régnait entre eux.

— Leander, fit-elle, je veux que tu saches que je suis très contente de la tournure qu'ont prise nos vies et que je suis très heureuse avec Kane.

— Je n'ai jamais voulu te faire du mal, Aryane.

— C'est moi qui ai insisté pour que nous changions de place avec Doriane. Peut-être qu'inconsciemment je trouvais qu'elle et toi formiez un vrai couple. Veux-tu que nous oubliions le passé et que nous soyons amis ?

— C'est mon vœu le plus cher. Tu sais, Aryane, tu as épousé un type très bien.

— Oui, je sais, mais pourquoi me dis-tu ça ?

— Tu m'excuses, il faut que je m'en aille. On se verra peut-être dimanche à l'église. Au revoir.

Aryane fronça les sourcils et finit par hausser les épaules.

Ils étaient mariés depuis trois semaines quand Aryane informa Kane qu'elle allait s'attaquer à la décoration de son bureau. Elle s'était attendue à ce qu'il ne se montre pas enthousiaste, mais il entra dans une colère noire. Ce jour-là, Aryane enrichit son vocabulaire de toutes sortes de mots à faire se pâmer bien des dames.

Sous les regards curieux d'Edan et de Ian, qui semblaient vouloir compter des points, Aryane attendit que l'orage fût passé puis annonça posément à son mari qu'elle allait nettoyer la pièce incriminée et la meubler décemment.

— Soit tu me laisses faire pendant la journée et tu me donnes ton avis, conclut-elle, soit je m'en occuperai la nuit pendant que tu dormiras.

Kane la regarda d'un air si menaçant qu'elle crut un instant qu'il allait l'étrangler. Enfin, il sortit de la pièce en claquant la porte si fort qu'il faillit l'arracher de ses gonds.

— Maudites femmes, l'entendit-on hurler dans le hall. Il faut toujours qu'elles chamboulent tout sur leur passage ! Elles ne supportent pas de voir un homme heureux avec ce qu'il a !

Aryane s'était attendue à trouver le bureau sale ; il se révéla une véritable porcherie.

Rien que faire le ménage à fond prit deux bonnes heures et occupa cinq domestiques.

La place nette, la jeune femme fit ôter la vieille table et les mauvaises chaises pour les remplacer par un bureau

Louis XVI, deux profonds fauteuils de cuir pour les visiteurs et un grand fauteuil Voltaire de cuir rouge pour Kane.

Les meubles installés, Aryane renvoya tous les domestiques à l'exclusion de Susan et entreprit de mettre de l'ordre dans les armoires.

Pas question de ranger les tonnes de paperasse froissée qui s'y entassaient, mais on pouvait quand même mettre un peu d'ordre. Elle envoya Susan chercher des fers à repasser à l'office et entreprit de repasser un à un les documents afin de pouvoir les empiler correctement.

Dans le placard à gauche de la cheminée de marbre, Aryane découvrit des cadavres de whisky et une série de verres qui manifestement n'avaient jamais été lavés depuis l'installation du maître de maison en ces lieux.

— Prends-les et plonge-les dans l'eau bouillante, dit-elle à Susan. Je veux que désormais, des verres propres soient apportés ici chaque matin.

En ouvrant le placard qui faisait pendant au précédent de l'autre côté de la cheminée, Aryane eut un choc. Il était bourré à craquer de billets de banque de toutes sortes !

La jeune femme envoya immédiatement quelqu'un en ville acheter un coffre-fort et en attendant se mit à repasser les billets un par un, les classant par nationalité.

La cheminée fut ornée d'une série de statuettes antiques représentant Vénus, et les hautes fenêtres se virent garnies d'épais rideaux de velours bleu nuit.

Quand Kane découvrit son bureau, il observa tout attentivement sans dire un mot puis se laissa tomber dans son fauteuil.

— J'avais peur que tu repeignes tout en rose bonbon, grinça-t-il.

— Je savais que ça te plairait, dit Aryane en venant lui poser un petit baiser sur le front. Ne dis pas le contraire, je sais que tu aimes les jolies choses.

La jeune femme quitta la pièce très fière d'elle-même et sourit tout le temps que durèrent ses essayages chez sa couturière.

Deux jours plus tard, ils donnèrent leur premier dîner, qui se révéla un véritable succès.

Pour ne pas mettre Kane mal à l'aise, Aryane n'avait

invité que des amis proches qu'il connaissait déjà et il se montra un hôte charmant. Il prit soin de servir lui-même le champagne aux dames et s'offrit à faire visiter à tous la maison.

Ce n'est qu'après le repas qu'Aryane eut envie de disparaître sous terre.

Elle avait loué pour divertir ses convives les services d'un extralucide.

Pendant les dix premières minutes, Kane ne cessa de s'agiter sur son siège, puis finit par parler avec Edan de certaines terres qu'il comptait bien acquérir rapidement. Comme la jeune femme se tournait vers lui pour lui demander de se taire, il quitta sa place et sortit du salon, clamant bien haut que le voyant n'était qu'un charlatan.

Les invités enfin partis, Aryane alla à la recherche de Kane et finit par le trouver à l'autre bout du jardin.

Il ne se retourna pas quand Aryane arriva à sa hauteur, mais continua de fumer son cigare, le regard perdu dans la nuit.

— Je n'aime pas cet homme, Aryane. Je ne crois pas à la magie et je suis incapable de faire semblant.

Aryane l'enlaça et le fit taire d'un baiser.

— Je n'arrive pas à comprendre comment une femme comme toi peut se retrouver aux côtés d'un palefrenier de mon espèce, murmura-t-il.

— Parce qu'elle a beaucoup de chance, répondit-elle, recommençant à l'embrasser.

Kane dégrafa sa robe et la fit glisser à terre. Puis il souleva la jeune femme dans ses bras et l'emporta sous une tonnelle où il l'allongea doucement.

Il la caressa si longtemps qu'elle crut qu'elle allait devenir folle. Enfin, il la prit et elle cria presque aussitôt ; criant encore quelques instants plus tard quand à son tour il connut l'extase.

— Tu n'as pas froid ? Tu veux rentrer ?

— Non, je ne me suis jamais sentie aussi bien. Dis-moi, pourquoi crois-tu que Fenton continuait de payer Sherwyn alors que de toute évidence il ne pouvait plus travailler ?

Kane s'éloigna d'elle en grondant et reprit ses vêtements.

— Je n'ai pas envie de subir encore tes questions. Tu

peux te rhabiller toute seule. Moi, je rentre, j'ai encore du travail à faire.

Aryane se retrouva seule, partagée entre l'envie de pleurer et celle de se réjouir d'avoir posé cette question. De toute évidence, des liens obscurs liaient les Taggert et les Fenton, et rongeaient Kane. Il n'y avait qu'en l'obligeant à en parler qu'on pourrait l'en libérer.

La nuit suivante, Aryane se réveilla tremblante et sut immédiatement que Doriane était en danger. Elle se souvint que sa mère racontait souvent la façon dont un jour elle avait cassé une théière et s'était mise à pleurer en répétant que Doriane était blessée. On avait retrouvé la fillette, alors âgée de sept ans, inanimée au bord d'un ruisseau. En tombant de l'arbre où elle était grimpée, elle s'était cassé le bras. Pourtant, cet étrange phénomène de télépathie ne s'était plus reproduit depuis.

Pendant deux heures, Aryane trembla entre les bras de Kane, puis finit par s'endormir apaisée : le danger était passé.

Le lendemain, Doriane vint lui rendre visite et passa l'après-midi à raconter comment effectivement sa vie avait été en péril.

Quatre jours plus tard, le jeune Zacharie fit irruption dans leur vie. Ils allaient tous passer à table quand le jeune garçon entra en coup de vent dans la maison, un laquais affolé à ses trousses, hurlant qu'il venait d'apprendre que Kane était son père, qu'il en avait déjà un et qu'il n'en voulait pas un second. L'instant d'après, il était ressorti.

Alors que chacun demeurait bouche bée, Kane s'assit tranquillement à table et demanda au domestique quelle était la soupe du jour.

— Kane, dit Aryane, je crois qu'il serait bien que tu le rattrapes.

— Pour quoi faire ?

— Lui parler, tout simplement. Cela a dû lui faire très mal de découvrir que celui qu'il croyait son père ne l'était pas.

— Le mari de Pamela *était* son père. C'est lui qui l'a élevé.

— Tu pourrais peut-être essayer de le lui expliquer ?

— Je ne sais pas parler aux enfants.

Aryane se contenta de le foudroyer du regard.

159

— C'est bon, j'y vais ! Mais dans quelques années je serai ruiné à force de faire toutes les folies que tu me demandes.

— Kane, surtout ne lui propose pas de lui acheter quoi que ce soit. Dis-lui simplement la vérité et propose-lui de faire la connaissance de son cousin Ian.

— Veux-tu ausi que je lui offre de venir ici pour qu'il t'aide à me mettre sur la paille ?

Kane sortit en marmonnant des phrases décousues où il était question de « mourir de faim »...

Il retrouva Zacharie qui marchait lentement sur la route.

— Tu aimes jouer au base-ball ? demanda-t-il.

— Certainement pas avec vous.

— Je ne vois pas pourquoi tu m'en veux autant. De tout ce que j'ai pu entendre, ton père était un type très bien et je n'ai jamais dit le contraire.

— Les gens de cette ville minable disent que c'est *vous* qui êtes mon père.

— C'est une façon de parler : j'ignorais jusqu'à ton existence il y a encore quelques jours. Tu aimes le whisky ?

— Le whisky ? Je... je ne sais pas, je n'en ai jamais bu.

— Viens avec moi à la maison. On va boire un verre et je t'expliquerai pas mal de choses sur les pères, les mères et les jolies filles.

Kane et son fils passèrent tout l'après-midi enfermés dans le bureau, tandis que pour tromper son énervement Aryane déambulait d'une pièce à l'autre. Elle croisa Zacharie qui s'en allait enfin et le jeune garçon, tout rouge, lui jeta un regard étrange avant de disparaître.

— Zacharie m'a regardée d'une façon très bizarre, dit-elle à Kane quand il l'eut rejointe.

— Je lui ai expliqué comment on faisait les enfants et je crois que je me suis laissé un peu emporter par mon sujet.

Aryane demeura bouche bée.

— Bon, il faut que je travaille tard ce soir car demain Zacharie vient jouer au base-ball avec Ian et moi. Tu es sûre que tu vas bien ? Tu es toute pâle. Tu ferais bien de te reposer un peu. Tenir cette maison te fatigue trop.

Kane l'embrassa distraitement et retourna dans son bureau.

160

Quelques jours plus tard, Kane se rendit au magasin de sport, pour voir quel genre de jeux autres que le base-ball il pourrait pratiquer.

Face à Ian et à Zacharie, Edan et lui ne cessaient de se faire battre. Ian, par respect et par crainte pour son bienfaiteur, ne se permettait aucune remarque quand il enfreignait les règles, mais Zacharie, lui, ne lui passait rien. Et Kane se voyait régulièrement remis à sa place. Il fallait donc trouver une autre activité.

Kane et Edan parcoururent attentivement les rayons, dressant une liste impressionnante de matériel, et ne virent pas tout de suite que Jacob Fenton était lui aussi dans le magasin.

Jacob Fenton ne sortait plus que rarement de chez lui, préférant s'occuper de sa mine et maudire le sort qui lui avait donné un fils incapable de s'intéresser aux affaires.

Mais récemment, un rayon de soleil était entré dans sa vie avec le retour de sa fille Pamela et surtout la découverte de son petit-fils, Zacharie.

Zacharie avait tout pour réchauffer le cœur du vieil homme. Il était beau, solide, vif et intelligent et de surcroît il avait le sens de l'humour. Son seul défaut était l'affection grandissante qu'il éprouvait pour son père. Chaque après-midi, au lieu de rester avec son grand-père à apprendre comment on dirigeait la mine, il préférait aller faire du sport avec son père. Jacob avait donc décidé de combattre le mal par le mal en achetant à son petit-fils tout l'équipement sportif dont il pouvait rêver.

Kane et Jacob Fenton se retrouvèrent face à face. Aussitôt le visage de Kane s'empourpra de haine.

Jacob ne le reconnut pas. Il se dit simplement que le visage de l'inconnu lui était vaguement familier et que ses vêtements avaient dû coûter une petite fortune.

— Excusez-moi, fit-il, tentant de se frayer un passage.

— Hors de vos écuries, vous ne me reconnaissez plus, Fenton.

Fenton réalisa que l'homme lui rappelait Zacharie et, comprenant enfin qui il était, il poursuivit son chemin.

— Un instant, le retint Kane. Venez donc dîner chez moi dans quinze jours.

161

Jacob s'immobilisa, tournant toujours le dos à Kane, puis opina du chef avant de quitter le magasin.

— Livrez ça chez moi, dit Kane en posant la liste qu'il venait de dresser.

Puis il sortit à grands pas, flanqué d'Edan. Ils prirent place dans l'éternel chariot brinquebalant et Edan fit claquer son fouet.

— Je crois que je vais acheter une autre voiture que celle-ci, dit Kane.

— Pour quoi faire ? Pour impressionner Fenton ?

— Qu'as-tu derrière la tête, Edan ?

— Tu le sais très bien, rétorqua le jeune homme, la mâchoire soudain crispée. Pourquoi tiens-tu absolument à inviter le vieux Fenton chez toi ? Pour lui montrer que tu as mieux réussi que lui ? Lui en mettre plein la vue avec ta belle maison, ta superbe argenterie et ton épouse ? N'as-tu jamais pensé à la manière dont Aryane réagira quand elle découvrira que tu l'as prise pour femme comme on achète une voiture neuve ?

— Ce n'est pas la vérité et tu le sais très bien. Aryane me crée parfois des difficultés mais il y a aussi des compensations.

— Tu m'as dit souvent qu'une fois qu'Aryane aurait rempli son rôle, qu'elle aurait présidé le repas que tu voulais offrir à Fenton, tu te débarrasserais d'elle et retournerais à New York. Que tu la dédommagerais à grand renfort de bijoux.

— Elle n'a pas l'air de s'intéresser beaucoup à eux. Je lui en ai offert un plein coffre et elle ne l'a jamais ouvert.

— Elle t'aime et tu le sais pertinemment.

— Elle en a l'air. Mais qui sait ? Si je n'avais pas tout cet argent...

— Ton argent ! Tu es un salaud. Mais ouvre donc les yeux ! N'invite pas Fenton. Ne laisse pas Aryane comprendre pourquoi tu l'as épousée. Tu ne te rends pas compte de ce que cela représente, de perdre ceux qu'on aime.

— Mais je n'ai pas l'intention de perdre quoi que ce soit ! Ce que je veux, c'est avoir Fenton à dîner. J'ai travaillé pour ça toute ma vie, et je n'ai pas envie de renoncer à ce plaisir.

— Le plaisir ! Tu ne sais même pas ce que c'est ! Je t'en prie, Kane, ne gâche pas tout.

162

— Tu n'es pas obligé d'être là si tu n'en as pas envie.

— Je ne raterai pas ça comme je ne raterai pas ton enterrement !

CHAPITRE XXII

Les mains d'Aryane tremblaient comme elle fixait un camélia blanc dans ses cheveux. Les deux semaines écoulées l'avaient mise à bout de nerfs.

Quand Kane lui avait annoncé que Jacob Fenton viendrait dîner, elle avait tout d'abord été très heureuse. Elle voyait dans cette réunion le moyen de combler enfin le fossé qui séparait les deux hommes. Mais, très vite, elle avait déchanté.

Kane n'avait cessé de la bombarder de questions sur chacun des préparatifs. Ce dîner n'était plus une simple réception parmi d'autres : il devenait la réception du siècle.

Kane avait exigé de Mme Murchinson qu'elle préparât le repas une première fois afin de pouvoir goûter chaque mets et juger de leur enchaînement. Il n'avait pas quitté le valet de chambre d'une semelle tandis qu'il astiquait l'argenterie.

Ensuite, ce fut un raid en bonne et due forme dans les placards d'Aryane : Kane décréta qu'elle n'avait plus rien à se mettre. D'ailleurs, plus personne dans cette maison n'avait de tenue décente et il fallut rhabiller tout le monde de pied en cap. Aryane dut presque se battre avec lui pour que les domestiques ne soient pas en livrée XVIIIe et perruque poudrée. Bref, Kane semblait en proie à la folie des grandeurs et menaçait de sombrer à tout instant dans le ridicule.

Après ces deux semaines, chacun priait pour que ce dîner soit terminé et que l'on puisse enfin respirer un peu.

Sherwyn et Jane s'étaient prudemment fait porter pâles, mais Ian, soutenu par Zacharie, avait déclaré que pour rien au monde il ne voulait manquer un tel feu

163

d'artifice. D'ailleurs, pour Ian, Jacob Fenton, en tant que propriétaire des mines de charbon, représentait Satan en personne : se retrouver à la même table que lui le fascinait.

Aryane aurait reçu ce soir-là le président des Etats-Unis, la maisonnée n'aurait pas été davantage sur les dents. La jeune femme redoutait qu'un domestique ne renverse une assiette de potage sur les genoux de Jacob et que Kane l'étripe dans la foulée.

Mais ce qui rendait Aryane encore plus nerveuse, c'était que Kane lui avait promis de lui révéler ce qu'il y avait entre Fenton et lui.

La veille, un coup de téléphone de Pamela était venu donner le coup de grâce. Elle avait supplié Aryane d'annuler la réception, lui expliquant que par un étrange pressentiment elle redoutait ce qui s'y dirait. Le cœur de son père n'était plus très solide et elle avait peur qu'il ne supporte pas que Kane se mette en colère.

Aryane avait voulu raisonner Kane, mais il lui avait dit qu'elle ne savait pas de quoi elle parlait. C'est alors que, comme elle lui signifiait clairement que si elle en savait plus elle pourrait peut-être y voir clair, il avait juré de tout lui révéler avant de passer à table.

Soudain, Aryane sursauta en apercevant Kane dans son miroir.

— Retourne-toi, dit-il. J'ai quelque chose pour toi.

Aryane obéit et il passa une rivière de diamants à son cou. Il lui remit aussi des pendants d'oreilles assortis.

— Parfait, dit-il, la prenant par la main et l'emmenant dans sa propre chambre.

Aryane s'assit dans un fauteuil tandis que Kane gagnait un mur et actionnait un mécanisme caché qui révélait un coffre-fort. Il en sortit un portefeuille de cuir d'où il tira une photo.

— Voici ma mère.

— Charity Fenton, murmura Aryane, observant le cliché. Ne sois pas si surpris, Edan m'avait dit qui elle était.

— Décidément, il ne sait pas tenir sa langue, celui-là.

Kane lui tendit une seconde photo où Aryane découvrit quatre jeunes hommes. Deux d'entre eux ressemblaient à Kane et tous paraissaient intimidés par l'objectif.

— Ce sont les quatre frères Taggert, expliqua-t-il. Le plus jeune, c'est Lyle, le père de Ian. A côté de lui il y a Rafe, puis Sherwyn, et enfin mon père, Frank.

— Tu lui ressembles.

Kane ne répondit pas mais posa sur la table à côté d'Aryane le reste des papiers contenus dans le porte-feuille.

— Ce sont tous les documents que j'ai pu réunir sur mes parents et sur ma naissance.

Aryane jeta un rapide coup d'œil sur les papiers puis attendit patiemment les explications de son mari.

— Je suppose que tu n'as jamais entendu parler d'Horace Fenton. Il est mort depuis très longtemps. C'était le père de Jacob. Du moins, c'est ce que croit Jacob. La vérité, c'est qu'Horace ne pouvait pas avoir d'enfant. Alors, il a adopté le bébé d'un couple de colons qui se rendaient en Californie et qui se sont fait tuer en route. Jacob n'avait que quelques années quand par miracle la femme d'Horace a réussi à mettre au monde une fille. Ils l'ont appelée Charity. D'après ce que j'ai pu apprendre, aucun enfant n'a été autant gâté que cette Mlle Charity Fenton. Rien n'était trop beau pour elle.

— Et Jacob ? Comment était-il traité ?

— Pas trop mal. Le vieil Horace passait tout à sa fille mais il a fait en sorte que son fils adoptif soit capable de s'en sortir dans l'existence. Sans doute comptait-il qu'il serait en mesure de subvenir aux besoins de Charity quand il ne serait plus là... J'ignore comment Charity et Frank se sont rencontrés. En tout cas, ce fut un coup de foudre et elle a voulu à tout prix se marier avec lui. Je crois que dans sa petite tête elle n'a jamais imaginé que son père ne serait pas ravi de la voir épouser un simple ouvrier.

Kane marqua un temps d'arrêt et le silence devint pratiquement palpable.

— Il a fait plus que lui refuser son consentement, reprit-il. Il l'a enfermée à double tour dans sa chambre. Elle a cependant réussi à s'en échapper et à passer deux jours avec Frank. Quand son père l'a retrouvée, elle était dans son lit et elle lui a dit que, dût-elle mourir, c'était lui qu'elle épouserait. Horace n'a rien voulu entendre.

— Je la plains, murmura Aryane.

— Elle a fini par gagner. Deux mois plus tard, elle était enceinte.

— De toi.

— Oui, de moi. Horace l'a mise à la porte de chez lui en lui disant qu'elle avait cessé d'être sa fille. Quant à sa femme, elle est tombée malade et, quatre mois plus tard, elle mourait de chagrin.

— Ainsi, voilà pourquoi tu hais les Fenton. Tu ne leur pardonnes pas d'avoir grandi dans les écuries alors que tu avais autant de droits que Jacob d'hériter de leur fortune.

— Autant ! Qu'est-ce qu'il te faut ! Mais attends, tu n'as pas encore entendu la suite de l'histoire. Frank et Charity se sont retrouvés dans un taudis. Les gens refusaient de parler à ma mère parce qu'elle était une Fenton. D'après ce qu'on m'a dit, ses caprices n'arrangeaient pas les choses. Enfin... Deux mois après avoir épousé mon père — l'acte de mariage est là — Frank est mort dans un coup de grisou.

— Et elle est retournée chez ses parents.

— Non. Son père avait un cœur de pierre. Une servante m'a raconté que quand elle est venue retrouver Horace, elle était dans un état épouvantable. Bien qu'enceinte de plusieurs mois, elle était d'une maigreur effrayante. Il l'a accusée d'avoir tué sa mère. Tout ce qu'il a bien voulu faire pour elle, c'est l'engager comme bonne pour un salaire de misère.

Kane tremblait de rage et de chagrin et Aryane vint le prendre dans ses bras.

— Il l'a fait travailler comme une esclave, poursuivit-il. Puis un soir, son travail fini, ma mère est montée dans sa soupente. Là, elle m'a mis au monde, puis elle s'est pendue.

— Quelle horreur ! Et qu'a fait Fenton ?

— C'est lui qui l'a trouvée. Qui sait ? Peut-être avait-il été pris de remords et était-il venu lui pardonner. En tout cas, il était trop tard : quand il est entré, elle était déjà morte. J'ai eu beaucoup de mal à reconstituer la suite. Fenton m'a trouvé une nourrice, puis il s'est enfermé dans son bureau avec une armée d'avocats. Enfin, deux jours après la mort de ma mère, il s'est tiré une balle dans la tête.

166

Aryane se laissa tomber sur un siège, anéantie. Ainsi, tel était le drame qui avait poursuivi Kane toute sa vie.

— C'est pour ça que tu as été élevé par les Fenton, murmura-t-elle.

— Elevé ? Tu parles ! Je n'ai été élevé par personne ! hurla-t-il, avant de se ressaisir. Quand le testament d'Horace Fenton a été ouvert, on a appris qu'il s'était arrangé pour laisser tous ses biens à l'enfant de sa fille.

— Toi ?

— Oui, moi. Jacob n'avait pas un sou. Il était simplement nommé tuteur de Kane Franklin Taggert, alors âgé de trois jours.

— Mais je ne comprends pas... Je croyais que...

— Tu croyais que j'étais né sans le sou ? C'est presque ça. Après l'ouverture du testament, Jacob est resté enfermé plusieurs heures avec les avocats et quand ils sont enfin ressortis, j'avais été spolié de toute ma fortune. Ils avaient concocté un nouveau testament, complètement faux, qui laissait tout à Jacob.

— Qu'ont-ils fait de toi ?

— Ils ont fait courir le bruit que l'enfant de Charity était mort à la naissance. Pendant environ six ans, j'ai été ballotté de ferme en ferme. Jacob avait peur que, si je restais toujours chez la même famille, on réussisse à retrouver ma trace.

— Sans doute avait-il peur des Taggert. J'imagine mal Rafe abandonnant son neveu.

— C'est l'argent qui donne du pouvoir, or les Taggert n'ont jamais eu un sou, dit Kane, amer.

— Quant à Jacob, il n'a pas voulu renoncer à ce pourquoi il avait travaillé depuis toujours, dit Aryane, se remettant debout. Il avait toujours cru qu'Horace était son père et soudain, il découvrait qu'il n'était rien, que toute la fortune allait à un nouveau-né.

— Parce que tu le défends !

— Absolument pas. J'essaie simplement de comprendre pourquoi il a agi si bassement. Que se serait-il passé s'il avait géré tes biens et qu'une fois majeur tu l'avais flanqué dehors ?

— Jamais je n'aurais fait ça.

— Je le sais bien, mais comment pouvait-il le savoir ?

Et maintenant ? Que comptes-tu faire ? Le poursuivre en justice ?

— Non. Si je l'avais voulu, j'aurais pu le faire depuis des années.

— Tu es vraiment certain de ne pas vouloir lui reprendre son argent ? Tu te rends compte qu'actuellement ton fils vit chez lui et qu'il serait la première victime ?

— Arrête de prendre le parti des Fenton ! Tout ce que j'ai toujours voulu, c'est pouvoir inviter Jacob Fenton dans une maison plus grande que la sienne et l'asseoir à une table présidée par une vraie lady.

Aryane le fixa longuement.

— J'aimerais connaître le fond de ta pensée, fit-elle. Dis-moi quel rôle exact je joue dans toute cette histoire.

Sans pouvoir se l'expliquer, Aryane sentait la peur monter en elle.

— Quand Fenton m'a jeté dehors, il m'a dit que je n'aurais jamais « tout ça ». Sur le moment, j'ai cru qu'il parlait de Pamela et de la vie qu'elle représentait. Plus tard, quand j'ai commencé à gagner de l'argent, j'ai loué les services d'un détective privé. C'est là que j'ai découvert toute la vérité sur ma naissance et le reste.

— Tu as alors décidé de te venger de Fenton ; et moi, je ne suis qu'un pion sur l'échiquier.

— Si l'on veut... Je voulais construire une énorme fortune et inviter Fenton chez moi. La femme qui aurait joué le rôle d'hôtesse aurait été Pamela.

— Seulement, tu n'as pas pu.

— Non. J'ai découvert qu'elle était mariée et qu'elle avait un enfant. Je ne savais pas encore qu'il était de moi. J'ai donc dû changer mes plans. La maison devait se trouver ici pour que Fenton puisse la voir tous les jours et qu'en ville tout le monde sache que le garçon d'écurie avait réussi. Restait ma femme. Je suis vite arrivé à la conclusion que ce ne pouvait être qu'une des jumelles Chandler. J'ai fait faire une enquête et Doriane a été éliminée. Je ne pouvais pas me marier avec une femme dont personne ne voulait.

— Evidemment, ironisa Aryane. Il te fallait une lady cent pour cent.

— Bien sûr, tu étais fiancée à Westfield. Mais je savais que je finirais par t'avoir parce que j'avais plus d'argent que lui. Bien, fit-il en regardant sa montre, il est temps d'y aller. J'attends ce moment depuis des années.

Kane prit Aryane par le bras et l'entraîna hors de la pièce. Elle se laissa faire, trop bouleversée pour protester.

CHAPITRE XXIII

Durant tout le repas, Aryane se sentit aussi glacée que les diamants qui scintillaient à son cou. Elle avait l'impression de se débattre dans un cauchemar et seule son éducation lui permit de soutenir la conversation et de diriger les domestiques.

Apparemment, tout se passait bien. Pamela semblait se rendre compte de la tension qui régnait et faisait de son mieux pour aider. Ian et Zacharie parlaient sport, Jacob Fenton se concentrait sur son assiette et Kane observait le tout avec un sourire satisfait.

Aryane ne cessait de se demander ce que Kane avait prévu de faire d'elle une fois le dîner achevé. Pensait-il quitter Chandler ? Elle se souvenait qu'il pestait régulièrement sur la difficulté de traiter ses affaires si loin de New York. Comment avait-elle pu accepter sans se poser de questions qu'il se soit fait construire une telle demeure dans cette ville perdue ? Sans doute, la maison achevée, s'était-il empressé d'aller trouver Fenton pour le narguer...

Aryane prenait peu à peu conscience que toute la vie de Kane avait été basée sur sa vengeance et qu'elle-même n'en était qu'un élément et rien de plus. Pour l'homme auquel elle avait donné son cœur, elle n'était qu'un outil de destruction. Comment avait-elle pu se tromper sur lui à ce point ?

Le repas terminé, Aryane entraîna Pamela au salon, laissant les hommes fumer leurs cigares.

Les deux jeunes femmes parlèrent de choses et d'autres. A aucun moment l'étrange repas qu'elles venaient de faire ne fut évoqué, mais à deux reprises Aryane surprit Pamela en train de la regarder bizarrement.

Kane emmena Jacob dans son bureau et lui offrit un cognac millésimé.

— Alors, pas mal pour un palefrenier, vous ne trouvez pas ?

— C'est bon, vous m'avez montré votre maison. Que voulez-vous maintenant ?

— Rien d'autre. Vous voir ici me suffit.

— Vous ne pensez tout de même pas que je vais vous croire ? Un homme qui s'est donné autant de mal pour me montrer comment il avait réussi dans la vie ne va pas se contenter d'un simple dîner. En tout cas, je vous préviens, si vous essayez de me prendre ce qui m'appartient, je...

— Vous soudoierez d'autres avocats ? coupa Kane. Trois de ces salauds sont encore en vie et si je le voulais je pourrais les payer suffisamment cher pour qu'ils disent la vérité.

— Vous êtes bien un Taggert. Toujours à prendre ce ce qui n'est pas à eux. Votre père a pris Charity et lui a fait mener une vie tellement atroce qu'elle s'en est pendue.

— Si ma mère est morte, c'est à cause d'Horace Fenton, accusa Kane, blanc de rage. Et vous, vous m'avez volé tout ce qui me revenait.

— Vous n'aviez rien. Tout était à moi. Je dirigeais ces affaires depuis des années. Vous ne croyez tout de même pas que j'allais me laisser déposséder par un bébé ! Et vous, ensuite, en bon Taggert, vous avez voulu me voler ma fille. Vous ne croyez pas que j'allais vous laisser faire ce que votre père avait fait à ma sœur !

— Regardez bien autour de vous, Fenton. Regardez bien cette maison. Voilà, comme vous dites, ce que j'aurais fait à Pamela.

— Faux, dit Fenton, écrasant son cigare en quittant son fauteuil. Vous ne vous êtes jamais dit que je vous avais rendu un service ? Si je vous avais laissé ma fille et vous avais donné ce que vous croyez être à vous, vous n'auriez probablement jamais travaillé une seule journée de votre vie. Vous ne devez votre réussite qu'à votre haine stupide.

Fenton ouvrit la porte et se retourna une dernière fois vers Kane.

— Et n'essayez pas de me chercher des histoires,

170

sinon je fais arrêter votre femme pour entrées illégales dans mes camps et tentatives de soulèvement.

— Quoi !

— Je me demandais si vous étiez au courant... Elle est dans l'illégalité jusqu'au cou. Et dites-lui qu'elle ferait bien de se méfier. Ma patience a des limites. Bonsoir, Taggert !

Kane resta longtemps seul dans son bureau et personne ne vint le déranger tandis qu'il buvait sa bouteille de whisky.

— Madame Aryane, fit Susan, entrant en coup de vent dans le salon où la jeune femme faisait les cent pas. M. Taggert vous demande immédiatement dans son bureau. Il est hors de lui.

Kane était assis en bras de chemise à son bureau et tenait d'une main une bouteille de scotch presque vide.

— Tu as tout fichu par terre, accusa-t-il. Toi et tes sales mensonges.

— Mais enfin, de quoi veux-tu parler ?

— Non seulement tu voulais mon argent, mais tu t'es servie de moi. Tu savais qu'en devenant une Taggert, Fenton n'oserait pas te mettre des bâtons dans les roues. Tu pourrais continuer tes manigances à la mine en toute impunité. Je me demande si ta sœur et toi aviez prémédité tout ça. Quel rôle faites-vous jouer à Westfield ?

Aryane s'assit en face de lui et le regarda droit dans les yeux.

— Tu racontes n'importe quoi, dit-elle, très calme. Je n'ai su le nom de ta mère que le jour de notre mariage.

— J'ai dit un jour à Edan que tu étais une bonne comédienne mais je ne me rendais pas compte à quel point je disais la vérité. Tu as bien failli m'avoir avec tes histoires de mariage d'amour. En fait, tu te servais de mon nom pour pénétrer dans les mines. Je me suis battu des années pour arriver à ce soir et tu as tout détruit. Maintenant, Fenton menace de te traîner en justice et de faire de moi la risée de toute la ville.

— Assez ! Tu n'as rien à voir là-dedans. Oui, c'est vrai, je vais aux mines, mais je le fais depuis longtemps et à cette époque j'ignorais jusqu'à ton existence. Tu ne penses qu'à l'argent, mais moi je m'en moque. Je ne veux pas vivre avec un homme qui a construit une maison comme

171

celle-ci et qui a épousé une femme qu'il n'aimait pas uniquement pour se venger d'un vieillard qui il y a plus de trente ans a défendu ce qu'il estimait être son bien ! J'arrive à comprendre les motivations de Fenton, mais pas les tiennes. Tu peux croire tant que tu voudras que je t'ai épousé pour ton argent, mais moi je sais que je t'ai épousé parce que je t'aimais ! Seulement, j'aimais un homme qui n'existait que dans mon imagination, pas toi. Toi, tu n'es qu'un inconnu et je n'ai pas l'intention de continuer à vivre auprès d'un inconnu.

Kane la foudroya du regard.

— Si tu crois que je vais te supplier de rester, tu te trompes. Je me serai bien amusé avec toi. En fait, plus que je ne m'y attendais. Mais je n'ai pas besoin de toi.

— Erreur ! Tu ne te rends même pas compte à quel point tu as besoin de moi. Mais je ne peux pas aimer quelqu'un que je ne respecte pas. Tu n'es pas l'homme que je croyais.

Kane gagna la porte, l'ouvrit et lui fit signe de sortir. Aryane passa devant lui sans un regard, traversa le hall et se retrouva dans la nuit.

Un attelage attendait au bout de l'allée.

— Vous partez, n'est-ce pas ? fit la voix de Pamela.

Aryane la regarda sans un mot et Pamela retint son souffle en découvrant son visage défait.

— Montez, dit-elle. Je me doutais bien qu'il se passait un drame. Mon père était dans un tel état quand il est rentré que j'ai dû appeler le médecin. Ecoutez, Aryane, j'ai une maison à moi maintenant et vous pouvez venir vous y installer. Vous resterez avec Zacharie et moi en attendant que les choses s'éclaircissent.

Comme Aryane ne bougeait pas, Pamela descendit et la poussa à l'intérieur de la calèche. Aryane était incapable de penser. Elle ne savait qu'une chose : elle venait de perdre ce qu'elle aimait le plus au monde.

Kane fit irruption dans le salon du premier que se partageaient Ian et Edan. Ce dernier posa calmement le livre qu'il était en train de lire et l'observa.

— Je veux que tu découvres ce qu'Aryane fait dans les mines, fit Kane.

— Que veux-tu savoir exactement ?

— Tout. Quand elle y va, pourquoi et comment.

— Tous les mercredis après-midi, elle se déguise en vieille femme et se fait appeler Sadie. Elle mène jusqu'au camp un plein chariot de légumes. Dedans il y a des médicaments, du savon, du thé, enfin tout ce qui peut être utile aux femmes des mineurs. Elles la paient avec des reconnaissances de dettes que Jane Taggert leur restitue après.

— Tu savais tout ça et tu ne m'en as jamais parlé !

— Tu m'as envoyé l'espionner mais tu ne m'as jamais demandé ce que j'avais vu.

— Je suis trahi de tous les côtés ! D'abord elle et maintenant toi. Et cette ordure de Fenton qui sait tout !

— Où est Aryane ? Que lui as-tu dit ?

— Elle vient de partir. Elle n'a pas supporté de se savoir découverte. Dès que j'ai compris qu'elle m'avait utilisé, moi et mon argent, elle s'est enfuie. Bon débarras.

— Espèce de salaud ! grinça Edan en l'attrapant par le revers de son veston. Cette fille est ce qui t'est arrivé de mieux de toute ta vie. Tu es tellement stupide que tu ne t'en rends même pas compte. Va la chercher !

— Pas question, rétorqua Kane en se dégageant. Elle est exactement comme toutes les autres. C'est une pute de luxe, rien de plus.

Kane ne vit pas venir le coup mais sentit très nettement les solides jointures de la main d'Edan percuter sa mâchoire. Il se retrouva étalé par terre, se frottant le menton.

— Tu sais quoi, cria Edan penché sur lui, moi aussi j'ai eu ma dose ! J'étouffe ! Cela fait dix ans que je vis avec toi dans des endroits minables en travaillant comme une bête pour amasser de l'argent uniquement pour assouvir ta stupide vengeance. Cette maison est la seule chose que tu aies jamais achetée. Un jour, Aryane m'a dit que je ne valais pas mieux que toi et je pense maintenant qu'elle avait raison.

Edan s'éloigna de quelques pas, se frottant le poing.

— Il est temps que je pense à ma propre vie, reprit-il. Heureusement, mes années d'esclavage m'auront permis de mettre quelques millions de dollars de côté. Allez, au revoir, Kane, et sans rancune.

Ce soir-là, non seulement Edan partit, mais Ian, Jane et Sherwyn l'accompagnèrent.

173

CHAPITRE XXIV

Aryane se retrouva debout au milieu de la chambre de Pamela sans vraiment comprendre ce qui se passait.

— Vous allez d'abord prendre un bon bain chaud puis vous me raconterez ce qui s'est passé.

Pamela sortit faire couler le bain et, quand elle revint, Aryane n'avait toujours pas bougé.

— Voilà, c'est prêt, dit-elle, poussant la jeune femme dans la salle de bains rose. Déshabillez-vous. Pendant ce temps je vais téléphoner pour avoir des nouvelles de mon père. Allez, ne restez pas plantée là. Faites ce que je vous dis !

Quelques minutes plus tard, Pamela retrouva Aryane allongée dans la baignoire.

— Le Dr Westfield a réussi à calmer mon père, annonça-t-elle. Il n'a plus l'âge de supporter des émotions fortes. J'ignore ce que Kane a bien pu lui raconter, mais pour qu'il réagisse si violemment, il fallait que cela ait trait à Zacharie. Si Kane espère me prendre mon fils, il ferait bien de se préparer à une rude bataille.

— Non, cela n'a rien à voir avec Zacharie. C'est bien moins noble.

— Je pense que vous devriez me le dire.

Aryane fixa la jeune femme. Elle ne savait rien d'elle, sinon qu'elle avait été la maîtresse de Kane.

— Pourquoi voulez-vous m'aider ? Je sais que vous êtes toujours amoureuse de lui.

— Kane vous a raconté, n'est-ce pas ?

— Il m'a seulement dit qu'il avait refusé... votre invitation.

— J'apprécie votre tact, fit Pamela en riant. Il a oublié de vous dire que de mon côté j'avais compris que nous n'étions pas faits l'un pour l'autre. Nous sommes arrivés ensemble à la conclusion que si nous nous mariions, nous finirions par nous entre-tuer très vite. Maintenant, dites-moi ce qui s'est passé avec Kane. Tout cela, ce sont des histoires de famille et elles finiront par remonter à la surface un jour ou l'autre.

— Savez-vous qui était la mère de Kane ?

— Je n'en ai pas la moindre idée. Je dois même reconnaître que je ne me suis jamais posé la question.

Aryane s'assit dans la baignoire et entreprit de raconter l'histoire de Charity Fenton.

— J'ignorais tout ça, dit Pamela quand elle eut fini. Vous voulez dire que tout ce que mon père possède appartient en fait à Kane ? Je commence à comprendre pourquoi il en veut tant à mon père et pourquoi papa tremble de peur. Mais, Aryane, vous n'avez pas quitté Kane ce soir parce qu'il n'était pas né dans la misère ?

Expliquer à Pamela qu'elle n'était que son substitut et que maintenant qu'elle avait rempli son rôle elle avait cessé d'être utile se révéla nettement plus pénible.

— Quel goujat ! s'écria Pamela. Jamais je n'ai vu pire enfant gâté que lui. Car surtout, ne croyez pas qu'il ait eu l'enfance misérable qu'il se plaît à raconter ! Ici, il était le roi. Il avait beau être un domestique, il menait tout le monde à la baguette, y compris mon père. Combien de fois papa a raté un rendez-vous parce que Kane avait refusé de préparer la voiture ou décidé que les chevaux étaient fatigués. A table, on ne mangeait que ce qu'il aimait parce qu'il avait obtenu de la cuisinière qu'elle ne prépare que ce qu'il voulait. Les bonnes lui nettoyaient sa chambre, lui faisaient sa lessive et son raccommodage. Il était le maître incontesté de toute la domesticité. Vous vous imaginez ce qu'il serait devenu s'il avait été l'héritier en titre des mines ? Après tout, c'est une chance pour lui d'avoir grandi à l'écurie. Il y aura un peu appris l'humilité car il n'en avait sûrement pas une once à la naissance !

Pamela s'appuya contre la baignoire et sourit.

— Vous pouvez rester ici autant que vous voudrez, reprit-elle. Et si vous avez besoin d'argent, le peu que j'ai est à vous. Si vous voulez mon avis, vous avez eu raison de le quitter. On n'épouse pas une femme pour se venger de quelqu'un. Maintenant, sortez de l'eau. Je vais vous préparer un lait chaud qui vous aidera à vous endormir.

Quand Aryane se réveilla le lendemain matin, elle avait la migraine, et le soleil, déjà bien haut, lui fit mal aux yeux.

Une robe de chambre l'attendait au pied de son lit avec un mot de Pamela l'informant qu'elle avait dû sortir mais qu'elle n'avait qu'à se préparer un petit déjeuner. Elle était chez elle.

— Edan, dit Jane Taggert. Je ne sais comment vous remercier pour tout ce que vous avez fait cette nuit. Ce n'était pas la peine de veiller avec moi.

Ils se trouvaient dans un couloir du grand hôtel de Chandler où ils étaient venus s'installer après leur départ de chez Kane. Ian était allé se coucher tout de suite en arrivant, mais Sherwyn, profondément affecté par ce qui s'était passé, s'était trouvé mal. Il s'était mis à tousser et ne parvenait plus à reprendre sa respiration.

Appelé d'urgence, Leander, qui revenait tout juste de chez Jacob Fenton, était arrivé aussitôt et avait fait le nécessaire pour calmer le vieil homme. Néanmoins, Jane avait tenu à le veiller toute la nuit et Edan ne l'avait pas quittée.

— Vraiment, je ne sais comment vous remercier, répéta Jane pour la millième fois.

— Alors, ne le faites pas. Que diriez-vous d'un petit déjeuner ?

— Vous croyez que la salle à manger est déjà ouverte ?

Ils durent attendre deux heures l'arrivée du cuisinier pour être servis, mais le temps passa très vite. Jane raconta son enfance, Edan évoqua la sienne...

— Vous êtes prête ? dit enfin Edan en reposant sa serviette. Les bureaux doivent être ouverts maintenant.

— Je vous demande pardon, je ne voulais pas vous empêcher de travailler.

— Ce n'est pas ça, sourit Edan. Vous et moi allons de ce pas chez le notaire acheter une maison pour nous tous.

— Nous tous ? Mais vous n'y pensez pas ! Ian, mon père et moi ne pouvons vivre sous le même toit que vous. Je vais chercher du travail. Peut-être qu'Aryane pourra m'aider. Ian aussi peut travailler ; quant à mon père...

— Votre père ne supportera pas d'être un fardeau pour vous. Ian doit continuer ses études et vous n'arriverez jamais à gagner assez d'argent pour faire vivre trois personnes. Venez avec moi. Je vais acheter une grande maison et vous pourrez me servir de gouvernante.

— Mais c'est impossible. Je ne peux pas être la gouvernante d'un célibataire !

— Votre père et Ian vous serviront de chaperons. Allez, assez discuté, nous avons plein de courses à faire. En plus de la maison, il va falloir des meubles et un tas de choses.

Ils passèrent d'abord annoncer la nouvelle à Sherwyn et finalement Ian les accompagna chez le notaire.

Aryane tentait vainement d'avaler une assiette de céréales quand Pamela entra dans la salle à manger.

— Ma chère, les langues vont bon train ! Kane et Edan se seraient battus hier soir après votre départ. Selon une domestique, le combat aurait duré des heures et finalement Edan serait parti sans se retourner.

— Edan est parti lui aussi ? répéta Aryane, ouvrant de grands yeux.

— Et pas seulement lui. Tous les Taggert ont suivi. Après leur départ, Kane a congédié tous les domestiques.

— Lui qui se plaignait tout le temps qu'on l'empêchait de travailler, plus rien ne le dérange ! Peut-être va-t-il s'en retourner à New York...

— Attendez, je ne vous ai pas tout dit. Edan, Jane, Ian et Sherwyn se sont installés à l'hôtel de Chandler et ont empêché tout le monde de dormir pendant la nuit. Je crois que Sherwyn a failli mourir. Et puis, ce matin, Edan et Jane sont allés acheter une maison et ils vont tous habiter ensemble.

— Edan et Jane ? Comment va Sherwyn ?

— Mieux. Il est hors d'affaire. Pour en revenir à Edan et à Jane, Edan a acheté cash la grande demeure en brique rouge qui est juste en face de l'hôpital de Doriane. Après la signature, Jane est retournée à l'hôtel, mais lui il est allé faire les magasins et a acheté toute une garde-robe féminine. C'est Lucie Nathan qui l'a servi et elle a fini par lui faire avouer que c'était pour une dame à peu près de la taille de Jane Taggert. Si Edan ne l'épouse pas après ça, sa réputation est perdue à jamais ! Ah, Aryane, il faut aussi que je vous dise que dans la gazette on laisse entendre qu'il y aurait une autre femme que Jane derrière tous ces bouleversements.

— Et où avez-vous appris tout ça ?

— Où voulez-vous, ma chère ? Au salon de thé de Miss Emily !

Aryane s'étrangla. Miss Emily ! Leur association secrète ! Il fallait qu'elle prévienne ses amies le plus vite possible.

— Puis-je passer un coup de fil ? demanda-t-elle.

CHAPITRE XXV

Aryane commença par appeler sa mère, qu'elle trouva en larmes. Après l'avoir calmée du mieux qu'elle put, sans pour autant lui révéler trop de choses, elle lui demanda de prévenir plusieurs membres de la petite société secrète et de leur donner rendez-vous au premier étage du salon de thé de Miss Emily.

— Qu'elles soient là-bas à deux heures, conclut la jeune femme avant de raccrocher, pour aussitôt prévenir celles qui avaient le téléphone.

Une grande excitation régnait dans le salon de thé. Toutes les jeunes filles présentes mouraient d'envie d'avoir des détails sur ce qui s'était passé la veille à la demeure Taggert.

— Hier soir, annonça Aryane, j'ai découvert que Jacob Fenton était au courant de nos intrusions dans ses mines. J'ignore exactement ce qu'il sait, mais il était nécessaire de nous réunir pour en débattre.

— Mais les gardes, eux, ne savent rien, n'est-ce pas ? fit Tia. Il n'y a que Fenton à être au courant. Comment l'a-t-il appris ?

— Je n'en sais rien. Ce dont je suis certaine, c'est qu'il sait que nous nous déguisons et que nous entrons clandestinement dans les camps. Il a menacé de me poursuivre en justice.

— Toi ? s'étrangla Doriane. Pourquoi seulement toi et pas les autres ?

— C'est lié aux relations entre mon mari et lui, répondit Aryane en baissant les yeux. Je ne pense pas qu'il ira jusqu'à me faire arrêter.

— En tout cas, reprit Doriane, nous ne pouvons courir ce risque. Il faut que tu cesses d'y aller.

— Un instant, intervint Miss Emily. Fenton doit être

au courant depuis un bon moment. Si je comprends bien, il n'a pas appris la nouvelle seulement hier et ne s'est pas précipité pour faire un scandale chez Aryane. Je me trompe ou non ?

Aryane opina du chef.

— Cette menace de Fenton n'est qu'une des facettes de ce qui s'est passé hier soir chez Kane Taggert. C'est bien ça ?

Encore une fois, Aryane approuva.

— Par conséquent, j'en conclus que Jacob a estimé que ce que nous faisions était sans grand danger. Tel que je connais Jacob, il a même dû bien rire en sachant que nous nous déguisions et que nous jouions un peu au gendarme et au voleur avec ses gardes. Je suis d'avis que nous continuions. D'une certaine façon, Fenton nous protège.

— Ça ne me plaît pas du tout, dit Meredith.

— Comment veux-tu que nous fassions autrement ? rétorqua Sarah. De toute manière, Fenton a toujours su ce qui se passait dans ses mines mais il s'est toujours bien gardé de se salir les mains. Je ne le vois pas entrant en guerre contre les filles des plus grandes familles de Chandler. Pour ma part, je sais que, si j'étais arrêtée, mon père irait tout droit voir Fenton avec un fusil.

— Mais alors, si Fenton est au courant et ferme les yeux, à quoi bon nous cacher ? demanda Nina. Nous n'avons qu'à y aller en robe de dentelle et en calèche et distribuer tranquillement nos provisions.

— Parce que tu crois alors que les mineurs accepteront de voir leurs femmes recevoir la charité ? dit Miss Emily. Non, il faut continuer comme avant. Aryane, penses-tu sincèrement que Fenton risque de nous poursuivre pour de bon ?

Aryane réfléchit un instant. Si Fenton mettait sa menace à exécution, il révélerait au grand jour qu'il avait dépouillé un nourrisson de trois jours...

— Non, dit-elle enfin. Il ne nous fera pas arrêter. Je suggère que nous poursuivions notre plan comme par le passé. Ceux qui connaissent notre secret ont intérêt à le garder. Bien, je propose que nous mettions fin à cette réunion.

— Une minute, dit Doriane. Nina et moi avons encore quelque chose à dire.

A tour de rôle les deux jeunes femmes exposèrent leur idée. Elles voulaient mettre au point un magazine qui serait distribué gratuitement aux femmes des mineurs et qui leur transmettrait en code toutes les informations qu'elles ne recevaient pas de l'extérieur.

Echaudées par la nouvelle que Fenton connaissait leur existence, les adhérentes de la petite société commencèrent par se montrer réticentes, puis l'enthousiasme finit par prendre le dessus.

Elles ne se séparèrent que plusieurs heures plus tard. Au moment de partir, Doriane prit sa sœur à part.

— Tu veux me dire ce qui s'est passé la nuit dernière ? fit-elle. Le bruit court que tu l'as quitté. Est-ce vrai ?

— C'est exact. J'habite maintenant chez Pamela, la fille de Jacob Fenton.

— Si tu as besoin de moi, n'hésite pas à venir me trouver, dit Doriane. Dans l'immédiat, je pense que tu as besoin de faire quelque chose pour te changer les idées. Que dirais-tu de t'occuper du magazine ? Il faudrait des articles du genre : comment nettoyer un vêtement, comment prendre soin de ses cheveux ou bien comment s'habiller comme une reine en ne dépensant pratiquement rien. Je crois que tu ferais ça très bien. Viens avec moi, nous allons acheter une machine à écrire et, cet après-midi, je te montrerai comment ça marche.

Aryane réfléchit un instant. Il était vrai qu'elle n'avait pas pensé à ce que serait sa vie loin de Kane. Si elle ne faisait rien, elle passerait son temps à broyer du noir.

— Tu as raison, Doriane. D'ailleurs, j'ai plein d'idées pour aider les femmes de mineurs à améliorer leur vie.

Les deux jumelles se mirent au travail le jour même ; sitôt qu'Aryane avait fini de rédiger un article, Doriane lui suggérait un nouveau sujet.

Pamela se prit au jeu et passa des heures dans sa cuisine à concocter des recettes de détachants. En fin de journée, la maison empestait, mais Pamela fut en mesure d'assurer que pour nettoyer le velours, un mélange de deux cuillerées à soupe d'ammoniac et de deux cuillerées d'eau chaude appliquées avec une brosse dure faisait des miracles.

Ce travail de rédaction donnait à Aryane un bon motif de rester enfermée et de ne pas avoir à affronter les questions des autres.

Pamela, qui sortait régulièrement sans jamais dire où elle allait, la tenait au courant des potins. Aux dernières nouvelles, Kane vivait en reclus dans sa maison.

— Je suppose qu'il doit être satisfait de pouvoir travailler en paix, commenta Aryane.

— Ne vous montrez pas si amère, Aryane. Ruminer le passé ne sert qu'à se faire du mal et je sais de quoi je parle. Que diriez-vous d'inclure cette recette de teinture ?

Deux semaines après le départ d'Aryane, le wagon promis par Kane à Opal arriva à Chandler, soulevant un véritable raz de marée.

Opal vint trouver sa fille en sanglotant. Comment avait-elle pu quitter un homme si bon et si généreux ! Une femme sans enfant et sans mari n'était rien. Elle, Opal, finirait par mourir de chagrin...

Aryane finit par dire clairement que c'était Kane qui ne voulait plus d'elle et non l'inverse. Ce n'était pas tout à fait la vérité, mais il faut parfois savoir mentir à une mère pour avoir la paix.

Sitôt Opal partie, Aryane retourna à sa machine à écrire et tenta de ne plus penser au passé.

Opal Chandler-Gates remonta lentement Hachette Street en direction de la demeure Taggert. Ce matin-là, elle était censée faire des courses en ville. En la voyant partir, M. Gates ne lui avait pas demandé pourquoi elle portait son tailleur neuf bordé de renard et la toque de fourrure assortie. Opal tenait à être sur son trente et un car elle allait faire une démarche d'importance : demander à son gendre de bien vouloir reprendre sa fille sous son toit.

Pourquoi Aryane se montrait-elle si inflexible ? Elle ressemblait bien à son père ! Ce cher William était le plus fidèle des amis, mais si on le décevait ne serait-ce qu'une fois, il ne pardonnait jamais...

Il fallait absolument qu'elle parvienne à raccommoder ces deux-là. Sûrement, Kane avait fait ou dit quelque chose de stupide, de maladroit. Mais n'était-ce pas là son charme ? Il était aussi brusque qu'Aryane était polie. En fait, ils se complétaient parfaitement.

Opal frappa à l'imposante porte de chêne et, comme

nul ne lui répondait, elle l'ouvrit et entra. Ses pas résonnèrent lugubrement dans le hall.

Opal fit distraitement courir sa main gantée sur une console et s'étonna de voir combien la poussière s'accumulait vite sitôt qu'une maison n'était plus entretenue.

Elle appela Kane mais personne ne lui répondit. Opal n'était venue qu'une fois dans la vaste demeure et la connaissait donc mal. Cela lui prit un certain temps pour explorer le rez-de-chaussée puis le premier étage. Elle était dans la chambre de Kane lorsqu'elle aperçut celui-ci traversant la pelouse du jardin.

Opal descendit en courant et traversa la pelouse qui aurait bien mérité d'être tondue, et retrouva finalement son gendre tout au fond du jardin. Le regard dans le vide, il fumait un cigare.

Kane se retourna en l'entendant approcher.

— Que me vaut cette visite ? fit-il, sur ses gardes.

— J'ai appris que vous vous étiez mis en colère et que vous aviez mis ma fille à la porte.

— Mais c'est faux ! C'est elle qui est partie. Elle m'a dit qu'elle ne me respectait plus.

Opal s'assit sur un banc de pierre à l'ombre d'un arbre.

— Je redoutais quelque chose comme ça, soupira-t-elle. Aryane ressemble à son père. Voulez-vous m'expliquer ce qui s'est passé ? Aryane refuse de me dire quoi que ce soit. Là encore, elle a hérité de son père.

Kane observa un silence obstiné.

— Je reconnais qu'il s'agit de votre vie privée, hésita Opal. Mais s'il s'agit... Enfin, de ce qui se passe dans l'intimité d'un mari et d'une femme... Aryane est très timide. Peut-être, si vous vous montriez plus patient...

— Timide ! Aryane ? Au lit, rien ne lui fait peur !

Ecarlate, Opal fixa ses mains gantées.

— Alors, il doit s'agir d'autre chose. Vous pouvez tout me dire, vous savez, je sais garder un secret.

— De toute façon, il n'y a pas de secret dans cette ville. Ecoutez, vous allez peut-être comprendre ce qui l'a mise en colère. Moi, je ne comprends pas. Vous savez que j'étais garçon d'écurie chez les Fenton ? Jamais je n'ai eu le droit d'entrer dans la maison et je me suis toujours demandé l'effet que ça faisait d'être le maître. Plus tard, quand j'ai voulu épouser Pamela, Fenton m'a flanqué dehors en disant que je n'étais bon à rien. Alors, je me suis mis à gagner de l'argent en me jurant qu'un jour j'aurais une maison deux fois plus grande que la sienne et que ma femme serait une vraie lady.

Opal mit un moment à réaliser que Kane avait terminé son histoire et qu'il lui restait maintenant à mettre ensemble les pièces du puzzle.

— Dieu du ciel ! fit-elle. Voulez-vous dire que vous avez fait construire cette immense demeure et épousé ma fille uniquement pour réaliser votre rêve ?

Kane se tut.

— Je commence à comprendre pourquoi Aryane vous a quitté, reprit Opal en souriant. Elle a dû se sentir complètement manipulée.

— Manipulée ! C'est elle qui m'a manipulé. Elle m'a épousé pour mon argent !

Opal le regarda attentivement, tout sourire ayant quitté son visage.

— Vous croyez ? Avez-vous seulement une idée des efforts que M. Gates a déployés pour la persuader de renoncer à ce mariage ? D'ailleurs, il n'a pas été le seul. Pour ce qui est de l'argent, ni Aryane ni Doriane n'en ont besoin. Elles ne sont pas multimillionnaires mais elles ont largement de quoi s'acheter tout ce dont elles ont envie.

— Si j'en juge par la garde-robe d'Aryane, c'est déjà une fortune.

— Elle vous manque, n'est-ce pas ?

Kane se laissa tomber sur le banc auprès d'Opal.

— Je ne la connais que depuis quelques mois mais je suppose... que je me suis habitué à elle. Parfois j'avais envie de lui tordre le cou parce qu'elle me forçait à faire des choses que je ne voulais pas, mais maintenant... Maintenant, je regrette de ne plus marcher sur ses épingles à cheveux quand je me lève le matin. Je regrette qu'elle ne vienne plus m'interrompre en pleine discussion avec Edan. Edan aussi me manque. Et je regrette les parties de base-ball avec Ian et mon fils. Je regrette... Qu'elle soit maudite ! fit-il en sautant sur ses jambes. J'étais heureux avant de la rencontrer et je le serai encore. Vous pouvez aller lui dire que si elle revenait à genoux me supplier de la reprendre, je ne le ferais pas.

Kane repartit à grands pas vers la maison, Opal trottinant à sa suite.

— Kane, je vous en prie, je suis une vieille dame !

Mais Kane continua son chemin sans se retourner.

Il était installé à son bureau quand Opal le rejoignit.

— Kane, il faut que vous alliez la chercher.

— Pas question ! Je n'en veux pas !

Opal s'assit dans un fauteuil et reprit peu à peu son souffle.

— Si vous n'espériez pas la voir revenir, vous auriez déjà pris le premier train, dit-elle.

— Je ne sais pas comment la faire revenir, répondit Kane après un long silence. Et si ce n'est pas pour mon argent, je ne comprends pas pourquoi elle m'a épousé. Les femmes ! La vie serait tellement plus simple sans elles ! Vous croyez qu'il faut que je lui fasse un cadeau ?

— Non, Aryane est comme son père, je vous l'ai dit. Ni cadeau, ni excuses, ni déclaration d'amour. Il faudrait trouver un moyen de la faire revenir ici quelque temps. Vous finiriez peut-être par la convaincre que vous ne l'avez pas seulement épousée pour prendre une revanche sur Fenton. Fenton que d'ailleurs on ne peut pas vraiment blâmer d'avoir refusé de donner sa fille à un palefrenier. Mettez-vous à sa place.

Kane ouvrit la bouche pour protester énergiquement, mais il se ravisa.

— Il y aurait peut-être un moyen, fit-il. Mais elle ne me pardonnerait jamais de lui avoir joué un tel tour...

— Expliquez-moi ça.

Kane lui exposa son idée et, à sa grande surprise, Opal approuva pleinement.

— Bien, il faut que je m'en aille, dit Opal. Ah, mon Dieu, j'oubliais ! J'étais venue vous dire que le wagon que vous m'aviez promis était arrivé, mais je ne peux pas l'accepter. Il faut que vous le repreniez.

— Que voulez-vous que j'en fasse ? Pourquoi ne voyagez-vous pas ?

— Cher Kane, sourit Opal, nous avons tous nos rêves, mais quand ils se font réalité, ils perdent de leur charme. Je mourrais de peur si je devais voyager.

— Alors, mettez-le dans un coin et donnez-y des thés. Vous croyez que cette histoire avec Aryane a des chances de marcher ? Je ne suis pas certain de vouloir qu'elle puisse croire que j'aie fait une chose pareille.

— Tout se passera bien. Et je compte sur Aryane et

vous pour venir dîner à la maison la semaine prochaine.

Opal embrassa Kane et sortit, le laissant égrener des propos décousus sur les ladies et les femmes en général.

CHAPITRE XXVI

Aryane étouffa un bâillement tout en pressant le pas pour finir ses courses avant la pluie. Les événements de la veille au soir l'avaient fait s'endormir très tard et elle se sentait épuisée.

Zacharie était allé voir son cousin Ian dans la nouvelle maison d'Edan et lui avait proposé d'aller faire une partie de base-ball chez Kane. Avant même que Ian ait fini de dire ce qu'il pensait de Kane, Zacharie avait foncé tête baissée sur lui. Le pugilat avait duré une bonne demi-heure avant qu'Edan arrive et y mette fin.

Edan avait ramené Zacharie par le collet chez sa mère, juste au moment où Jacob Fenton faisait une visite. En découvrant son petit-fils couvert de bleus et d'écorchures, Jacob était entré dans une colère noire, d'autant qu'il voyait derrière la mésaventure du gamin l'ombre satanique de Kane.

Attaqué, Edan avait clairement signifié que toutes ces histoires ne le concernaient pas et avait pris la porte.

Jacob avait alors interrogé son petit-fils et, découvrant qu'il s'était retrouvé dans un si piteux état parce qu'il avait défendu son père, sa colère avait redoublé. Les foudres de Jacob avaient rapidement obliqué vers Pamela : au fond, tout était sa faute. Elle était une mauvaise mère et n'aurait jamais dû porter le regard sur cette crapule de Taggert.

Folle de rage, Pamela avait traité son père de tous les noms et Aryane comprit pourquoi la jeune femme n'aurait jamais pu vivre longtemps avec Kane. Tôt ou tard, il y aurait eu un meurtre !

Finalement, Aryane décida d'intervenir :

— Zacharie, tu vas venir avec moi te nettoyer. Vous, monsieur Fenton, vous feriez mieux de rentrer chez vous immédiatement. Quant à vous, Pamela, montez donc dans votre chambre vous reposer un peu !

Aryane s'était exprimée de façon si catégorique que personne n'osa protester. Fenton partit, Pamela monta et Zacharie se laissa emmener à la cuisine.

Tandis qu'Aryane le débarbouillait comme un enfant de quatre ans, Zacharie se mit à lui faire le récit du combat.

— Je trouve que tu as eu tout à fait raison de défendre ton père, dit-elle.

Le garçon la regarda, sidéré.

— Mais je croyais que vous ne l'aimiez plus.

— C'est différent. Maintenant, va passer une chemise propre et nous allons voir ensemble Ian.

— Ce s... Je ne veux plus jamais le voir !

— Tu vas faire ce que je te dis !

— Bien, madame.

Aryane passa plusieurs heures avec Edan et la tribu Taggert.

Edan et Jane lui donnaient l'impression d'être en pleine lune de miel. Chaque fois qu'ils ne se croyaient pas observés, ils se lançaient des regards si tendres qu'Aryane s'en sentait presque jalouse.

Sherwyn emmena les deux garçons bricoler dans le jardin et, quand finalement Aryane et Zacharie rentrèrent chez eux, tout était arrangé.

Quand enfin Aryane se glissa sous les couvertures, elle avait subi les interminables excuses de Pamela et sur sa table de chevet trônait une gerbe de roses envoyée par Jacob Fenton et adressée à « Lady Aryane ».

L'orage éclata quand Aryane atteignit le théâtre. Elle se mit à courir et soudain, une main la saisit et l'entraîna dans une ruelle.

— Inutile de crier, ce n'est que moi, fit Kane. Je veux juste te parler une minute. Tu te souviens, c'est ici que tout a commencé ? Un pèlerinage, en quelque sorte.

Le visage de Kane s'adoucit à mesure qu'il parlait ; il ôta sa main de la bouche d'Aryane. Aussitôt la jeune femme poussa un hurlement strident. Pourtant, personne ne l'entendit, chacun étant parti se mettre à l'abri des trombes d'eau.

186

— Mais tu es complètement folle, cria Kane, la bâillonnant de nouveau. Je te dis que je veux simplement te parler. Maintenant, je vais retirer ma main et je te préviens que si tu cries je saurai bien te faire taire.

Il fit comme il l'avait dit, mais immédiatement Aryane tourna les talons et gagna la sortie de la ruelle. Kane se précipita et la retint par sa jupe. Le craquement du tissu couvrit un instant le crépitement de la pluie.

— Tu ne veux vraiment pas comprendre, Kane ! Je ne veux pas te parler. Maintenant, je veux rentrer chez moi ! Dis-toi bien que je me moque de ne plus jamais te revoir.

— Aryane, attends ! Il faut vraiment que je te parle.

— Tu n'as qu'à téléphoner, lança-t-elle sans se retourner.

— Tu vas m'écouter, oui ou non !

De nouveau Kane saisit le pan de sa jupe et cette fois elle lui resta dans la main. Déséquilibrée, Aryane s'étala de tout son long dans la boue et Kane la suivit dans sa chute.

— Lâche-moi !

— Aryane, ma chérie, je ne voulais pas te faire de mal. Je voulais seulement te parler.

Assise dans la boue, Aryane s'essuyait le visage avec ce qui restait de sa jupe.

— Non, tu ne veux jamais faire de mal, grinça-t-elle. Tu te contentes de faire exactement ce que tu veux en te moquant éperdument de qui peut se trouver sur ton chemin.

— Tu es toujours aussi jolie, même comme ça, sourit-il.

— Qu'avais-tu à me dire ? demanda-t-elle, le foudroyant du regard.

— Aryane, je... Je voudrais que tu reviennes vivre avec moi.

— Ça ne m'étonne pas, je m'y attendais. Tu as perdu aussi Edan, je crois ?

— Bon sang, Aryane, que veux-tu que je fasse ? Tu veux que je te supplie ?

— Je ne veux rien du tout. Sinon rentrer chez moi et prendre un bain.

La jeune femme s'arracha péniblement à la boue.

— Tu ne pardonnes jamais rien à personne, n'est-ce pas ?

— Eh oui, tout comme toi avec Jacob Fenton. Seulement moi, je ne me sers pas des autres pour me venger.

— Maintenant, ça suffit ! Tu es ma femme. Aux yeux de la loi, tu m'appartiens. Je me fiche que tu m'aimes ou que tu me respectes. Tu peux penser ce que tu voudras, mais une chose est sûre : tu vas revenir avec moi, et sur-le-champ !

Aryane le fixa avec toute la dignité que lui permettait sa situation.

— Je te préviens, Kane, je hurlerai tout le long du chemin et je m'enfuirai à la première occasion.

Kane décida alors de changer de tactique.

— Ton beau-père possède des brasseries, n'est-ce pas ? Sais-tu qu'il a vendu son affaire parce qu'elle était menacée de faillite ? Sais-tu qui l'a rachetée sous un prête-nom ?

— Toi ? murmura Aryane, s'adossant au mur.

— Oui, moi. Et le mois dernier, j'ai racheté la banque de Chandler. Je me demande ce qui se passerait si je décidais de mettre la clef sous la porte.

— Tu ne ferais pas ça !

— Tu viens de me dire que je faisais toujours ce qui me plaisait sans me soucier des conséquences. Alors, tu rentres à la maison ?

— Mais pourquoi ? Je ne représente rien à tes yeux. Tu ne m'as épousée que pour te venger de Fenton. Sûrement une autre que moi ferait très bien l'affaire.

— J'attends ta réponse. Es-tu prête à te sacrifier pour sauver ta chère ville ? Si tu refuses, des milliers de gens se retrouveront sur la paille. Alors que choisis-tu ? Tes grands principes ou la banqueroute généralisée ?

— C'est bon, je viens. Mais dis-toi bien que la princesse de glace te réserve des surprises.

Sans un mot, Kane la souleva dans ses bras et l'emporta vers son chariot.

Aryane n'eut aucun mal à rester de glace face à son mari. Il lui suffisait pour cela de se rappeler les motifs qui avaient poussé Kane à l'épouser.

Elle limita son rôle de maîtresse de maison au strict minimum. Les domestiques furent réengagés mais Aryane ne donna plus aucune réception. Elle ne parlait à Kane que lorsque c'était absolument nécessaire et s'appliquait à rester de marbre quand il la touchait. Cela se révéla d'ailleurs le plus difficile, surtout la première nuit.

Kane était venu la rejoindre dans sa chambre et l'avait prise dans ses bras. Aryane avait dû se concentrer sur toutes les choses les plus tristes qu'elle avait pu voir dans sa vie pour ne pas répondre à ses caresses. Elle avait tenu bon, comme elle avait tenu bon lorsqu'il était parti en la regardant avec les yeux d'un animal blessé.

Le lendemain, Kane était revenu dans sa chambre en portant un coffre. Aryane reconnut aussitôt son cadeau de mariage. Kane l'ouvrit et déversa sur le lit les innombrables bijoux qu'il contenait. Aryane ne les regarda même pas.

— Tu cherches à m'acheter ? demanda-t-elle.

— Ecoute, Aryane, je n'allais tout de même pas te parler de Fenton avant notre mariage ! J'avais déjà assez de mal à te faire oublier Westfield. Car tu ne vas pas me faire croire que ce n'était pas lui que tu voulais : tu as encore essayé de l'avoir devant l'autel.

— Ce que je veux ou pas n'a rien à voir là-dedans, puisque de toute manière cela t'est égal. Tu as construit cette maison et tu t'es marié uniquement pour impressionner Fenton. Que cette maison t'ait coûté une fortune et que ta femme puisse être un être humain n'est jamais entré en ligne de compte. Il faut savoir ce qu'on veut, mon cher Kane !

Il sortit sans un mot et Aryane se leva, rejetant ses couvertures sur les joyaux.

La jeune femme passait ses journées à lire dans son boudoir. Ses seules visites étaient celles des domestiques venant aux ordres et son seul espoir était que Kane se rende compte qu'elle ne voulait vraiment plus vivre avec lui et qu'il la laisse partir.

Elle était revenue depuis une semaine quand il arriva tel un ouragan, agitant une liasse de papiers.

— Qu'est-ce que ça signifie ? cria-t-il. Je viens de recevoir les relevés bancaires et je constate que tu as payé le téléphone sur ton compte personnel !

— Dans la mesure où je suis la seule à m'en servir, il est normal que je règle la facture.

Kane se laissa tomber sur une chaise.

— Aryane, t'ai-je jamais fait la moindre réflexion ? T'ai-je reproché de dépenser trop ?

— Je te ferai remarquer que tu m'as accusée de t'avoir épousé pour ton argent. Eh bien, puisqu'il est si précieux à tes yeux, tu peux le garder.

Kane faillit parler, mais choisit de se taire. Il feuilleta un moment ses papiers puis reprit d'une voix douce :

— Aryane, je dois partir ce soir pour Denver et j'y resterai trois jours. Je voudrais que tu restes ici et que tu ne profites pas de mon absence pour soulever les mineurs.

— Et si je n'obéis pas, que feras-tu ? Tu te vengeras en jetant à la rue une douzaine d'innocents ?

— Décidément, tu me connais mal, soupira-t-il. Bien, je donnerai des ordres pour que la banque paie désormais toutes tes dépenses.

— Tu me connais mal aussi, Kane Taggert, murmura Aryane quand il fut parti. Pas question de rester cloîtrée ici !

Trois heures plus tard, Aryane téléphonait au Révérend Thomas et lui disait de préparer un chargement : Sadie irait faire un tour à la mine dès le lendemain.

CHAPITRE XXVII

Sadie partit en début d'après-midi. Le soleil brillait gaiement mais les dernières pluies avaient rendu la route malaisée. Soudain, il lui sembla entendre un bruit à l'arrière du chariot. Sans doute était-ce un chat qui s'était glissé parmi les légumes comme cela s'était déjà produit une fois.

Sadie n'y pensa plus et poursuivit sa route. Elle atteignit les grilles du camp et pria intérieurement le ciel que le chat — ou plutôt les chats, à en juger par leur bruit — veuillent bien rester tranquilles et ne pas éveiller les soupçons des gardes. Les sentinelles dépassées, elle laissa échapper un soupir de soulagement.

Le matin, Aryane avait téléphoné à Jane. Celle-ci, après avoir annoncé, tout émue, qu'Edan venait de la demander en mariage, l'avait informée que Rafe serait sans doute à la maison à son arrivée.

Rafe ignorait la véritable identité de Sadie mais il souhaitait lui faire connaître quelqu'un qui l'aiderait à distribuer ses légumes. Jane ne savait pas non plus si cette personne connaissait Aryane.

Comme Aryane arrêtait son chariot devant chez les Taggert, Rafe sortit de la maison.

— Bonjour, Sadie, fit-il en aidant la grosse dame à descendre de son siège.

Rafe la regarda avec tant d'insistance qu'Aryane baissa la tête, se protégeant de l'ombre de son vieux chapeau.

— On m'a dit que vous m'aviez trouvé quelqu'un pour m'aider à me débarrasser de mon stock ? Tant mieux, car maintenant que Jane va devenir une dame, je suppose que je ne la verrai plus.

Sadie fit le tour de son chariot et commença à en dénouer la bâche.

— Je crois qu'il y a un chat derrière et j'aimerais bien qu'il s'en aille.

Sadie s'empara d'un chou et laissa retomber la bâche, mais dut immédiatement s'appuyer au chariot car ses genoux menaçaient de se dérober sous elle.

En ôtant le chou, elle venait de découvrir le visage de Kane, qui, dans un grand sourire, lui avait décoché un clin d'œil.

Rafe retint Sadie d'une main et souleva la toile de l'autre. Dans le chariot, Kane se redressa, déclenchant une avalanche de légumes.

— Bon sang, Aryane, tu ne m'as donc pas entendu crier ? J'ai cru mourir étouffé là-dessous ! Je t'avais pourtant bien dit de ne pas venir à la mine.

Rafe prit Sadie par le menton et l'examina attentivement.

— Je n'arrive pas à y croire, grommela-t-il. Vous feriez mieux de venir à l'intérieur et de m'expliquer tout.

Le trio s'engouffra dans la maison et aussitôt Kane prit la parole :

— Je t'avais dit de ne pas faire ça ! Vous saviez ce que font les jeunes filles de Chandler ? demanda-t-il à son oncle. Elles sont comme ça trois ou quatre à se déguiser et à pénétrer dans les camps pour y faire entrer des marchandises illicites.

— A t'entendre, nous sommes des criminelles ! s'insurgea Aryane.

— Et ce qui est pire, poursuivit Kane, c'est que Fenton est au courant ! Il n'a qu'à lever le petit doigt pour les faire jeter en prison.

— Quel genre de marchandises illicites ? demanda Rafe.

— Rien de grave, répondit Aryane. Du thé, des médicaments, du savon, quelques livres. Bref, tout ce qui peut se cacher dans des légumes. Le fait que Fenton le sache et ne fasse rien est plutôt bon signe. Il nous protège et nous ne risquons rien.

— Rien ! Mais tu es folle ! Un jour je t'expliquerai ce que sont des actionnaires. Tu verras ce qui se passera le jour où les actionnaires de Fenton découvriront que vous marchez sur leurs brisées. Parce que ce que vous donnez aux mineurs, c'est toujours ça qu'ils ne leur vendent pas. Et ça, pour eux, c'est impardonnable. Quant à Fenton, ne te fais pas d'illusions. S'il vous laisse poursuivre vos manigances, c'est pour avoir plus tard un moyen de pression sur tous les habitants un peu influents de Chandler. « Vous ne voulez pas faire ce que je veux ? Eh bien, je vais faire jeter vos femmes et vos filles en prison. » Voilà ce qu'il leur dira un jour, ton Fenton !

— Ce n'est pas parce que tu ne recules pas devant le chantage que Jacob Fenton est comme toi !

— Vous feriez mieux d'aller vous occuper de votre chargement, intervint Rafe. La femme qui doit vous aider habite à côté. Vous n'avez qu'à frapper chez elle, elle vous attend.

— Depuis quand cela dure-t-il ? demanda Rafe à Kane lorsqu'ils furent seuls. Et que fait-elle avec l'argent qu'elle récolte en vendant ses légumes ?

Kane ne connaissait pas tous les tenants et les aboutissants de l'affaire, mais à eux deux ils parvinrent sans mal à les reconstituer. Ils tombèrent d'accord pour penser que Fenton n'avait rien d'un philanthrope et que s'il laissait faire c'était pour mieux se venger plus tard.

— Alors, que comptes-tu faire avec ta femme ? demanda Rafe. La laisser continuer ainsi ? Je te préviens, si les gardes découvrent qu'elle se joue d'eux depuis plus de deux ans, ils agiront d'abord et poseront des questions ensuite.

— Je lui avais interdit de venir à la mine et voyez le

résultat. Sitôt que j'ai eu le dos tourné, elle s'est empressée de me désobéir.

— Si tu me disais exactement ce qui se passe entre vous ?

Kane hésita, puis s'assit sur la chaise que lui offrait Rafe. Il ne s'était encore jamais confié à qui que ce soit mais, depuis quelque temps, les choses changeaient. Déjà il s'était ouvert à Opal, et maintenant il avait envie de parler à son oncle. L'avis d'un homme lui était devenu nécessaire.

Kane lui parla de son enfance et de ses rêves de grandeur finalement réalisés. Rafe l'écoutait, opinant du chef, semblant trouver tout naturel ce que son neveu lui expliquait.

— Le seul problème, conclut Kane, c'est qu'Aryane s'est mise en colère quand je lui ai dit pourquoi je l'avais épousée et qu'elle a pris la porte. Je l'ai forcée à revenir vivre avec moi mais elle m'en veut toujours.

— Tu m'as dit que tu voulais qu'elle préside la table le jour où Fenton viendrait, mais que comptais-tu faire ensuite ?

— Je ne voulais pas de femme. Et puis je croyais qu'elle aimait Westfield, ce type qui l'a laissée tomber. Je pensais qu'elle serait contente de ne plus me voir après ce repas. Je pensais lui offrir des bijoux et repartir pour New York. Le plus incroyable, c'est que je lui ai donné les bijoux et qu'elle ne les a même pas regardés.

— Alors, pourquoi ne la plantes-tu pas là et ne retournes-tu pas à New York ?

— Je ne sais pas, dit Kane après quelques secondes de silence. Je me plais bien ici. Il y a les montagnes et en été il ne fait pas aussi chaud que sur la côte Est. Et puis...

— Tu tiens à Aryane, coupa Rafe. Faut dire qu'elle est jolie et pour ma part je préférerais avoir une femme comme elle que de posséder la moitié de New York.

— Pourquoi ne vous êtes-vous jamais marié ?

— Les femmes qui me plaisaient ne voulaient pas de moi.

— C'est la même chose pour moi. A l'époque où ça m'était égal d'épouser Aryane ou une autre, elle passait son temps à me dire qu'elle m'aimait et, maintenant que je ne peux plus vivre sans elle, elle me regarde comme si j'étais un tas de fumier !

Les deux hommes se turent, rêvassant sur l'injustice du monde.

— Tu veux un whisky ? demanda Rafe.

— Avec plaisir.

Tandis que Rafe allait chercher le scotch, Kane regarda pour la première fois autour de lui. Il calcula rapidement que la maison tiendrait dans sa chambre et qu'il resterait encore de la place pour en faire le tour.

Sur le manteau de la cheminée, il y avait une boîte de thé, quelques conserves et ce qu'il supposa être une miche de pain enveloppée dans un torchon. Kane sut tout de suite que c'étaient là toutes les provisions de la maisonnée.

Il se souvint de sa jeunesse chez les Fenton. Des deux pièces claires qu'il avait pour lui seul au-dessus des écuries ; des bonnes qui s'occupaient de son ménage et de son linge ; de la nourriture, toujours à profusion.

Qu'avait dit Aryane qu'elle apportait ? Du savon, des médicaments et du thé ? Lui, Kane, avait toujours mangé à sa faim et n'avait jamais connu la misère qui régnait ici.

Comment Charity Fenton, sa mère, avait-elle pu s'habituer à vivre dans de telles conditions ?

— Vous avez connu ma mère, oncle Rafe ?

— Oui, dit Rafe en posant devant Kane un gobelet de whisky.

Il observa cet homme. A la fois un inconnu, et aussi un parent qui par certains gestes lui rappelait son frère Frank, mais qui le regardait avec les yeux de Charity.

— Elle n'a vécu avec nous que quelques mois, reprit Rafe. Nous pensions tous que Frank était le plus heureux des hommes. La journée, elle travaillait dur, s'occupant du ménage et de la cuisine, mais chaque soir, une heure avant le retour de Frank, elle se mettait à se faire belle pour l'accueillir. On aurait dit qu'elle se préparait pour recevoir le président !

— On m'avait dit qu'elle n'était qu'une enfant gâtée et qu'elle regardait tout le monde de haut.

— Je ne sais pas qui t'a raconté ça, fit Rafe, le regard noir, mais c'est un foutu menteur ! Quand Frank est mort, elle a perdu le goût de vivre. Elle nous a dit qu'elle retournait chez elle pour la naissance du bébé, parce que c'est ce que Frank aurait voulu pour lui. Elle voulait aussi le partager avec son père. Ce salaud ! Peu après, on a appris que son enfant et elle étaient morts et que son père s'était suicidé. Sherwyn et moi étions contents de savoir qu'avant de mourir son père lui avait pardonné. Ce n'est qu'après que nous avons découvert qu'elle s'était suicidée et que tu étais vivant.

Kane faillit demander à Rafe pourquoi il n'avait rien fait, mais il se souvint de ce qu'il avait dit un jour à Aryane : c'est l'argent qui donne le pouvoir. Que pouvaient faire les Taggert face aux Fenton ?

— J'y pense, dit Kane, vous et moi nous avons pris un mauvais départ, mais dites-moi s'il y a quelque chose que je pourrais faire pour aider...

Kane se rendit compte qu'il faisait fausse route et heurtait de front l'orgueil de son oncle.

— Ce que je voulais dire, reprit-il très vite, c'est que par exemple Ian et Zacharie adorent le base-ball. On pourrait former une équipe pour les gamins d'ici. Je fournirais tout l'équipement. Qu'en pensez-vous ?

— Je crois que ça leur plairait bien. On pourrait faire ça le dimanche matin : ils ne descendent pas dans les puits. Mais tu crois que Fenton serait d'accord ?

— J'en fais mon affaire. Bien, il serait temps que j'aille voir ce que fabrique ma femme. Vu ses sentiments envers moi, en ce moment, elle serait capable de m'abandonner ici.

— Non, il vaut mieux que j'aille moi-même la chercher. Quant à toi, tu ferais bien de repartir à l'arrière du chariot comme tu es venu, si tu ne veux pas te faire étriper par les gardes.

Kane approuva, bien que l'idée ne l'enchantât guère.

— Kane, reprit Rafe, ouvrant la porte, si je peux me permettre un conseil au sujet d'Aryane : sois patient avec elle. Les femmes ne pensent pas comme nous. Fais-lui un peu la cour. Tu as bien réussi à la conquérir une première fois, fais-le une deuxième.

— Elle n'aime pas mes cadeaux.

— Elle attend peut-être autre chose. Une fois, j'ai eu une fille qui est devenue folle de moi parce que je lui avais donné un chiot. C'était un horrible corniaud, mais elle m'en a été très reconnaissante, si tu vois ce que je veux dire.

Rafe lança un clin d'œil à son neveu et sortit.

Tout le chemin du retour, Aryane attendit en vain que Kane explose. Il vint prendre place à côté d'elle sur le siège sitôt qu'ils furent hors de vue des grilles et, comme Aryane ne disait rien, il parla de choses et d'autres : du paysage, de ses affaires... A plusieurs reprises, la jeune femme fut sur le point de lui répondre, mais elle s'abstint.

Aryane bouillait de colère contenue. Tôt ou tard, il se rendrait compte que plus jamais elle ne pourrait l'aimer et il devrait bien alors lui rendre sa liberté.

A la maison, il lui souhaita poliment bonne nuit et s'enferma dans son bureau.

Le lendemain midi, Kane vint la retrouver dans son boudoir. Sans un mot, il la prit par la main et l'emmena à la cuisine où Mme Murchinson avait préparé un panier de pique-nique. Toujours sans parler, il l'entraîna ensuite dans le jardin, jusque sous la tonnelle où un soir ils avaient fait l'amour.

Aryane le regarda déployer la nappe sur l'herbe et y disposer les victuailles. Enfin, Kane dut la tirer par la main pour qu'elle se décide à s'asseoir.

Durant tout le repas, Aryane mangea à peine tandis que Kane seul entretenait la conversation. De nouveau, il lui parla de ses affaires, évoquant les difficultés qu'il rencontrait depuis qu'Edan n'était plus là.

Aryane ne répondait pas mais ce silence ne paraissait pas le troubler.

Quand ils eurent fini de manger, Kane s'allongea sur l'herbe, posant sa tête sur les genoux de la jeune femme. Il lui raconta avoir parlé de sa mère avec Rafe et lui expliqua combien il avait été frappé du dénuement dans lequel on vivait à la mine. Jamais il n'avait connu une telle misère chez les Fenton.

— Crois-tu que je pourrais faire quelque chose pour sortir Rafe de la mine ? Il n'est plus très jeune et j'aimerais bien l'aider.

— Tu ne peux lui offrir un emploi, cela le vexerait, répondit-elle après un silence surpris.

— C'est bien ce que je pense. Je ne sais pas quoi faire. Si jamais tu as une idée, tu me le diras, n'est-ce pas ?

— Oui, murmura Aryane et, sans pouvoir se l'expliquer, l'image de Pamela au bras de Rafe le jour de son mariage lui revint : ils formaient ce jour-là un couple superbe.

— Il faut que j'aille travailler, dit Kane en se levant. Pourquoi ne restes-tu pas ici à profiter du jardin ?

Restée seule, Aryane se promena dans les allées. Elle emprunta un sécateur et cueillit une brassée de roses dans la roseraie. C'était la première fois depuis son retour qu'elle faisait quelque chose qui n'était pas indispensable.

— Ce n'est pas parce que le maître de maison est odieux qu'il faut que je déteste sa demeure, murmura-t-elle tout bas.

Quand Kane sortit de son bureau, la maison embaumait les fleurs fraîchement coupées et, durant tout le dîner, il arbora un sourire ravi.

Le lendemain, Doriane vint déjeuner. Elle parla longuement de son amie le docteur Louise Bleeker, venue de Pennsylvanie l'aider un peu. Elle s'inquiéta de la santé de sa sœur et bizarrement ne parut plus en vouloir à Kane.

— Les choses ne s'arrangent guère, dit Aryane. Et toi ?

— Leander se remettra... Mais parlons plutôt de toi.

— J'ai deux nouveaux articles pour le magazine...

Le dimanche suivant, Kane vint réveiller Aryane dans sa chambre. Il garda soigneusement ses distances, se contentant de poser au pied de son lit une magnifique robe de mousseline rose-thé, festonnée de dentelle crème.

— Habille-toi aussi vite que possible, dit-il en s'en allant.

Il revint quelques minutes plus tard en pantalon de velours côtelé et chemise bleue, et observa Aryane qui s'habillait en silence. De nouveau, il se retira.

La jeune femme poussa un soupir, mais elle ne put déterminer s'il traduisait sa satisfaction de voir Kane parti ou le regret qu'il ne l'ait pas prise dans ses bras.

Quand il la souleva pour l'asseoir dans le landau, Kane ne lui dit pas où ils allaient mais se contenta de faire claquer son fouet. Aryane ne posa pas de questions. Elle ne put cependant dissimuler son étonnement quand son mari s'engagea sur la route menant aux mines.

Les gardes les laissèrent pénétrer dans le camp sans sourciller et, sitôt qu'ils furent à l'intérieur, les mineurs, leurs familles et surtout les enfants leur firent escorte.

Aryane saluait les quelques femmes qu'elle connaissait.

— Elles ne savent pas qui tu es sans ton déguisement, lui rappela Kane.

Au grand étonnement d'Aryane, le cortège ne cessait de grossir et les gamins arboraient de superbes sourires.

— Mais qu'as-tu fait ? s'enquit-elle.

— Regarde là-bas, répondit-il.

Aryane aperçut alors un vaste espace soigneusement ratissé où s'entassaient des caisses en bois. Kane arrêta le landau et, tandis que deux jeunes garçons retenaient les chevaux par la bride, il aida Aryane à descendre. Ils se dirigèrent vers les caisses, la foule faisant toujours cercle autour d'eux.

— Allez-y, les enfants, intima Kane.

Comme Aryane regardait les gamins faire sauter les couvercles de bois, Rafe vint les rejoindre.

— Elles sont là depuis deux jours, dit-il à Kane. J'espère que tu ne m'en voudras pas de leur avoir dit ce qu'il y avait dedans.

Rafe avait posé une main amicale sur l'épaule de son neveu et Aryane lui décocha un regard surpris avant de reporter son attention sur les enfants. Les caisses étaient maintenant ouvertes et ils se répartissaient les équipements de base-ball.

Kane observait sa femme attentivement. Avait-il fait tout cela uniquement dans le but de l'impressionner ?

— Et qu'as-tu acheté pour les filles ? demanda-t-elle.

— Les filles ? Mais elles vont jouer au base-ball.

— Tu ne crois pas qu'elles aimeraient mieux le tennis, la bicyclette ou le tir à l'arc ?

— Il faut toujours que Madame critique. Nul n'a grâce aux yeux de la princesse de glace !

Kane la planta là pour aller rejoindre les gamins.

Aryane s'éloigna à son tour. Peut-être s'était-elle effectivement montrée trop dure. Peut-être aurait-elle dû dire quelque chose de gentil. En pensant aux enfants, Kane venait de faire le geste qu'elle attendait de lui depuis longtemps et tout ce qu'elle avait trouvé à faire de son côté avait été de le rabrouer.

Inutile en tout cas de gâcher cette journée en boudant

dans son coin ! Aryane s'approcha d'une fillette et entreprit de lui expliquer les principes du base-ball. Bientôt, tout un groupe de petites filles l'entoura.

Quand Rafe et Kane eurent terminé de répartir les garçons en deux équipes, Aryane de son côté avait formé deux clans de supporters.

Deux heures plus tard, un lourd chariot tiré par quatre chevaux arriva à grand fracas dans le camp.

Tout le monde crut qu'il sonnait le glas des réjouissances, mais son conducteur n'était autre que M. Vaughn, le patron du magasin de sport.

— Taggert ! cria-t-il, cramoisi. C'est la dernière fois que j'honore une de vos commandes. Je me moque que vous m'achetiez tout mon magasin : je refuse de travailler le dimanche pour qui que ce soit.

— Avez-vous apporté tout ce que je vous avais demandé ? répondit Kane, soulevant déjà la bâche à l'arrière du chariot. Et cessez de râler ! Avec tout l'argent que je vous ai déjà versé ces derniers mois, j'ai bel et bien déjà acheté tout votre magasin !

Autour d'Aryane les gens riaient, mais elle n'avait d'yeux que pour le chargement.

— Regarde-moi ça ! dit Kane à une fillette qui se trouvait près de lui. Je ne crois pas que tu puisses frapper une balle de base-ball avec ça mais tu dois pouvoir quand même t'amuser avec.

Il lui tendit une raquette de tennis.

— Qu'est-ce que c'est ? demanda la gamine.

— Tu vois la dame là-bas ? répondit Kane en désignant Aryane. Va la voir, elle va te montrer comment t'en servir.

Aryane traversa la foule et vint embrasser son mari. Les grands bras de Kane se refermèrent autour de sa taille fine.

— Je crois que j'ai enfin trouvé le bon cadeau, fit-il par-dessus son épaule.

Aryane s'éloigna, suivie par le rire de Rafe.

Durant tout l'après-midi, Aryane n'eut guère le temps de penser tant elle fut occupée à enseigner les rudiments du tennis à ses jeunes élèves.

Le crépuscule arriva sans même qu'elle l'ait vu venir. Kane s'approcha, la prenant par les épaules. Elle sut alors qu'elle l'aimait toujours.

Peut-être n'était-il pas l'homme qu'elle avait cru. Peut-être était-il capable de ne vivre que pour assouvir sa haine de Jacob Fenton... Mais en cet instant, elle s'en moquait. Elle avait juré d'être à lui pour le meilleur et pour le pire. Tant pis si ce pire incluait sa soif de vengeance. Quoi qu'il fasse, quoi qu'il dise, elle l'aimerait et resterait jusqu'à la mort à ses côtés.

— Tu es prête ? demanda-t-il.

— Oui, répondit-elle du plus profond de son cœur.

CHAPITRE XXVIII

Kane ne lui jeta pas un seul regard tandis qu'ils quittaient le camp, passaient devant les gardes et s'engageaient sur la route.

Aryane, en revanche, ne le quittait pas des yeux. Comment pouvait-elle avoir si peu d'orgueil et aimer cet homme qui se servait d'elle ? La jeune femme n'arrivait pas à le comprendre, mais une chose était certaine : Kane lui avait ravi son cœur à jamais.

Au pied de la colline, juste avant l'embranchement de la grande route de Chandler, Kane arrêta le landau. Le soleil couchant embrasait l'horizon en une symphonie de rouges, de roses et d'orangés. La chaleur diurne avait cédé la place à une fraîcheur toute vespérale, riche de senteurs de sauge et de menthe poivrée.

— Pourquoi s'arrête-t-on ? demanda Aryane, comme Kane descendu à terre venait la prendre par la taille.

— Parce que, ma chérie, je ne pense pas que je puisse attendre de te faire l'amour plus longtemps.

— Kane ! protesta la jeune femme. On ne peut pas s'arrêter ici ! Quelqu'un pourrait nous voir.

Aryane se tut. Kane l'avait prise dans ses bras, serrée contre son torse puissant et la caressait. Elle s'abandonna. Il l'écarta un peu et fit doucement courir ses doigts sur sa joue.

— Tu m'as manqué, mon amour, murmura-t-il. Tu m'as beaucoup manqué.

La minute d'après, toute douceur et toute réserve

avaient disparu. Les lèvres de Kane s'étaient emparées de celles d'Aryane en un baiser fiévreux auquel elle répondit avec la même fougue.

Kane mit fin à son étreinte et alla chercher une couverture dans le landau. Il l'étala à l'abri d'un bosquet de pins et de genévriers, puis, tremblant de tout son corps, il déshabilla Aryane.

— J'attends ce moment depuis si longtemps ! souffla-t-il. Tu m'as un jour interrogé sur les autres femmes que j'ai connues. Je crois que jamais je n'ai repensé à elles après avoir quitté leur couche. Je crois même que je n'ai jamais pensé à elles pendant que je leur faisais l'amour. Je suis sûr que jamais non plus je n'ai confié à personne tout ce que j'ai pu te dire jusqu'ici. Es-tu une lady, Aryane, ou une sorcière ?

Les mains de Kane éveillaient de multiples soleils sur la peau satinée de la jeune femme. Elle noua ses bras autour de sa nuque et frôla ses lèvres.

— Je suis une sorcière amoureuse de toi, murmura-t-elle.

Ils ne parlèrent plus. La passion les fit se dénuder comme s'ils s'étaient battus, déchirant leurs vêtements quand une attache se montrait rebelle. Vite, ils ne formèrent plus qu'un, et vite ils gravirent ensemble les degrés magiques du plaisir.

Leurs cris déchirèrent la nuit puis le silence les enveloppa et ils s'endormirent, apaisés.

Kane se réveilla peu après et jeta sa veste sur le corps nu d'Aryane. Enfin, il s'accouda et admira son fin visage nimbé de lune.

— Qui aurait pu dire qu'une lady telle que toi..., murmura-t-il.

Puis il la cala doucement au creux de son épaule et ses yeux se perdirent dans les étoiles.

Aryane se réveilla une heure plus tard, les mains de Kane torturant délicieusement sa gorge. Elle lui sourit, rêveuse.

— J'ai tout ce qu'un homme peut souhaiter au monde, dit-il. Une femme belle et nue dans mes bras et qui me sourit. Dites-moi, belle dame, voulez-vous bien d'un garçon d'écurie ?

— Seulement s'il est très gentil et ne se conduit pas comme une brute.

Cette fois, ils firent l'amour avec une infinie tendresse, presque avec paresse. Puis, de nouveau, ils se retrouvèrent blottis l'un contre l'autre et s'endormirent.

Pendant la nuit, Kane se leva et alla détacher les chevaux.

Quand il revint, Aryane lui demanda où il était parti.

— Que veux-tu, rit-il, un palefrenier reste un palefrenier.

Et il se rallongea près d'elle.

Ils se réveillèrent aux premières lueurs de l'aube. Kane, allongé sur le dos, Aryane couchée sur lui, raconta la joie qu'il avait eue la veille en voyant les enfants si heureux.

— Pourquoi certains garçons ont-ils les yeux cernés de noir ? demanda-t-il. On dirait de petits ratons laveurs.

— Ils travaillent dans les galeries et n'ont pas encore appris à se débarbouiller correctement, expliqua la jeune femme.

— Mais certains d'entre eux sont presque encore des bébés ! Ce n'est pas possible que...

— C'est la vérité. Tu sais ce que j'aimerais faire pour les mines, toutes les mines ? reprit Aryane après un silence.

— Non, quoi ?

— J'aimerais avoir au moins quatre chariots, tous remplis de livres. Ils iraient de campement en campement et feraient office de bibliothèques gratuites. Il faudrait que les conducteurs s'y connaissent assez en littérature et en pédagogie pour pouvoir conseiller les mineurs et leurs familles dans leurs choix.

— Pourquoi ne pas le faire ?

— L'idée te plaît ?

— Elle me paraît bonne et ces quelques chariots coûteraient bien moins cher que le wagon que j'ai offert à ta mère. Au fait, qu'en a-t-elle fait ?

— Elle l'a fait installer au fond du jardin et s'y retire chaque fois qu'elle en a envie. M. Gates est furieux. Maman m'a dit que c'était toi qui lui avais donné cette idée.

Le soleil commençait à paraître au-dessus des montagnes et Kane décida qu'il était temps de rentrer s'ils ne voulaient pas rencontrer trop de monde.

Tout le long du chemin, Aryane resta blottie contre

202

l'épaule de son mari et, à plusieurs reprises, Kane arrêta les chevaux pour l'embrasser.

Une fois rentrés, ils prirent un bain ensemble dans les appartements d'Aryane. Quand ils en sortirent, il y avait plus d'eau sur le carrelage que dans la baignoire...

Kane y étala alors toutes les serviettes qu'il put trouver et, sur ce lit moelleux, il fit l'amour à sa femme.

Susan manqua faire irruption dans la pièce, mais Kane lui claqua la porte au nez et la domestique partit scandalisée tandis que dans son dos le couple éclatait de rire.

Ils descendirent ensuite avaler le petit déjeuner le plus copieux de leur vie.

Mme Murchinson mit un point d'honneur à les servir elle-même, manifestement aux anges de les voir enfin réconciliés.

— Des bébés, grommela-t-elle en regagnant sa cuisine. Ce qui manque dans cette maison, ce sont des bébés.

Kane s'étrangla et jeta à Aryane un œil horrifié, mais la jeune femme fuit son regard et s'empressa de porter sa tasse à ses lèvres pour dissimuler son sourire.

Mme Murchinson revenait apporter de nouveaux toasts quand ils entendirent le grondement. La terre se mit à trembler sous leurs pieds ; les tasses vibrèrent dans leurs soucoupes et un bruit de verre brisé leur parvint de l'étage.

Terrorisée, Mme Murchinson laissa choir son plateau.

— Qu'est-ce que c'était que ça ? s'écria Kane. Un tremblement de terre ?

Aryane se tut. Elle n'avait entendu ce bruit qu'une fois auparavant mais n'avait jamais pu l'oublier.

Livide, les lèvres tremblantes, sans un regard pour son mari et les domestiques accourus entre-temps, la jeune femme gagna le téléphone.

— Lequel est-ce ? fit-elle sitôt que l'opératrice eut répondu.

— Little Pamela, dit la voix à l'autre bout du fil.

— Aryane ! cria Kane en la prenant par les épaules. Je t'en supplie, ne t'évanouis pas. C'était dans une mine ?

La jeune femme ne parvenait pas à parler, tant l'angoisse lui nouait la gorge. Pourquoi fallait-il que cela se soit produit dans *sa* mine ? De tous les enfants qui hier jouaient au base-ball, lesquels étaient morts désormais ?

— Little Pamela. Le puits. Rafe devait y descendre ce matin...

Les doigts de Kane se crispèrent sur l'épaule d'Aryane.

— C'est grave ?

Comme Aryane n'arrivait pas à répondre, un des domestiques prit la parole :

— Monsieur, dit-il, quand l'explosion est assez forte pour secouer les vitres jusqu'ici, c'est que c'est très grave.

— Aryane, commanda aussitôt Kane, je veux que tu réunisses tous les draps et toutes les couvertures que tu pourras trouver. Charge-les à bord d'un chariot et emmène-les à la mine. Moi, je vais me changer et je pars tout de suite. Rejoins-moi là-bas le plus vite possible. Tu m'as bien compris ?

— Ils vont avoir besoin de bras, reprit le domestique.

— Alors, que ceux que ça intéresse aillent ôter leurs déguisements et sautent sur un cheval ! (Puis, se tournant vers Aryane :) Vivant ou mort, je tirerai Rafe de là.

Le temps d'un rapide baiser sur le front de sa femme, et Kane était parti.

— Vous avez entendu votre maître ? dit la jeune femme. Je veux que vous réunissiez draps et couvertures. Allez, exécution !

— Mon frère travaille là-bas, dit une des bonnes. Puis-je venir avec vous ?

— Moi aussi, fit Susan. J'ai déjà eu à soigner des blessés.

— Entendu, jeta Aryane en se dépêchant d'aller se changer à l'étage. Toutes les bonnes volontés seront les bienvenues.

CHAPITRE XXIX

Kane avait livré bien des batailles dans sa vie, mais il n'avait encore jamais eu à faire face à une catastrophe. Le spectacle de la mine de Little Pamela le heurta de front. Avant même d'atteindre les grilles du camp, il entendit le hurlement déchirant des femmes et il sut que cela resterait pour toujours gravé dans sa mémoire.

Les gardes avaient déserté l'entrée. Seule une femme se tenait là, le regard fou, serrant son enfant dans ses bras.

Kane et les quatre hommes qui l'accompagnaient ralentirent la course de leurs chevaux et, comme de plus en plus de femmes affolées leur barraient la route, ils finirent par descendre de leurs montures.

Soudain, une main agrippa Kane par la manche.

— Tuez-moi, supplia l'inconnue. Maintenant que mon mari est mort, je n'ai plus rien, plus rien...

La femme entraîna Kane à l'intérieur de sa masure auprès de laquelle la maison de Rafe ressemblait à un palais. Cinq enfants en guenilles se serraient, apeurés, les uns contre les autres dans un coin de la pièce. Leurs yeux démesurés, dévorant leurs petits visages, trahissaient les affres de la peur et de la faim.

Kane n'avait pas vu ces enfants la veille, mais il se rappela ne pas être venu de ce côté-ci du camp, là où les maisons n'étaient que conglomérats de bidons et de toile goudronnée.

— Tuez-nous tous, reprit la mère, car maintenant de toute façon nous allons mourir de faim.

Kane regarda autour de lui et n'aperçut pour toute pitance qu'un vieux quignon de pain sur la planche qui servait de table.

— Monsieur, dit le valet de chambre derrière lui, on a besoin d'aide pour transporter les corps.

— Je viens.

Kane sortit du taudis, laissant derrière lui la mère en larmes.

— Qui sont ces gens ? demanda-t-il.

— Ils ne peuvent pas se payer les « maisons » à deux dollars que la compagnie loue à ses ouvriers, alors ils louent un bout de terrain pour un dollar et se construisent un abri avec ce qui leur tombe sous la main.

— Que va devenir cette femme si son mari est effectivement mort ?

— Avec un peu de chance, la compagnie lui versera six mois de salaire, mais ça n'ira pas plus loin. De toute façon, les patrons diront que s'il y a eu un coup de grisou c'est la faute des mineurs.

— En tout cas, on peut tout de suite faire quelque chose. Allons chercher de quoi manger pour cette femme et ses enfants.

— Où ? Il y a quatre ans, une révolte a éclaté dans le camp et on a fermé le magasin général pour que les mineurs ne le pillent pas. Depuis, il n'a jamais été rouvert. Et la municipalité ne nous aidera pas non plus. La dernière fois qu'il y a eu une explosion, ils ont dit aux mineurs de régler leurs problèmes avec leurs employeurs.

Kane partit vers le puits. Près de son entrée, trois cadavres gisaient, recouverts d'un drap. Des hommes en remontaient déjà un autre et, non loin, sous un hangar, il aperçut Doriane s'activant, secondée par deux infirmiers. Leander était là aussi. Kane alla le trouver.

— Quels sont les dégâts ? interrogea-t-il.

— Enormes. Il y a tellement de fumée dans les galeries que les secours s'évanouissent avant de pouvoir atteindre les blessés. On n'a pas encore estimé le nombre des victimes et ce sera difficile. Le souffle de l'explosion s'est propagé vers l'intérieur de la mine. Des hommes peuvent être encore en vie, murés dans des galeries effondrées. Que quelqu'un la retienne ! cria encore Leander avant de sauter dans le monte-charge qui l'emporta au fond du puits.

Kane s'occupa de la femme en question. Folle de douleur, elle tentait de s'accrocher au corps carbonisé que l'on venait de remonter. Elle était si fragile que Kane la souleva sans peine dans ses bras.

— Je vais vous ramener chez vous.

Elle se débattait telle une démente, et une autre femme intervint.

— Laissez-la, dit-elle, je vais m'en occuper.

— Donnez-lui un peu de cognac.

— Du cognac ? Vous plaisantez ! Nous n'avons même pas d'eau potable.

Les deux femmes s'éloignèrent.

Deux minutes plus tard, Kane était remonté sur son cheval et galopait vers Chandler. Il croisa Aryane sur son chemin. La jeune femme l'appela mais il ne s'arrêta même pas. Il pénétra dans la ville à toute vitesse et faillit renverser une demi-douzaine de piétons sur son passage.

La plupart de la population était dans les rues à discuter de la catastrophe.

Kane ne s'arrêta que devant la nouvelle maison d'Edan, qui justement sortait de chez lui, tirant un cheval par la bride. En face, l'hôpital débordait d'activité.

— Je sais que tu m'en veux, fit Kane, mais il n'y a que toi qui puisses m'aider à mener à bien mon projet. Je te demande d'oublier un moment nos différends et de venir avec moi.

— Pour quoi faire ? J'allais partir donner un coup de main à la mine. L'oncle de Jane est là-bas et...

— Il se trouve qu'il est aussi mon oncle, bon Dieu ! Et la mine, j'en viens. Ils ont plus de bras qu'il ne leur en faut. Par contre, ils n'ont ni eau ni ravitaillement, et l'explosion a fait s'écrouler tout un pâté de maisons si toutefois on peut appeler ça des maisons. Je veux que tu m'aides pour que tous ces gens aient un abri et de quoi survivre pendant que les secours continuent.

— D'après ce que Jane a pu apprendre par téléphone, cela va prendre longtemps pour sortir tout le monde des galeries. Il va falloir réunir bon nombre de chariots pour tout transporter là-bas et il va aussi falloir un train pour ramener les corps. Aujourd'hui, il faut de la nourriture qui puisse se manger crue.

— Allez, viens ! Au boulot !

Jane parut sur le perron, pâle comme la mort.

— Jane, dit Edan, appelle Miss Emily et dis-lui de prévenir tous les membres de votre société. Je les attends à l'épicerie centrale le plus vite possible.

Il l'embrassa et sauta en selle.

De retour au centre ville, Kane et Edan se séparèrent et allèrent louer des chariots partout où ils avaient une chance d'en trouver. La plupart des propriétaires s'offrirent de les prêter et il se développa vite à Chandler un fort sentiment de solidarité face à la catastrophe.

Six jeunes femmes les attendaient devant l'épicerie centrale. Kane n'eut qu'à leur expliquer ce qu'il attendait d'elles et, sous la houlette énergique de Miss Emily, elles se mirent aussitôt à l'ouvrage.

A mesure que les chariots arrivaient devant le magasin, ils se voyaient remplis de conserves, de lait concentré et de centaines de miches de pain. Miss Emily n'hésita pas à recruter les badauds venus voir ce qui se passait.

Edan s'occupa de faire provision d'eau.

Pamela arriva en courant, précédée de Zacharie.

— Que pouvons-nous faire demanda-t-elle, tout essouf-flée.

Kane regarda son fils et une bouffée de soulagement le submergea : celui-là ne connaîtrait jamais les périls de la mine.

Il mit une main sur l'épaule de l'adolescent et se tourna vers Pamela.

— Rassemble le maximum de gens et à vous tous réunissez toutes les tentes que vous pourrez trouver. Allez chez moi et tâchez de mettre la main sur celles qu'Aryane avait achetées pour notre mariage. Quand vous aurez fini, apportez le tout à la mine.

— Je ne pense pas que Zacharie soit assez grand pour voir un tel spectacle, dit Pamela. Parfois ces coups de grisou sont...

— Tout ça, c'est votre faute ! explosa brusquement Kane. C'est vous, les Fenton, qui êtes responsables de ce désastre. Si ces mines étaient moins dangereuses, si ton père s'était séparé d'un peu de son précieux argent pour en améliorer la sécurité, tout ça ne serait jamais arrivé. Zacharie est mon fils ! Et si des gamins sont assez grands pour crever au fond des puits, il est assez grand pour sortir les corps de ceux que ton père a tués. Maintenant, file et fais ce que je t'ai dit sinon je te tords le cou comme j'ai déjà bien envie d'aller le tordre à ton père !

Quand Kane se tut, il se rendit compte qu'un silence de plomb s'était fait autour de lui et que chacun le fixait, tétanisé.

— Alors, on va rester plantés là longtemps ? intervint Edan. Toi, fit-il à un gamin, charge ces caisses. Et toi, là-bas, bouge donc ce chariot, tu vois bien qu'il gêne !

Sortant de sa torpeur, la foule recommença à s'activer, mais tous les esprits revenaient sans cesse à ce que Kane avait dit : Fenton et tous les morts qu'il avait sur la conscience.

Malgré tout ce qu'il avait pu raconter à Pamela, Kane refusa que Zacharie partît avec les premiers chariots. Il attendit de pouvoir lui-même conduire pour l'emmener.

Le soleil déclinait déjà quand Kane prit place sur le siège et se mit en route pour Little Pamela. A ses côtés,

Zacharie attendit qu'ils fussent hors de la ville pour prendre la parole :

— C'est vrai que grand-père a tué tous ces gens ? C'est réellement sa faute ?

Kane fut sur le point de dire à son fils ce qu'il pensait vraiment du vieil homme ; de lui raconter la façon dont il l'avait spolié de son héritage... Finalement, il se retint.

Qu'importait ce qu'était Jacob Fenton, il n'en demeurait pas moins le grand-père de l'adolescent et ce dernier avait bien le droit de l'aimer.

— Je crois, dit-il, que parfois l'argent fait perdre la tête aux gens. Ils croient que leurs dollars peuvent leur donner tous les droits et plus rien ne les arrête. Tant pis s'ils doivent tricher, voler ou même tuer, avoir de l'argent passe avant tout pour eux.

— Ma mère dit que vous êtes plus riche que grand-père. Ça veut dire que vous aussi vous avez volé ?

— Non, fit doucement Kane. Je suppose que j'ai eu de la chance.

Ils ne parlèrent plus durant le reste du chemin et, en arrivant à la mine, Kane ressentit de nouveau toute l'horreur du désastre.

En haut du puits, huit cadavres attendaient d'être transportés à l'hôpital de fortune où Doriane et trois autres médecins se démenaient.

Comme Kane déchargeait son chariot, Aryane, les cheveux défaits, les mains, le visage et les vêtements maculés de suie, vint le rejoindre.

— Tu es formidable, dit-elle en s'emparant d'un carton de lait concentré. Tu n'avais vraiment aucune raison de faire tout ça. Tu n'as rien à voir là-dedans...

— Moi aussi j'habite Chandler, coupa-t-il. Et d'une certaine manière, ces mines sont à moi. Peut-être que si Fenton ne me les avait pas volées, tout cela ne se serait pas produit... Aryane, tu as l'air bien lasse. Pourquoi ne pas repartir avec ce chariot et aller te reposer un peu ?

— Non, on a besoin de toutes les bonnes volontés possibles. Elles sont vitales. Les secouristes succombent sous l'effet des gaz toxiques d'heure en heure.

— Hé ! Donne-moi un peu à boire, intervint une voix familière.

Kane se retourna et découvrit son oncle Rafe.

Aryane n'avait encore jamais vu le visage de son mari

s'illuminer d'un sourire aussi large, aussi chaleureux. Il assena dans le dos de Rafe une claque si généreuse que sa victime faillit en lâcher le gobelet d'eau qu'elle portait à ses lèvres. En échange, l'oncle abreuva le neveu d'une bordée d'injures dans la grande tradition Taggert, mais Kane ne réagit pas, se contentant de le regarder, hilare.

Quand Rafe eut terminé, Kane décocha un clin d'œil à sa femme et partit vers le puits.

En arrivant, il y trouva Leander. Couvert de suie, il venait juste de remonter du fond.

— Il y en a encore beaucoup ? demanda Kane en tendant à boire au jeune médecin.

Leander but avidement.

— Encore trop. Beaucoup ont été carbonisés et quand on essaie de les bouger, les cadavres tombent en miettes.

Kane ne trouva rien à répondre. Il ne pouvait que fulminer intérieurement contre le responsable de tout : Fenton.

— Merci pour le ravitaillement, reprit Leander. Ça a été plus utile que vous ne le pensez. Demain, il y aura encore plus de monde ici. Les parents, la presse, les inspecteurs des mines et les envoyés du gouvernement. Sans parler des curieux... Parfois, on oublie qu'il faut nourrir tout ce monde. Bon, il faut que je redescende.

Kane se fraya un chemin à travers la foule qui ne cessait de grossir. Il retrouva Aryane et Zacharie et les fit monter dans un chariot.

— Il est temps d'aller rechercher des provisions, fut tout ce qu'il leur dit.

Quand sur la route la tête d'Aryane tomba soudain contre son épaule, Kane se contenta de passer un bras autour d'elle. Il la maintint ainsi tout le reste du chemin.

Tandis que Kane et Edan achetaient de nouveau à manger et chargeaient les chariots, Aryane et Zacharie dormirent un peu.

Les jeunes de Chandler s'en mêlèrent. Ils aidèrent au chargement et demandèrent à leurs mères de préparer des repas ; de faire cuire des milliers d'œufs durs. Ils collectèrent aussi des vêtements, des ustensiles de cuisine et du bois pour faire le feu, apportant le tout aux divers points de ralliement.

Le lendemain, d'heure en heure, le bilan de la catastrophe grossissait. On en était à vingt-deux morts et les cadavres étaient tellement calcinés qu'il était difficile de les identifier.

Les secouristes s'attendaient à en remonter encore au moins vingt-cinq autres et l'un d'eux avait déjà péri dans sa mission humanitaire.

A midi, Kane emmena un lourd chariot à la mine. Tandis qu'il déchargeait d'énormes ballots de couvertures, il vit l'équipe de secours remonter du puits. La plupart de ces hommes étaient pris de violentes nausées après avoir respiré les vapeurs pestilentielles des galeries.

— C'est à cause des cadavres, lui expliqua quelqu'un. Ça devient irrespirable là-dessous.

Kane resta une bonne minute sans bouger. Puis il s'empara du premier cheval qui passait, sauta en selle et partit à fond de train chez Jacob Fenton.

Il n'avait pas remonté l'allée menant à cette maison depuis le jour où Jacob l'avait chassé de chez lui.

Kane ne frappa pas. Un coup de botte lui suffit pour ouvrir la porte.

— Fenton ! tonna-t-il tandis que les domestiques accouraient des quatre coins de la demeure.

Deux valets de pied le saisirent aux épaules mais Kane s'en débarrassa comme on chasse des insectes.

Il connaissait suffisamment les lieux pour trouver sans difficulté la salle à manger où Jacob déjeunait, seul en bout de table.

Ils se fixèrent longuement, Kane le sang au visage, tout son grand corps tremblant de rage contenue. Puis, d'un geste de la main, Jacob congédia les domestiques.

— Je suppose que vous n'êtes pas venu déjeuner, dit Fenton, se beurrant tranquillement un toast.

— Comment pouvez-vous manger quand là-bas, sous cette montagne, des gens meurent à cause de vous !

— Désolé, mais je ne suis pas d'accord. A vous entendre, on croirait que je les ai tués. J'ai au contraire tout fait pour qu'ils puissent vivre, mais ils semblent avoir un fâcheux penchant pour le suicide. Voulez-vous un peu de vin ? C'est un excellent cru.

Les images atroces dont Kane avait été le témoin depuis presque deux jours tourbillonnaient dans sa tête. Il croyait encore entendre le hurlement désespéré des femmes.

Kane n'avait pas mangé depuis l'explosion. Sentir soudain cette nourriture lui tourna la tête et il vacilla sur ses jambes.

Jacob se leva, tira une chaise pour son visiteur et lui servit un verre de vin. Kane ne remarqua pas que les mains du vieillard tremblaient.

— C'est si grave que ça ? demanda Fenton, allant remplir une assiette à la desserte.

Kane ne répondit pas. Il se laissa tomber sur sa chaise et fixa le verre posé devant lui.

— Pourquoi ? murmura-t-il enfin. Pourquoi avez-vous tué tous ces gens ? Qu'y a-t-il de plus important que leurs vies ? L'argent que vous m'avez pris ne vous suffisait donc pas ? Pourquoi en vouliez-vous encore plus ? Il y a d'autres moyens que les vôtres pour en gagner.

Jacob déposa l'assiette pleine devant Kane mais ce dernier n'y toucha pas.

— J'avais vingt-quatre ans quand vous êtes né et j'avais toujours grandi en pensant que tout ceci était à moi. J'aimais l'homme que je croyais être mon père et je pensais que lui m'aimait aussi. A cet âge, on a tendance à être idéaliste, soupira-t-il. La nuit où Horace s'est tué, j'ai découvert que je n'étais rien pour lui. Son testament stipulait que je demeurerais garant de sa fortune jusqu'à votre majorité, mais qu'ensuite je devrais tout vous laisser. Il ne me resterait plus qu'à m'en aller avec pour tout bien les vêtements que j'aurais sur le dos. Je ne crois pas que vous puissiez imaginer la haine qui m'a submergé ce jour-là pour l'enfant qui ruinait ma vie. Alors, je me suis débarrassé de vous et j'ai soudoyé les avocats. Je ne crois pas que j'avais toute ma raison. Cette haine m'a porté pendant des années. Elle était sans cesse en moi. Chaque fois que je devais signer un document pour vendre ou acheter quelque chose, je savais qu'il y avait quelque part un enfant qui possédait vraiment ce que j'achetais ou vendais. Finalement, j'ai préféré vous voir ici, pour vous tenir à l'œil.

Jacob vint s'asseoir en face de Kane.

— Le médecin m'a dit que je n'en avais plus que pour un ou deux mois à vivre, reprit-il. Je n'en ai parlé à personne mais je tenais à vous dire toute la vérité avant de

212

mourir. La haine fait plus de mal à celui qui l'éprouve qu'à celui qui en est l'objet. Durant toutes les années où vous avez vécu ici, j'étais sûr que vous alliez essayer de tout me reprendre. Je luttais sans cesse contre l'angoisse, la terreur. J'avais peur que vous ne découvriez la vérité. Quand vous avez voulu épouser Pamela, j'ai cru que toutes mes craintes se réalisaient. Plus tard, j'ai pensé que ce mariage était sans doute la meilleure solution. Mais à l'époque... Je crois que je n'étais pas capable de voir les choses objectivement.

Jacob se tut et but une forte rasade de vin.

— Voilà, Taggert, vous venez d'entendre la confession d'un homme qui sait qu'il va mourir. Tout est à vous. Vous pouvez tout prendre si vous le souhaitez. Ce matin, j'ai dit toute la vérité à mon fils Marc, car je n'ai plus la force de lutter avec vous.

Kane s'adossa à sa chaise et fixa le vieil homme au teint gris. Il s'aperçut soudain qu'il ne le haïssait plus. Aryane lui avait dit que seule sa haine l'avait poussé à accomplir tout ce qu'il avait pu faire dans sa vie et sans doute avait-elle eu raison. En fait, elle n'avait fait que lui montrer l'injustice commise par Horace en déshéritant Jacob.

— Vous auriez pu garder votre fortune autrement qu'en laissant les mineurs mourir de faim.

— Les mineurs, toujours eux ! Mais ces mines ne me rapportent rien. Ce sont mes aciéries de Denver qui comptent. Mais personne ne veut l'admettre. Ici, tout le monde me regarde comme si j'étais l'incarnation de Satan et ne va pas chercher plus loin.

Jacob se leva et se mit à arpenter la pièce.

— Je suis forcé de boucler ces maudites mines ! Sinon les syndicats entreront et pousseront les mineurs à réclamer des hausses de salaires et des réductions d'horaires. Vous savez ce qu'ils veulent ? Ils veulent un peseur officiel ! Ecoutez, je ne suis pas plus idiot qu'un autre. Je sais bien que les pesées sont fausses et qu'ils extraient plus que le quota. Mais si j'étais régulier et si je les payais au juste prix, je ne pourrais plus maintenir mes marges bénéficiaires. Je devrais augmenter mes prix et je cesserais d'être compétitif. Qu'est-ce qui se passerait alors ? Je perdrais des marchés et ces crétins n'auraient plus de travail.

Kane fixait toujours le vieillard. Il comprenait ses difficultés, mais elles ne justifiaient pas tout.

— Et la sécurité ? fit-il. On m'a dit que l'étayage des galeries était complètement pourri.

— Evidemment ! Mais les mineurs n'ont qu'à s'en prendre à eux-mêmes. Ils sont dévorés d'un orgueil stupide. Demandez donc à votre oncle si vous ne me croyez pas. Ils sont les premiers à se vanter de tout ce qu'ils sont capables d'extraire sans étayage. J'ai beau envoyer régulièrement des équipes d'inspection, ça ne sert à rien. Ils refusent de consolider les galeries.

Kane prit sa fourchette et commença à manger distraitement. Mais il mourait tellement de faim qu'en quelques minutes il avait terminé son assiette.

— Vous les payez au tonnage, n'est-ce pas ? Ils ne touchent rien quand ils consolident ?

Jacob resservit Kane et rapprocha sa chaise.

— Ecoutez, reprit-il, j'ai engagé des contremaîtres pour surveiller le travail... Non seulement ces imbéciles refusent d'étayer correctement, mais ils ne mettent pas non plus leur casque parce que ça les gêne pour allumer leurs cigarettes. Et qu'est-ce qui se passe quand ils allument une cigarette ? Neuf fois sur dix, ça saute ! Les contremaîtres doivent les fouiller un par un avant qu'ils descendent.

— Un moment, fit Kane la bouche pleine. A vous entendre, ce sont des enfants. Vous les bouclez dans des camps, vous leur mettez des gardes sur le dos. Comment voulez-vous dans ces conditions qu'ils aient le sens des responsabilités ? Vous êtes en train de me dire que vous les faites travailler pour...

— Pour rien, termina Fenton. Je fais tout ce que je peux pour leur conserver leurs emplois mais ils ne me rapportent pas un sou. Si j'avais le choix, j'achèterais mon charbon ailleurs et je me contenterais de faire de l'acier. Mais je n'arrive pas à me résoudre à mettre autant de gens au chômage. Pourtant, chaque fois qu'il se passe quelque chose comme ça, continua Fenton, je me dis que je vais fermer les puits. Mais vous savez ce qui se passerait si je le faisais : Chandler deviendrait une ville fantôme dans les deux ans.

— Donc, si je comprends bien, vous rendez service à toute la communauté ?

— D'une certaine façon, oui.

— Mais vous versez quand même des dividendes à vos actionnaires ?

— Pas autant qu'ils le voudraient. Je fais au mieux.

Kane nettoyait maintenant sa deuxième assiette.

— Vous feriez bien de vous ressaisir, dit-il. Il se trouve que j'ai pas mal d'argent et je pourrais vous mettre l'inspection du travail sur le dos. Evidemment, tout le temps que durerait la procédure, l'exploitation des mines devrait être interrompue.

— Mais ça ruinerait complètement la ville ! Vous ne pouvez pas...

— Je crois que ça vous ruinerait surtout, vous et vos chers actionnaires, quoi que vous en disiez.

Jacob regarda longuement Kane.

— C'est bon, dit-il, que voulez-vous ?

— Si les mineurs doivent effectivement être protégés d'eux-mêmes, je veux un personnel de surveillance efficace. Je veux aussi que les enfants ne descendent plus dans la mine.

— Mais ils sont petits ! Ils peuvent aller dans des endroits que les adultes ne peuvent pas atteindre.

Kane balaya l'argument d'un geste, se concentrant sur ce qu'il voulait dire, tentant de se rappeler ce qu'Aryane lui avait expliqué.

A chaque nouvelle idée, Jacob protestait :

— Des livres ! Vous n'y pensez pas ! Lire ne pourrait que les rendre plus insatisfaits !... Des services religieux ? Mais vous êtes fou ! Non seulement il faudra payer les prêtres, mais en plus nous aurons des guerres de religion si nous voulons les faire tous aller au même office.

Quand Kane évoqua de meilleures conditions de logement, Jacob eut le front de prétendre que les murs lézardés étaient plus sains parce qu'ils laissaient pénétrer le grand air...

Ils débattirent ainsi tout l'après-midi, Jacob remplissant régulièrement de vin le verre de Kane. Vers quatre heures, la voix de celui-ci commença à s'empâter et sa tête se mit à dodeliner sur ses larges épaules. Il finit par s'endormir au beau milieu d'une phrase.

— Si j'avais eu un fils comme toi, murmura Jacob, j'aurais conquis la planète...

Il sortit de la salle à manger et envoya un domestique chercher une couverture pour en recouvrir Kane.

Il faisait nuit noire quand Kane se réveilla enfin, endolori d'avoir dormi sur une chaise. La pièce était plongée dans la pénombre mais il pouvait apercevoir un paquet posé sur la nappe : des sandwiches.

Un sourire aux lèvres, il enfouit le sac dans sa poche et quitta la maison.

Bizarrement, Kane se sentait le cœur léger et, tout en chevauchant vers la mine, il se dit que sa vie venait de prendre un nouveau départ.

En arrivant au puits, Kane vit Reed Westfield, le père de Leander, s'installant à bord du monte-charge pour descendre au fond. Kane tira alors l'homme qui l'accompagnait par la manche.

— Allez donc vous reposer un peu, je prends votre tour.

Tout en descendant, Kane expliqua rapidement à Reed, qui était avocat, qu'en fait tout ce qui appartenait à Fenton était à lui.

— Je ne veux pas de ses mines et de sa fortune, dit Kane. Je voudrais que vous me dressiez un document qui me permettrait de tout lui restituer légalement et qu'il le lègue à qui il veut. Mais il faut faire vite car il n'en a plus pour longtemps.

— Je paie une demi-douzaine de clercs à ne rien faire, rétorqua Reed Westfield. Que diriez-vous de demain matin ? Ça vous paraît suffisamment rapide ?

Kane hocha la tête et grimaça, frappé par la puanteur qui régnait au fond.

CHAPITRE XXX

Trois jours après l'explosion, on dénombrait quarante-huit victimes et sept disparus. La plupart étaient morts au moment de l'accident, mais certains n'avaient succombé que longtemps après, asphyxiés par les gaz toxiques.

En ville, les drapeaux étaient en berne et on ne pouvait sortir faire une course sans avoir à se découvrir devant un corbillard.

Le fiancé de Sarah Oakley était mort. Il revenait de Little Pamela, où il avait passé deux jours d'affilée à aider les sauveteurs. Il était tellement épuisé qu'il n'avait ni vu ni entendu le train au passage à niveau et que la lourde locomotive l'avait fauché, le tuant sur le coup.

Leander et Kane, aidés d'Edan, avaient obtenu de Fenton la promesse de faire construire une unité de premiers secours dans l'enceinte même de la mine. On murmurait que c'était Kane qui avait arraché sa parole au vieil homme.

Aryane passait ses journées à aller aux enterrements et à tenter de consoler les veuves et les orphelins, s'assurant qu'ils avaient suffisamment à manger.

Reed Westfield retrouva Kane à l'entrée de la mine et lui tendit un papier.

— Voici ce que vous m'avez demandé, dit-il. Il faudra faire un acte plus précis, mais celui-ci suffira si les choses allaient trop vite.

Kane parcourut rapidement le document.

— Si vous voulez bien le signer tout de suite, reprit Reed, je l'enregistrerai aussitôt. Je vous ai aussi apporté un double pour que vous le remettiez à Fenton.

Kane signa et sourit à l'avocat.

— Je crois que je vais aller lui apporter son double tout de suite, dit-il.

Kane sauta à cheval et partit. Il ne pouvait s'empêcher de ressentir un peu de tristesse à l'idée que Fenton ne serait bientôt plus. Mais après tout, c'était normal. Son vieil ennemi finissait par devenir presque un complice et puis, jusqu'à l'âge de dix-huit ans, il avait grandi chez lui. Et puis, aussi, Jacob était le grand-père de Zacharie. Zacharie, qui hériterait de toute la fortune un jour... avec Marc. Bizarrement, on semblait toujours oublier Marc.

Comme il remontait l'allée menant à la maison, Kane constata que la porte d'entrée, réparée depuis son passage, était grande ouverte.

Kane descendit de cheval et pénétra dans la maison en appelant. Silence...

Il gagna directement le bureau de Jacob, qui se trouvait à l'arrière de la maison, et y déposa le précieux document.

Que se serait-il passé s'il avait épousé Pamela ? Sans doute n'aurait-il jamais fait fortune. En tout cas, il n'aurait jamais épousé Aryane et peut-être sans fortune, n'aurait-elle jamais non plus accepté de devenir sa femme.

Kane appela encore, mais comme personne ne répondait, il se dirigea vers la cuisine pour sortir par l'office : un chemin qu'il connaissait bien.

En passant devant l'escalier de service qui permettait aux valets et aux femmes de chambre de gagner le quartier des maîtres, Kane fut tenté. Jamais il n'était monté à l'étage et il en avait toujours rêvé. C'était aujourd'hui ou jamais puisque la maison semblait totalement déserte.

Kane gravit les degrés furtivement, comme un voleur.

Il se retrouva dans un long couloir dont il ouvrit les portes l'une après l'autre. Les pièces n'avaient rien d'extraordinaire, avec leurs lourds meubles sombres et leurs tentures tristes.

— Aryane a bien meilleur goût, murmura-t-il.

Kane atteignit ainsi le palier et décida de redescendre par l'escalier d'honneur.

Il posait la main sur la balustrade d'acajou lorsqu'il resta soudain pétrifié. Au pied des marches, recroquevillé, gisait Jacob Fenton, visiblement mort.

Tout de suite, Kane pensa qu'il était arrivé trop tard : jamais Jacob ne saurait qu'avant de mourir il était enfin devenu le propriétaire légal de sa fortune. Puis la tristesse l'enveloppa d'un froid manteau.

Alors que pendant des années, à New York, Jacob Fenton n'évoquait que des heures de travail pénible et dégradant, maintenant lui revenaient de tout autres souvenirs. Il se rappelait les fois où il l'avait fait enrager, refusant de lui préparer son cheval ou d'atteler une voiture. Les fois aussi où il avait poussé la cuisinière à mettre des oignons dans ses plats, sachant très bien que Jacob ne les digérait pas et ne dormirait pas de la nuit.

Kane se mit à descendre lentement les escaliers. Il en était à la moitié quand Marc et cinq de ses amis firent irruption dans le hall. A leur allure et étant donné l'état de leurs vêtements, ils revenaient d'une nuit de débauche en ville.

— Si Taggert veut me prendre mon héritage, disait

218

Marc, il va falloir qu'il se batte. Personne en ville n'osera le soutenir contre moi.

Les deux créatures fardées et les trois hommes qui l'accompagnaient se répandirent en approbations.

— Marc chéri, fit l'une des femmes, où est le whisky ?

Soudain, le groupe aperçut le cadavre et se figea. Marc fut le premier à relever la tête et il vit Kane.

— J'étais venu voir votre père pour...

Kane ne put en dire plus.

— Assassin ! hurla Marc en se jetant dans l'escalier.

— Un instant ! Je...

Marc et ses compagnons sautèrent sur Kane et tous les cinq dévalèrent l'escalier. Etant le seul à n'avoir pas bu, Kane fut le premier à se redresser. C'est alors qu'une des femmes abattit sur son crâne une lourde statuette de bronze.

Tous fixèrent quelques secondes ce grand corps d'homme évanoui.

— Qu'est-ce qu'on fait, maintenant ? murmura une des filles.

— On va le pendre ! s'écria Marc, tentant de soulever Kane par les épaules mais n'y parvenant pas.

Comme personne ne l'aidait, il se fit presque suppliant.

— Mais enfin, dit-il, il a tué mon père !

— Il n'y a pas assez de whisky sur cette planète pour me faire pendre un homme aussi riche et puissant que lui, dit un des hommes.

Marc tenta de discuter, mais il était trop saoul pour y parvenir. Finalement, sans un regard pour Jacob toujours recroquevillé à terre, les quatre hommes transportèrent Kane dans une voiture et la compagnie quitta la propriété.

— Tiens, bois ça, dit Edan, qui soutenait la nuque de Kane.

Kane tenta de se redresser, mais le mouvement lui arracha un gémissement de douleur et il se laissa de nouveau aller contre le mur de pierre.

— Que s'est-il passé ? grogna-t-il en observant Edan, Leander et le shérif penchés sur lui.

— Un malentendu, expliqua Leander. J'ai raconté au shérif l'histoire du document et la raison de votre présence chez Fenton.

— Il est mort, n'est-ce pas ? Il en avait tout l'air d'où j'étais. La dernière chose que je me rappelle, c'est Marc Fenton et ses copains, complètement saouls, se jetant sur moi.

Edan vint s'asseoir près de Kane sur la couchette de la cellule.

— D'après ce que nous avons pu reconstituer, dit-il, Jacob Fenton est tombé dans l'escalier quelques minutes seulement avant que tu arrives. Tous les domestiques sont partis en courant chercher du secours et ont laissé la maison grande ouverte. Quand Marc et ses amis sont rentrés, ils t'ont vu en haut de l'escalier et Fenton en bas. Ils en ont conclu que tu l'avais poussé. Tu as de la chance, Marc voulait carrément te pendre à un arbre devant la maison !

— Je ne sais pas si ça m'aurait fait aussi mal que ça, soupira Kane, portant une main à son crâne.

— Vous êtes libre, monsieur Taggert, intervint le shérif. Et si j'étais vous, je m'en irais avant que mon épouse sache où je suis. Les femmes n'aiment pas beaucoup apprendre que leurs maris sont en prison.

— Pas Aryane, murmura Kane. Même si on m'avait pendu elle aurait accueilli la nouvelle sans battre d'une paupière.

Il se mit alors à réfléchir. Quelle aurait été la réaction d'Aryane en apprenant qu'il était un assassin ? D'autant que, s'il ne se trompait pas, les meurtriers se voyaient confisquer tous leurs biens...

— Qui est au courant de cette histoire ? demanda-t-il. Les domestiques des Fenton peuvent prouver que je suis innocent mais le sait-on en ville ?

— J'ai appelé Leander dès que le jeune Fenton vous a déposé ici, dit le shérif.

— La mine retient toute l'attention, expliqua Leander. Personne ne s'intéresse à ce qui peut se passer à la prison.

— Où veux-tu en venir ? interrogea Edan, qui commençait à connaître son Kane.

— Shérif, reprit Kane, verriez-vous un inconvénient à ce que je passe la nuit ici ? J'aimerais faire une petite farce à ma femme.

— Une farce ? Méfiez-vous, les femmes n'aiment généralement pas ça.

220

Kane regarda Leander et Edan tour à tour.

— Puis-je compter sur vous pour garder le silence pendant vingt-quatre heures ?

Edan jeta à Leander un regard en coin.

— J'ai comme dans l'idée, dit-il, que notre ami Kane est curieux de voir la réaction d'Aryane si elle apprend qu'il est accusé de meurtre. Je me trompe, Kane ?

— Quelque chose comme ça.

— Je ne veux pas me mêler à vos histoires d'amour, monsieur Taggert, fit le shérif. Si vous voulez rester ici, libre à vous. Mais je dois vous prévenir que la municipalité vous demandera de payer et que ça vous coûtera aussi cher que le meilleur hôtel de San Francisco.

— Pas de problème. Leander ? Edan ?

Leander haussa les épaules :

— Vous faites ce que vous voulez. Je ne sais pas comment Aryane réagira. Je la connais depuis toujours mais en fait j'ignore tout d'elle.

Edan réfléchit longuement.

— Kane, dit-il enfin, quand Aryane aura réussi cet examen — et je sais qu'elle le réussira — te décideras-tu enfin à lui faire confiance ? Il serait temps de nous remettre aux affaires car à l'heure qu'il est Vanderbilt a dû s'acheter toute la côte Est.

— On la lui rachètera demain, dès que je serai sorti d'ici.

Les visiteurs partis, Kane s'allongea sur sa couchette et s'endormit.

Aryane berçait un bébé de trois mois dans ses bras, près du lit où dormaient sa sœur de trois ans et son frère de quatre. Ils n'étaient que quelques-uns des nombreux orphelins de Chandler depuis le coup de grisou.

Aryane et Doriane avaient monté une garderie pour permettre aux veuves de chercher du travail et, quand le shérif adjoint arriva, Aryane se demanda ce qu'il lui voulait.

— Votre mari a été arrêté pour le meurtre de Jacob Fenton, annonça-t-il.

La nouvelle mit un moment à se frayer un chemin dans l'esprit de la jeune femme. Cette fois-ci, ça y était, la colère avait fait perdre à Kane tout son contrôle.

— Quand ? parvint-elle à murmurer.

— Ce matin. Tout le monde en ville sait qu'il avait menacé de lui tordre le cou. C'est vrai que Fenton était aussi noir que le péché, mais ça ne change rien. Que vous ayez tué un homme bon ou mauvais, on vous pend avec la même corde.

— Je vous prierais de bien vouloir ne pas juger et encore moins condamner mon mari tant que cette affaire n'aura pas été éclaircie, fit Aryane, glaciale.

Elle se leva, très digne, et lui colla le nourrisson dans les bras.

— Tenez, occupez-vous-en ! Moi, je vais voir mon mari.

— Mais vous n'y pensez pas ! Je suis en service ! Je suis shérif adjoint !

— Shérif, vraiment ? Je vous croyais juge ! Vérifiez qu'il n'est pas mouillé. S'il l'est, changez-le. Les langes sont dans l'armoire. Si les autres se réveillent, vous n'aurez qu'à leur raconter une histoire pour les rendormir. Leur mère sera de retour dans deux heures.

— Deux heures ! Mais...

Le landau d'Aryane était dehors et elle fit le chemin jusqu'à la prison en un temps record. C'était une petite bâtisse de pierre adossée à une colline au sortir de la ville. La plupart de ses pensionnaires n'étaient que des ivrognes inculpés de tapage nocturne ou de bris divers. Les cas vraiment sérieux étaient envoyés à Denver pour y être jugés.

— Bonjour, mademoiselle Daryane, fit le shérif en se levant à son entrée.

— Madame Taggert, corrigea-t-elle. Je veux voir mon mari immédiatement.

— Bien sûr.

Le shérif décrocha le trousseau de clefs qui pendait à un clou et ouvrit une cellule à Aryane. La jeune femme s'approcha de Kane, endormi sur sa couchette et vit le sang coagulé dans ses cheveux.

— Kane, mon amour, que t'ont-ils fait ?

Tandis que les verrous se refermaient sur elle, elle couvrit de baisers le visage de son mari.

— Aryane, murmura Kane en se frottant la tête. Que s'est-il passé ?

— Tu ne t'en souviens pas ? On dit que tu as tué Fenton. C'est vrai ou faux ?

— Faux ! s'écria-t-il tandis que la jeune femme s'accroupissait devant lui et posait sa tête sur ses genoux. Du moins, je le crois. Je ne sais plus, je n'arrive pas à me rappeler.

— Raconte-moi ce dont tu te souviens.

— Je suis allé voir Fenton et la maison était vide. Je suis monté à l'étage pour tenter de le trouver. Et quand je suis arrivé en haut des grands escaliers, il était là, en bas, par terre. Mort. Une minute après, Marc Fenton est arrivé avec des amis et ils se sont jetés sur moi en disant que j'avais tué le vieux. J'ai été assommé et je me suis réveillé ici.

Aryane lui jeta un regard angoissé, puis se leva et se mit à faire les cent pas dans la cellule.

— Ton histoire est bien mince.

— Mince ? Mais, Aryane, c'est la vérité ! Je te jure.

— Tu étais seul dans la maison ? Personne n'a vu Fenton mort avant que tu y entres ?

— Il n'y avait personne quand je suis arrivé mais je ne sais pas si quelqu'un l'avait vu avant.

— De toute façon, ça ne change rien. Ce qu'il faudrait, c'est quelqu'un qui l'ait vu mourir. Y avait-il un témoin ?

— Je ne sais pas, mais, Aryane...

— Kane, coupa-t-elle, tout le monde à Chandler t'a entendu dire que tu voulais tordre le cou de Jacob Fenton. S'il n'y a pas de témoin oculaire, jamais nous ne pourrons prouver ton innocence. Oh, mon Dieu, qu'allons-nous faire ?

— Je ne sais pas, mais je commence à m'inquiéter. Aryane, il faut que je te dise, c'est au sujet de l'argent.

— Pourquoi es-tu allé chez Fenton ? Tu n'avais quand même pas l'intention de le tuer ?

— Bien sûr que non. J'allais juste lui remettre un document lui laissant l'entière possession de ses biens. Mais il faut que je t'explique au sujet de *mon* argent. Si je suis condamné, tu ne seras pas seulement veuve : tu n'auras plus un sou non plus. Ta seule chance de sauver quelque chose, c'est de te séparer de moi avant que je passe devant le tribunal. Comme ça, tu réussiras à sauvegarder quelques millions.

Mais Aryane n'écoutait pas.

— Qu'as-tu dit que tu étais allé faire chez Fenton ?

— Lui apporter un papier stipulant que je renonçais à tous mes droits sur ses propriétés. Il était déjà mort et il ne l'aura jamais su. Mais revenons-en à toi. Si tu veux avoir de l'argent...

— Tu as renoncé à ta vengeance ? murmura Aryane.

— T'es encore en train de parler de ça ? Je t'ai déjà dit que je voulais simplement l'inviter à ma table dans une maison plus grande que la sienne. J'ai réussi à le faire. Quel mal y a-t-il à ça ?

— Tu voulais aussi avoir une lady pour femme. Tu m'as épousée parce que...

— Et toi, tu m'as épousé pour mon argent ! coupa Kane. Et maintenant, tu vas perdre jusqu'au dernier sou si on me pend pour un crime que je n'ai pas commis.

Aryane se leva. Kane ne lui avait pas dit une seule fois qu'il l'aimait, mais elle en était sûre. Chaque fibre de son corps le lui criait. Il s'était marié avec elle pour assouvir une stupide vengeance, mais il était tombé amoureux d'elle dans le processus. Et c'était cet amour qui lui avait permis de pardonner à l'homme qui lui avait fait tant de mal.

— Il faut que je m'en aille, dit-elle. J'ai énormément de choses à faire.

La jeune femme ne vit pas l'éclair de détresse qui traversa les yeux de son mari.

— Je suppose qu'il faut que tu voies le vieux Westfield pour cette histoire d'argent, fit-il.

— Oui, peut-être conviendra-t-il, répondit Aryane, plongée dans ses pensées. Surtout, ne t'inquiète pas, je sais exactement ce que j'ai à faire.

La jeune femme donna un bref baiser à son mari puis appela le shérif pour qu'il la laisse sortir.

Kane resta un instant figé au milieu de sa cellule, incapable de réagir. Manifestement, Aryane avait sauté sur l'occasion qu'il lui offrait de se débarrasser de lui !

Il grimpa sur sa couchette pour atteindre la lucarne et voir le landau d'Aryane disparaître sur la route. Kane dut alors lutter contre les larmes qui soudain brouillaient sa vue.

« Une de perdue, dix de retrouvées », se dit-il, mais le dicton ne lui réchauffa en rien le cœur.

— Shérif ! cria-t-il. Vous pouvez me laisser sortir maintenant. Je sais tout ce que je voulais savoir.

— Pas question, monsieur Taggert, dit l'homme. La

ville de Chandler a trop besoin de l'argent de votre pension ici !

Sans un mot, Kane regagna sa couchette : dormir là ou ailleurs, quelle importance ?

CHAPITRE XXXI

— Tu es sûr de savoir ce que tu es en train de faire ? demanda une fois de plus Aryane à Ian.

Ian opina du chef et jeta un bref coup d'œil à la petite caisse à l'arrière du chariot. A ses côtés, Zacharie se tenait très droit, les yeux brillants d'excitation. Il était encore trop jeune pour se rendre compte du danger de leur entreprise.

— Ça ne risque pas de partir tout seul ? reprit Aryane.

— Non, répondit Ian en regardant de nouveau la petite caisse qui contenait la dynamite.

Apparemment satisfaite, la jeune femme se concentra sur son attelage.

Elle avait pratiquement mis vingt-quatre heures pour organiser l'opération de ce soir. Elle avait tout de suite su ce qu'elle voulait faire et compris qu'aucun adulte responsable n'accepterait de l'aider.

Elle s'était d'abord ouverte à Ian, lui expliquant tous les risques qu'il encourrait en prenant part à son projet, mais le jeune homme lui avait répondu qu'il lui devait déjà tant de bienfaits qu'il n'avait rien à lui refuser. C'était de tout cœur qu'il lui apporterait son aide.

La jeune femme avait protesté quand Ian lui avait annoncé qu'il allait mettre Zacharie dans la confidence, mais il s'était montré inflexible : il ne pourrait rien faire s'il n'avait personne pour le seconder.

A minuit, Aryane et Ian s'étaient retrouvés à la mine de Little Pamela. Il y régnait toujours une telle confusion qu'ils avaient pu faire sauter sans être vus le cadenas qui fermait la réserve d'explosifs et voler de quoi faire disparaître en fumée deux bons pâtés de maisons.

Bien que Ian protestât que cela leur faisait perdre du

temps, Aryane avait tenu à remettre la chaîne et le cadenas sur la porte de la remise.

Ils avaient ensuite regagné le chariot avec leur butin, tentant de se faire remarquer le moins possible. Plusieurs personnes avaient néanmoins aperçu Aryane et lui avaient dit bonjour mais nul ne s'était étonné de la voir là.

Aryane et Ian étaient déjà à mi-chemin de Chandler quand ils avaient trouvé Zacharie, sur la route, qui venait à leur rencontre. Il était passé par la fenêtre de sa chambre sans que personne le voie.

— Tu n'auras rien d'autre à faire que rester auprès des chevaux, l'avait averti Aryane. Et sitôt que ton père et moi serons en selle, je veux que vous rentriez tous les deux chez vous. Ian, peux-tu rentrer facilement chez Edan sans être remarqué ?

— Aucun problème.

— Et toi, Zacharie ?

Le garçon avala sa salive avec difficulté. La corde qui lui avait permis de s'échapper s'était cassée quand il n'était plus qu'à deux mètres du sol et il n'avait plus aucun moyen de remonter à sa chambre.

— Moi non plus, mentit-il, pas de problème.

Ils atteignirent la prison à trois heures du matin. Quelques heures plus tôt, Aryane avait déjà dissimulé deux chevaux à proximité. Chacun était lesté de sacs contenant vêtements, nourriture et assez d'argent pour tenir pendant au moins deux mois.

Aryane arrêta le chariot assez loin de la prison et inspecta attentivement les alentours tandis que Ian descendait la caisse de dynamite. Elle savait qu'il avait acquis une certaine expérience des explosifs quand il était à la mine, mais elle n'était pas sûre qu'il sache faire sauter le mur d'une prison...

— Je vais mettre quelques bâtons à la base de ce mur qui épouse la pente de la colline, expliqua-t-il. Comme ça, le mur glissera doucement et une brèche se formera. Kane n'aura qu'à sauter depuis le premier étage sur le dos de son cheval. On ne peut rêver plus simple.

— Un coup très simple, en effet, murmura sombrement Aryane, et qui risque de nous mener en prison pour le restant de nos jours.

La veille, quand Kane lui avait dit qu'il risquait d'être

pendu pour un crime qu'il n'avait pas commis — et pour être honnête avec elle-même Aryane devait s'avouer qu'elle se moquait que ce fût vrai ou non —, elle avait tout de suite su qu'il fallait faire quelque chose pour le délivrer. Après ce que Kane avait fait pour les mines depuis la catastrophe, toute la population de Chandler le soutiendrait, mais le procès aurait sans doute lieu à Denver et les gens de là-bas n'auraient aucune raison de se montrer cléments à son égard. Comme, de surcroît, Kane n'avait aucun témoin à décharge, Aryane était certaine qu'il serait condamné.

Il fallait donc le délivrer au plus vite, et tant pis s'ils devaient passer le reste de leur vie comme deux fugitifs. L'essentiel était de rester ensemble. Ils iraient s'installer au Mexique et Doriane trouverait bien un moyen de leur faire parvenir de l'argent régulièrement.

Ne pas pouvoir dire au revoir à sa famille et à ses amis était bien le seul regret de la jeune femme, d'autant qu'elle ne pourrait même pas leur écrire, car ses lettres auraient risqué de mettre la police sur la trace de Kane.

Aryane dit à Zacharie d'aller chercher les chevaux et de les ramener le plus près possible de la prison en les tenant fermement par la bride.

Les mains de la jeune femme tremblaient tandis qu'elle aidait Ian à insérer les bâtons de dynamite à la base du mur. Lorsqu'ils eurent terminé, Aryane grimpa sur les épaules de Ian pour regarder par la lucarne de la cellule.

— Dites-lui de mettre son matelas sur sa tête, souffla le jeune homme.

— Tu es sûr de ne pas avoir trop mis de dynamite ? demanda-t-elle. Il ne risque rien ?

— Arrêtez de poser tant de questions. Vos bottes me font mal et je ne vais pas pouvoir tenir comme ça long-temps.

Aryane aperçut la grande silhouette de Kane affalée sur son matelas. Elle jeta un caillou à l'intérieur de la cellule, mais il ne se réveilla pas. Il en fallut finalement six pour qu'il ouvre enfin un œil.

— Kane !

— Aryane ? C'est toi ? Mais que fais-tu ici en plein milieu de la nuit ?

— Je n'ai pas le temps de te donner de détails, mais Ian et moi allons te faire sortir de là. On va faire sauter ce mur à la dynamite. Alors mets-toi là-bas dans le coin et recouvre-toi de ton matelas.

— Quoi ? De la dynamite ! Ecoute, Aryane, il faut que je te dise quelque chose...

— Aryane, dit Ian, dépêchez-vous, je ne vais pas rester comme ça longtemps.

— Fais ce que je t'ai dit, reprit Aryane. Quand la voie sera libre, saute, j'ai un cheval pour toi. Je t'aime.

Kane resta un moment au milieu de sa cellule. Ainsi, au lieu de s'enfuir en empochant son argent, Aryane avait mis au point un plan pour le faire évader ! Il se mit à siffloter gaiement, les mains dans les poches. Le grésillement d'une mèche le ramena à la réalité.

— Bon Dieu, la dynamite ! s'écria-t-il, se précipitant à l'autre bout du réduit, serrant son matelas contre lui.

Jamais il n'avait entendu pareille explosion. Kane crut que sa tête éclatait en mille morceaux.

Aryane, Zacharie et Ian s'étaient tapis derrière un rocher et, dans un bruit d'enfer, ils virent la totalité du mur de la prison glisser sur lui-même, mettant à nu le bâtiment sur la hauteur de deux étages ! Kane était recroquevillé dans son coin et, quand la poussière retomba enfin, il ne bougea pas.

— On l'a tué ! cria Aryane en se précipitant, Ian sur ses talons.

— Non, fit Ian, mais il doit être sourd. Kane ! appela-t-il.

Comme Kane ne répondait pas, Ian escalada le tas de gravats et se hissa à l'intérieur de la cellule éventrée.

Il arracha le matelas qui recouvrait le prisonnier et, comme celui-ci ne comprenait pas un traître mot de ce qu'il pouvait lui dire, Ian eut recours aux gestes.

Kane paraissait complètement idiot. L'explosion l'avait sonné. Ian dut le pousser pour lui faire dégringoler le tas de moellons.

Aryane était déjà en selle. Kane se tenait la tête à deux mains et semblait souffrir. Ian le poussa et il finit par monter sur son cheval.

— Vous deux, rentrez chez vous en vitesse, ordonna Aryane, tandis que les gens, alertés par le bruit de l'explosion, commençaient à se précipiter vers la prison.

Elle piqua des deux, suivie de Kane, et ils prirent au grand galop la direction du désert.

Fuyant à toute allure, la jeune femme se retournait régulièrement pour vérifier que son compagnon la suivait bien. Kane était toujours là mais il avait toujours l'air aussi éberlué.

Vers midi, ils s'arrêtèrent à un relais de diligence à mi-chemin entre le Colorado et le Nouveau-Mexique. Là, pour un prix exorbitant, Aryane acheta des chevaux frais.

— Vous êtes sûre qu'il va bien ? demanda l'homme en désignant Kane, qui, le front appuyé contre un mur, ne cessait de se frotter le crâne.

— Vous ne nous avez jamais vus, répondit Aryane en lui glissant un billet de vingt dollars.

— Je ne me mêle jamais des histoires des autres, rétorqua l'homme, enfouissant l'argent dans sa poche.

Aryane tenta de parler à Kane, mais il se contenta de fixer ses lèvres en ouvrant de grands yeux.

Ils mangèrent à cheval et, même lorsque la nuit fut tombée, ils ne s'arrêtèrent pas. A un moment, Kane essaya de parler mais, comme il n'entendait pas sa propre voix, il eut recours aux gestes. Aryane finit par deviner qu'il voulait savoir où ils allaient.

— Au Mexique ! Me-xique ! dut-elle répéter quatre fois avant qu'il comprenne.

Kane parut vouloir protester, mais Aryane ne lui en laissa pas le temps. Elle repartit au grand galop.

Sans doute ne voulait-il pas mettre sa vie en danger, mais s'il devait passer son existence dans la clandestinité, la jeune femme avait la ferme intention de demeurer à ses côtés.

— STOP ! hurla Kane. ON S'ARRÊTE ICI POUR LA NUIT !

Jamais Aryane n'avait entendu quelqu'un parler si fort.

Kane se tut, descendit de cheval et alla attacher sa monture à l'abri d'un bosquet. La jeune femme voulait continuer, mettre un maximum de distance entre Chandler et eux, mais elle se soumit. Peut-être Kane souffrait-il trop pour pouvoir galoper ainsi toute la nuit...

Aryane retirait la selle de son cheval lorsqu'elle rencontra le regard de Kane. Jamais encore elle ne l'avait vu si farouche, presque menaçant.

Il vint à elle, lui arracha la selle et la serra de toute ses forces dans ses bras, la couvrant de baisers, ôtant un à un ses vêtements.

— Kane, mon amour, mon seul amour, murmura-t-elle.

Kane l'allongea sur l'herbe et la prit avec une passion intense, une violence qu'Aryane ne lui connaissait pas.

Plus tard, il alla s'occuper des chevaux et quand la jeune femme lui fit remarquer que ce n'était peut-être pas prudent, il lui hurla de lui faire confiance et elle obéit.

Kane prépara à manger, puis il éteignit le feu, vint s'allonger près d'Aryane et la prit dans ses bras.

Quelques secondes plus tard, ils dormaient à poings fermés.

CHAPITRE XXXII

Il faisait grand jour quand Aryane se réveilla. Kane la tenait serrée contre son cœur et souriait aux anges.

— Il faut partir, dit-elle, s'asseyant et commençant à ramasser ses vêtements. Ils ne se sont sûrement pas arrêtés aussi longtemps que nous et ils seront bientôt là.

— Les vilains gendarmes et le gentil voleur, sourit Kane en l'attirant à lui.

— Ce n'est pas le moment de plaisanter !

— Aryane, quel est ton plan ? Pourquoi veux-tu à tout prix atteindre le Mexique ?

— Je t'expliquerai plus tard. Viens, il faut seller les chevaux. Au Mexique, on pourra se cacher, reprit-elle, s'occupant de sa monture.

— Combien de temps ?

— Pour toujours, bien sûr ! Je ne crois pas qu'il y ait prescription quand il s'agit d'un meurtre. Là-bas, on se débrouillera et on ne nous posera pas de questions.

— Un instant, fit Kane, la prenant par le bras. Tu veux dire que tu es prête à aller vivre au Mexique ? Tu veux bien mener une vie de hors-la-loi avec moi ?

— Evidemment ! Maintenant, je t'en prie, selle ton cheval, il n'y a pas de temps à perdre.

Aryane n'en dit pas davantage : Kane venait de la prendre dans ses bras.

— Mon amour, fit-il, jamais quelqu'un ne m'avait encore dit quelque chose d'aussi beau. Tu te moques de mon argent, alors ?

— Kane ! s'énerva la jeune femme, je t'en prie, lâche-moi. Ils vont finir par nous retrouver et tu...

Kane la fit taire d'un baiser.

— Personne ne nous court après, reprit-il. Sauf peut-être le shérif parce que tu lui as mis sa prison en miettes. Oh, Aryane, j'aimerais bien voir sa tête !

La jeune femme ne voyait pas bien où il voulait en venir mais une peur soudaine lui noua l'estomac et elle recula d'un pas.

— Ça t'ennuierait de t'expliquer ?

— Je voulais savoir comment tu..., commença-t-il, embarrassé, comment tu réagirais si je n'avais plus d'argent.

Aryane lui lança un regard à glacer de terreur un bataillon de tireurs d'élite.

— J'aimerais savoir ce qui s'est réellement passé avec Jacob Fenton.

— Aryane, je ne t'ai pas menti. Disons que je n'ai pas dit toute la vérité. J'ai effectivement trouvé Jacob mort au pied de l'escalier et j'ai bel et bien été conduit en prison. Mais les domestiques l'avaient déjà trouvé et savaient donc qu'il était mort avant que j'arrive là-bas.

— Alors, pourquoi étais-tu toujours en prison ? Pourquoi ne t'a-t-on pas relâché immédiatement ?

— Je voulais savoir si tu m'aimais uniquement pour moi. Tu sais, quand tu es partie après ta visite dans ma cellule, j'ai vraiment cru que tu allais trouver Reed Westfield pour voir ce que tu pouvais sauver de ma fortune avant que je sois pendu.

— Tu as cru ça ? Tu m'as crue assez basse pour abandonner l'homme que j'aime alors qu'il est accusé de meurtre ?

Aryane lui tourna le dos.

— Ma chérie, comprends-moi ! Je voulais être sûr. Je ne m'attendais pas à ce que tu fasses sauter la prison au risque de me tuer !

— Tu t'en es très bien remis !

— Aryane, je t'en prie, ne te mets pas dans cet état. Ce n'était qu'une plaisanterie. Tu n'as donc plus d'humour ? Tout le monde en ville va...

— Oui, coupa-t-elle, continue. Tout le monde en ville va faire quoi ?

— Peut-être qu'ils ne se sont aperçus de rien...

— Vraiment ? Tu crois ça ? J'ai fait sauter un mur épais d'un bon mètre, et sur deux étages, et tout le monde a continué à dormir sur ses deux oreilles ! Et sans doute les dégâts sont-ils si minimes que tous ceux qui sont passés depuis devant la prison n'ont rien remarqué ! Et tu crois aussi que le shérif va garder pour lui l'histoire du siècle : une des jumelles Chandler dynamitant la prison pour sauver un mari blanc comme neige !

— Aryane, essaie de comprendre mon point de vue. Je voulais tellement être sûr que tu m'aimais ! J'en ai eu l'occasion et je l'ai saisie. On ne peut pas en vouloir à un homme d'avoir tenté sa chance.

— Eh bien, si, je t'en veux. Et j'aimerais que pour une fois tu m'écoutes. Je t'ai déjà dit que je t'aimais, toi, et pas ton maudit argent. C'est clair ?

— Tu m'as aussi dit que tu ne pouvais pas vivre avec un homme que tu ne respectais pas et tu es revenue. Ça ne m'a d'ailleurs pas demandé beaucoup d'efforts. Il faut croire que tu n'arrives pas à me résister.

— Tu..., s'étouffa Aryane. Tu es l'homme le plus prétentieux que la terre ait jamais porté ! Je regrette bien de t'avoir fait évader. Ils auraient dû te pendre !

La jeune femme sauta sur son cheval et partit au galop.

— Aryane, attends-moi ! Ce n'était qu'une farce, je ne voulais pas te faire de mal !

Ils chevauchèrent toute la journée et, toutes les cinq minutes, soit Kane présentait des excuses, soit il tentait de persuader la jeune femme de le comprendre. Il essaya aussi de lui faire voir le côté comique de la situation mais là encore il se heurta à un mur.

Aryane n'écoutait même plus. Elle ne pensait qu'aux habitants de Chandler. Après la catastrophe survenue à la mine, ils seraient ravis de pouvoir s'amuser un peu et son aventure serait sur toutes les lèvres. Le shérif en rajouterait sûrement et la gazette en ferait ses délices.

Quant à l'attitude de Kane, Aryane en était ulcérée. Elle lui avait donné tout son amour et il n'avait trouvé rien de mieux que d'en douter à la face de toute la ville ! Quelle humiliation !

Aryane eut un avant-goût de ce qui l'attendait lorsqu'ils atteignirent le relais de diligence. L'homme leur demanda s'ils étaient ce couple de Chandler dont il avait entendu parler. Il ne pouvait penser à leur histoire sans être pris de fou rire et, quand ils partirent, il tint à leur rendre les vingt dollars que la jeune femme lui avait donnés.

— Cette histoire en vaut cent ! rit-il, assenant une forte claque dans le dos de Kane. Reprenez votre billet, je ne vous en devrai plus que quatre-vingts !

De nouveau sur la route, Kane tenta de raisonner sa femme mais, à chaque fois qu'il repensait aux événements de la veille, il avait le plus grand mal à garder son sérieux.

— Je te reverrai toujours accrochée aux barreaux de la fenêtre avec Ian qui se plaignait que tes bottes lui rentraient dans les épaules ! Toutes les femmes à l'ouest du Mississippi vont être jalouses de toi. Elles aimeraient tant avoir elles-mêmes le courage de tirer leurs maris des griffes de la mort...

Il s'arrêta là car Aryane venait de lancer son cheval à toute allure.

Quand ils atteignirent Chandler, la réalité dépassa tout ce qu'Aryane avait pu redouter. Comme par hasard, les gens avaient justement choisi de se promener sur la route qui menait à la demeure Taggert, et dans la cour, tous les domestiques étaient là.

Avec toute la dignité dont elle était capable, Aryane gagna la porte de la cuisine tandis que Kane descendait de cheval dans la cour d'honneur.

La jeune femme passa devant les fourneaux sans répondre aux questions de Mme Murchinson et monta directement à sa chambre, où, après avoir renvoyé Susan, elle se fit elle-même couler un bain. Enfin, elle se coucha et s'endormit.

Elle entendit vaguement Kane pénétrer dans la chambre mais continua à faire semblant de dormir et il s'en alla.

Après neuf heures de sommeil et un solide petit déjeuner, Aryane ne se sentit pas de meilleure humeur.

Elle sortit sur sa terrasse fleurie et constata qu'il y avait toujours autant de monde dans la rue.

Kane vint la voir et lui annonça qu'il partait pour Little Pamela voir si l'on avait besoin de quelque chose.

Aryane voulait-elle se joindre à lui ? La jeune femme déclina l'offre d'un signe de tête.

— Tu ne peux pas rester cachée éternellement. Pourquoi n'es-tu pas fière de ce que tu as fait ? Moi, je le suis !

Une fois seule, Aryane réfléchit. Kane avait raison : il fallait affronter les gens et le plus tôt serait le mieux. La jeune femme s'habilla et descendit demander qu'on lui prépare son landau.

Ce fut encore plus pénible qu'elle se l'imaginait. Personne ne voyait en elle une héroïne, mais bien une femme stupide qui s'était affolée pour pas grand-chose et, en agissant sans réfléchir, s'était couverte de ridicule.

Aryane se rendit à la mine, espérant que là, les gens auraient moins envie de rire d'elle. Hélas, elle se trompait. Bien au contraire, tous étaient ravis de pouvoir se divertir à bon compte après les terribles jours qu'ils venaient de traverser.

En fin de journée, Pamela vint trouver Kane et Aryane surprit sans le vouloir leur conversation.

— Le jour du mariage, criait la jeune femme, tu as dit que pour rien au monde tu ne voudrais l'humilier ! Alors, dis-moi un peu ce que tu es en train de faire maintenant ?

Sentir qu'au moins quelqu'un prenait sa défense remit un peu de baume au cœur d'Aryane.

Rentrée à la maison, Kane fit encore une tentative pour lui parler mais elle ne voulut rien entendre. Il finit par sortir en claquant la porte, lui lançant que décidément elle n'avait aucun sens de l'humour.

Ce soir-là, Aryane pleura longtemps dans son lit avant de trouver le sommeil.

CHAPITRE XXXIII

Le lendemain, Aryane en voulait toujours terriblement à Kane et ne supportait plus l'idée de sortir de la maison.

Elle arrangeait des fleurs dans le hall quand une conversation lui parvint du bureau, dont la porte était restée ouverte.

Kane, Rafe, Leander et Edan discutaient de la situation à la mine : il fallait faire quelque chose pour les veuves et les orphelins, sinon ils ne toucheraient aucun dédommagement.

La jeune femme ne pouvait se retenir d'être fière de l'attitude de son mari, mais soudain une question de Leander la fit sursauter.

— Est-ce là la facture que vous a envoyée la municipalité ?

— Oui, ils me réclament cinq cents dollars pour réparer le mur de la prison. Je crois que jamais encore je n'avais payé une facture avec autant de plaisir.

— On pourrait peut-être faire une cérémonie pour l'inauguration de ce nouveau mur, dit Rafe. Aryane couperait le ruban.

— Si toutefois elle reparle un jour à Kane, fit sombrement Edan.

— Comment savoir comment réagira Aryane ? reprit Leander. Elle ne ressemble en rien à la jeune fille que j'ai connue. Je me souviens d'un soir où nous devions aller danser et où elle avait mis une très jolie robe rouge. Gates lui a fait une réflexion comme quoi la couleur était trop voyante et, tout le long du chemin, elle a serré son manteau sur elle pour tenter de dissimuler sa robe. Quand nous sommes arrivés au bal, elle avait l'air tellement ennuyée que je lui ai dit qu'elle pouvait garder son manteau si elle le souhaitait. Eh bien, elle ne l'a pas enlevé de la soirée et elle est restée assise dans son coin. On aurait dit qu'elle allait se mettre à pleurer.

Aryane s'immobilisa, une fleur à la main. Se pouvait-il que l'on puisse vivre la même histoire de façon si différente ? Peut-être après tout avait-elle été stupide de se gâcher cette soirée. Il lui semblait se souvenir maintenant que la sœur de Leander portait souvent cette nuance de rouge.

La jeune femme continua son bouquet en souriant.

— En tout cas, dit Kane, je l'ai échappé belle. Vous ne pouvez pas vous imaginer l'effet que ça fait d'apprendre que l'on a de la dynamite sous les pieds et de n'avoir aucun endroit où courir !

— Arrête de te plaindre ! rétorqua Edan. En fait, tu es ravi.

— Dommage que vous n'ayez pu voir ce qui s'est passé après l'explosion, rit Leander. D'abord, tout le monde a cru à un nouveau coup de grisou et la moitié de Chandler s'est retrouvée à demi nue dans les rues. Ensuite, on a découvert la prison et personne n'arrivait à comprendre. C'est Edan qui s'est souvenu le premier que vous étiez dedans.

Aryane laissa échapper un petit rire, mais se reprit.

— Quand j'ai vu l'état de la prison, enchaîna Edan, j'ai tout de suite compris qu'Aryane était dans le coup. Vous êtes tous à la porter sur un piédestal mais moi, je l'ai suivie. Et c'est fou ce qu'elle cache derrière ses airs de princesse.

Aryane avait de plus en plus de mal à contenir son rire. La voix d'Edan s'était faite à la fois désapprobatrice et admirative et la jeune femme se souvint qu'il avait assisté depuis son cagibi à sa petite fête d'un soir.

Peu à peu, il lui revint en mémoire toutes les excentricités qu'elle avait pu commettre ces derniers mois. La manière dont elle escaladait le rosier en déshabillé une heure à peine avant son mariage ; tous ces gens qu'elle avait invités à venir vivre ici, sans même en parler à Kane ; enfin, le plus énorme : elle avait réveillé toute la ville à trois heures du matin en faisant sauter la prison à la dynamite !

Cette fois, Aryane ne put plus se contenir et elle fut prise d'un tel fou rire qu'elle dut se raccrocher à la console pour ne pas perdre l'équilibre.

Aussitôt les hommes sortirent du bureau en courant.

— Aryane, ma chérie, tu vas bien ? s'inquiéta Kane.

Il tenta de la prendre dans ses bras mais elle se tordait de rire.

— Je cachais ma robe rouge parce que j'avais peur qu'on me dise que je n'étais pas une jeune fille bien, hoqueta-t-elle, mais j'ai dynamité la prison !

Elle fut obligée de s'asseoir par terre.

— Et le culturiste ! Vous vous souvenez du culturiste, Edan ?

— De lui, et des danses, et de tout ce qui s'est dit ! répondit-il, se mettant à rire lui aussi. Vous savez, j'avais pris une bouteille de whisky avec moi pour passer le temps ! J'ignorais qu'on s'amusait tant entre jeunes filles de bonne famille. Je ne peux plus rester sérieux quand je passe devant le salon de thé de Miss Emily !

— Et Leander ! Toutes ces années sans qu'il connaisse Sadie !

— Vous savez de quoi elle parle ? demanda Leander à Kane.

— Cette ravissante petite dame, répondit Rafe à sa place, qui a l'air si fragile et tout juste bonne à faire de la broderie, mène régulièrement des attelages de quatre chevaux.

— Je peux même aller jusqu'à douze, précisa fièrement Aryane avant de se remettre à rire de plus belle.

— Et elle a un direct du droit qui met K.O. un garçon de sa taille, ajouta Kane, ravi. Elle est capable de laisser son mariage en plan pour rejoindre un mari qui s'est ridiculisé devant tout le monde, et de dédommager sa maîtresse pour qu'elle quitte la ville.

— Quand je pense que je l'appelais la princesse de glace, murmura Leander.

— Je l'ai fait fondre, dit Kane, bombant le torse.

— Eh bien, si tu ne veux pas qu'elle fonde complètement et qu'elle disparaisse entre les lattes du parquet, intervint Rafe, tu devrais faire quelque chose.

Kane s'approcha d'Aryane, toujours morte de rire, et la souleva dans ses bras.

Edan et Rafe les regardèrent monter ainsi l'escalier.

— Quand nous serons dans la chambre, dit Kane, tu m'expliqueras un peu cette histoire de culturiste. Et ne recommence pas à rire ! Aryane !

ACHEVÉ D'IMPRIMER
SUR LES PRESSES
DE L'IMPRIMERIE S.E.G.
33, RUE BÉRANGER
CHATILLON-SOUS-BAGNEUX

Numéro d'éditeur : 5303
Numéro d'impression : 3463
Dépôt légal : octobre 1986

Tranche tachée 7.97 mk

Ville de Montréal **MR** **Feuillet**
de circulation

DEV

À rendre le

14 OCT. 2000	1 1 MAI 2002
28 NOV. 2000	1 9 JUIN 2002
1 1 JAN. 2001	
27 JAN. 2001	0 4 JUIL. 2002
	1 8 DEC. 2002
27 FEV. 2001	28 JUIN 2003
	1 7 JUIL. 2003
0 4 AVR. 2001	
1 6 MAI 2001	2 4 SEP. 2003
2 0 JUIN 2001	1 8 NOV. 2003
	2 0 DEC. 2003
0 3 OCT. 2001	0 2 MAR. 2004
	0 2 MAI 2004
2 8 NOV. 2001	1 7 DEC. 2004
2 4 JAN. 2002	2 2 AVR. 2005
1 7 AVR. 2002	

'99

99

06.03.375-8 (05-93)